延世韩国语2
活用练习

［韩］延世大学韩国语学堂　编著

世界图书出版公司

北京·广州·上海·西安

图书在版编目（CIP）数据

延世韩国语 2 活用练习 / 延世大学韩国语学堂编著 . — 北京：世界图书出版公司北京公司，2014.6
（2024.1重印）

ISBN 978-7-5100-7814-9

Ⅰ . ①延… Ⅱ . ①延… Ⅲ . ①朝鲜语—习题集 Ⅳ . ① H55-44

中国版本图书馆 CIP 数据核字 (2014) 第 070655 号

书　　名　延世韩国语 2 活用练习
　　　　　YANSHI HANGUOYU 2 HUOYONG LIANXI

编 著 者　[韩] 延世大学韩国语学堂
执 笔 者　[韩] 金美玉　[韩] 朴芝妍　[韩] 姜慧林　[韩] 黄惠珍
译　　者　马　佳
责任编辑　乔　伟

出版发行　世界图书出版有限公司北京分公司
地　　址　北京市东城区朝内大街 137 号
邮　　编　100010
电　　话　010-64038355（发行）　64037380（客服）　64033507（总编室）
网　　址　http://www.wpcbj.com.cn
邮　　箱　wpcbjst@vip.163.com
销　　售　新华书店
印　　刷　三河市国英印务有限公司
开　　本　787 mm×1092 mm　1/16
印　　张　19.25
字　　数　370 千字
版　　次　2014 年 6 月第 1 版
印　　次　2024 年 1 月第 12 次印刷
版权登记　01-2014-0208
国际书号　ISBN 978-7-5100-7814-9
定　　价　49.00 元（含 MP3 一张）

일러두기

- '연세 한국어 활용연습 2'는 총 10과로 이루어져 있으며, 각 과는 5개의 항으로 구성되어 있다.

- 각 과는 5개의 항으로 구성되어 있는데 1항부터 4항까지는 어휘, 문법 연습으로 구성되어 교재에 나온 어휘와 문법을 연습하도록 되어 있다. 5항은 한 과의 전체 내용을 총 정리하고 복습하는 내용으로 되어 있으며, 어휘와 문법 복습과 듣기 연습, 읽기 연습, 말하기 연습 등으로 구성되어 있다. 말하기 연습은 과마다 2개씩 넣었는데, 첫 번째 연습은 주제와 관련된 말하기 연습, 두 번째 연습은 문법 활용에 관련된 말하기 연습이며 첫 번째 말하기 연습에는 보기에서 모범 발화 예문을 제시하여 학생들의 이해와 연습을 돕고자 하였다.

- 학생들의 흥미를 끌고자 각 과의 중간 중간에는 재미있는 문장 읽기, 같은 소리 다른 말, 재미있는 말놀이, 숨은 글자 찾기, 주제별 단어 찾기 등 다양하고 흥미로운 내용으로 5개의 쉼터를 넣었다.

- 5과가 끝날 때마다 복습 문제를 넣어 배운 내용을 정리할 수 있도록 하였다.

- 문법 연습에는 문형에 필요한 품사들을 명기하였는데 명사는 N, 동사의 어간은 AVst, 형용사의 어간은 DVst로 표기하여 학생들의 이해를 돕고자 하였다.

- 학생들의 이해를 돕고자 각 연습 문제의 1번에는 정답을 써주어 보기와 같은 역할을 할 수 있도록 하였다.

- 책의 뒷부분에는 교재에 실린 듣기 연습 부분의 지문과 정답을 실어 학생들이 스스로 정답을 확인하고 공부하는데 도움이 되도록 하였다.

차례

제1과 소개

1과 1항

어휘

1. 다음 [보기]에서 알맞은 단어를 골라 (   ) 안에 쓰십시오. (请从示例中选出正确的单词填空。)

[보기]	도움	무역	모두	부탁하다	필요하다

❶ 설날에는 가족들이 (**모두**) 모여서 식사를 합니다.

❷ 길을 잃어버렸을 때는 가까운 경찰서에 가면 (   )을/를 받을 수 있습니다.

❸ 여권을 만들려고 하는데 사진이 몇 장 (   )어요/아요/여요?

❹ 한국말을 열심히 배워서 (   ) 회사에서 일하고 싶습니다.

❺ 문제가 있으면 민수 씨에게 (   )으세요/세요. 도와줄 거예요.

2. 관계있는 것을 골라 연결하십시오. (请将相关的内容用线连接起来。)

❶ 증권회사 •　　　• 비행기 표를 팔고 비행기로 물건들을 보냅니다.

❷ 무역회사 •　　　• 매일 여러 나라의 뉴스를 소개합니다.

❸ 신문사 •　　　• 여러 회사의 증권을 사고팝니다.

❹ 여행사 •　　　• 여행가고 싶은 사람에게 여러 가지 도움을 줍니다.

❺ 항공사 •　　　• 다른 나라와 물건을 사고팝니다.

Vst기 때문에

3. 다음 문장을 완성하십시오. (请完成下列句子。)

❶ _____서비스가 좋_____ 기 때문에 그 식당에 자주 가요. (서비스가 좋다)

❷ _____ 기 때문에 지하철을 타고 다녀요. (교통이 복잡하다)

❸ _____ 기 때문에 지각을 자주 해요. (늦게 일어나다)

❹ _____ 아침에 늦게 일어났습니다. (주말이다)

❺ _____ 아이들도 먹을 수 있어요. (맵지 않다)

❻ _____. (열심히 공부했다)

4. '–기 때문에'를 사용해서 다음 질문에 대답하십시오. (请使用 "–기때문에" 回答下列问题。)

❶ 가 : 왜 외출하지 않고 집에만 계세요?

　　나 : _____피곤하기 때문에 오늘은 쉬고 싶어요_____.

❷ 가 : 왜 아직까지 점심을 안 드셨어요?

　　나 : _____.

❸ 가 : 어제 왜 학교에 안 오셨어요?

　　나 : _____.

❹ 가 : 안나 씨는 한국말을 참 잘 하지요?

　　나 : 네, _____.

❺ 가 : 양견 씨가 오늘은 기분이 안 좋은 것 같아요.

　　나 : _____.

❻ 가 : 오늘은 도서관에 가지 않고 바로 집으로 가세요?

　　나 : 네, _____.

5. 다음 문장을 완성하십시오. (请完成下列句子。)

❶ <u>　회사일　</u> 때문에 외국에 자주 갑니다.

❷ <u>　　　　　　　</u> 때문에 학교에 못 갔어요.

❸ <u>　　　　　　　</u> 때문에 선생님이 화가 나신 것 같아요.

❹ <u>　　　　　　　</u> 등산을 못 가요.

❺ <u>　　　　　　　</u> 학교에 늦었어요.

❻ <u>　　　　　　　</u> 아이가 깼어요.

N 이든지/든지

6 다음 [보기]에서 알맞은 단어를 골라 문장을 완성하십시오. (请从示例中选出正确的单词完成下列句子。)

[보기]	어디	언제	뭐	얼마	누구

❶ 과일은 건강에 좋으니까 <u>**얼마**</u> 이든지/든지 먹어도 괜찮겠지요?

❷ 어학당 학생은 _____ 이든지/든지 2층 컴퓨터를 쓸 수 있습니다.

❸ 사랑하는 사람이 가는 곳은 _____ 이든지/든지 같이 가고 싶어요.

❹ 저는 어머니가 만드신 음식은 _____ 잘 먹어요.

❺ 문제가 있으면 _____ 가지고 오세요. 고쳐 드리겠습니다.

7. 다음 [보기1]과 [보기2]에서 알맞은 것을 골라 질문에 대답하십시오. (请从示例1和示例2中选择正确的内容回答下列问题。)

[보기1]		[보기2]	
조용하다	시험이 끝나다	얼마	언제
맵지 않다	학생증이 있다	무슨 음식	누구
필요하다	한국말을 쓸 수 있다	어떤 회사	어디

❶ 가 : 서울 관광 지도 좀 가져 갈 수 있어요?

　나 : <u>**필요하면**</u> 으면/면 <u>**얼마든지 가져 가세요**</u> .

❷ 가 : 뭘 먹고 싶으세요?

　나 : _____ 으면/면 _____ .

YONSEI KOREAN 2 WORKBOOK

❸ 가 : 우리 롯데월드에 언제 갈까요?

　　나 : ＿＿＿＿＿＿＿＿＿＿ 으면/면 ＿＿＿＿＿＿＿＿＿＿＿＿.

❹ 가 : 어떤 회사에서 일하고 싶어요?

　　나 : ＿＿＿＿＿＿＿＿＿＿＿＿＿＿＿＿＿＿＿＿＿＿＿＿＿＿.

❺ 가 : 어디에서 시험공부를 할까요?

　　나 : ＿＿＿＿＿＿＿＿＿＿＿＿＿＿＿＿＿＿＿＿＿＿＿＿＿＿.

❻ 가 : 외국 학생도 도서관에 들어 갈 수 있어요?

　　나 : ＿＿＿＿＿＿＿＿＿＿＿＿＿＿＿＿＿＿＿＿＿＿＿＿＿＿.

어휘

1. 다음 [보기]에서 알맞은 단어를 골라 (   ) 안에 쓰십시오. (请从示例中选出正确的
单词填空。)

[보기]	전공	경영학	얼마나	졸업하다	시작하다

❶ 여기에서 하숙집까지 (**얼마나**) 걸려요?

❷ 대학교를 (   )고 무슨 일을 하고 싶어요?

❸ 다음 주 월요일부터 아르바이트를 (   )을/ㄹ 거예요.

❹ (   )을/를 공부하면 회사에서 일하기가 쉬울 것 같아요.

❺ 제 (   )과/와 잘 맞는 일을 찾기가 쉽지 않습니다.

2. 다음 [보기]에서 전공과 관계있는 단어를 골라 쓰십시오. (请从示例中选择与专业相
关的单词写在横线上。)

[보기]	병원	방송국	환자	돈	박물관
	뉴스	하늘	의사	별	경복궁
	왕	시장	과학자	은행	기자

❶ 천문우주학 : _____**별**_____ , _____ , _____

❷ 의학 : _____ , _____ , _____

❸ 경제학 : _____ , _____ , _____

❹ 신문방송학 : _____ , _____ , _____

❺ 역사학 : _____ , _____ , _____

Avst 은/ㄴ 지

3. 다음 그림을 보고 문장을 완성하십시오. (请看图完成句子。)

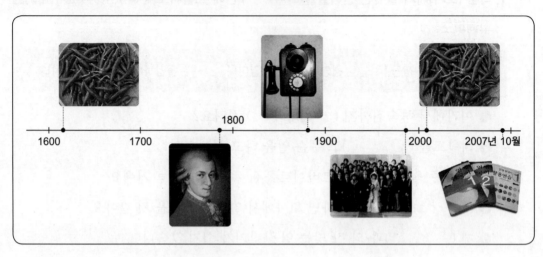

❶ 400년 전에 우리나라에 고추가 들어왔습니다.

→ __한국에 고추가 들어온 지__ __은/ㄴ지__ __400년 쯤__ 됐습니다.

❷ 모차르트는 200년 전에 죽었습니다.

→ _____ 은/ㄴ 지 _____ 됐습니다.

❸ 130년 전에 벨이 전화기를 만들었습니다.

→ _____ 은/ㄴ 지 _____ 됐습니다.

❹ 1980년에 부모님께서 결혼하셨습니다.

→ _____ .

❺ 2002년에 한 · 일 월드컵이 열렸습니다.

→ _____ .

❻ 2007년 6월부터 어학당에 다녔습니다.

→ _____ .

4. 다음 질문에 대답을 쓰고 '-은/ㄴ 지'를 사용해서 대화를 완성하십시오. (请写出下列问题的答案，并使用"-은/ㄴ지"完成对话。)

실문	대답
❶ 언제부터 한국말을 배웠습니까?	6개월 전
❷ 언제 고등학교를 졸업했습니까?	
❸ 언제 부모님께 전화했습니까?	
❹ 언제 휴대 전화를 샀습니까?	
❺ 언제부터 그 하숙집(기숙사)에 살았습니까?	
❻ 언제 극장에서 영화를 봤습니까?	

❶ 가 : _____한국말을 배운 지 얼마나 됐어요_____?

　 나 : _____한국말을 배운 지 6개월 됐어요_____.

❷ 가 : _____?

　 나 : _____.

❸ 가 : _____?

　 나 : _____.

❹ 가 : _____?

　 나 : _____.

❺ 가 : _____?

　 나 : _____.

❻ 가 : _____?

　 나 : _____.

Avst 는데, DVst 은데/ㄴ데[1]

5. 관계있는 것을 연결하고 문장을 만드십시오. (请将相关的内容用线连接起来，并造句。)

❶ 저는 매운 음식을 잘 먹어요. •   • 거기는 날씨가 어떻습니까?

❷ 여기는 조금 춥습니다. •   • 민수 씨도 같이 가시겠어요?

❸ 오늘은 시간이 없어요. •   • 안나 씨도 잘 드세요?

❹ 저는 기숙사에 살아요. •   • 아야코 씨는 어디에 살아요?

❺ 친구하고 영화를 볼 거예요. •   • 은영 씨는 뭘 하셨습니까?

❻ 저는 지난 주말에 등산을 했습니다. •   • 내일 오후에 만날까요?

❶ ___저는 매운 음식을 잘 먹는데___ 는데, 은데/ㄴ데 ___안나 씨도 잘 드세요___ ?

❷ _____ 는데, 은데/ㄴ데 _____ ?

❸ _____ 는데, 은데/ㄴ데 _____ ?

❹ _____ ?

❺ _____ ?

❻ _____ ?

6. '–는데, 은데/ㄴ데'를 사용해서 다음 대화를 완성하십시오. (请使用 "–는데, 은데/ㄴ데" 完成下列对话。)

(러시아에서 온 안나 씨가 고향친구 따냐 씨와 오랜만에 전화를 합니다.)

안나 : 여보세요. 따냐 씨, 저 안나예요.

따냐 : 아, 안나 씨, 정말 오래간만이에요. 그 동안 잘 지냈어요?

안나 : 네, 아주 잘 지냈어요. ❶ <u>　서울은 날씨가 따뜻한데 거기는 어때요　</u>?

따냐 : 여기는 바람도 불고 조금 추워요.

　　　여기는 지금 저녁 10시인데 ❷ <u>　　　　　　　　　　　　　　　</u>?

안나 : 서울은 9시예요.

　　　❸ <u>　　　　　　　　　　　　　　　　　　　　　　　　　</u>?

따냐 : 저도 학교 생활이 재미있지만 숙제가 많아서 조금 힘들어요.

안나 : 그렇군요.

　　　❹ <u>　　　　　　　　　　　　　　　　　　　　　　　　　</u>?

따냐 : 저는 시험공부를 하고 있어요.

　　　❺ <u>　　　　　　　　　　　　　　　　　　　　　　　　　</u>?

안나 : 저는 지난주에 시험이 끝났어요. 조금 있으면 방학이에요.

　　　그래서 방학 때 ❻ <u>　　　　　　　　　　　　　　　</u>?

따냐 : 저는 아직 계획이 없는데 서울에 한 번 가보고 싶어요.

안나 : 그럼, 서울에 오면 꼭 연락하세요. 그리고 시험도 잘 보세요.

따냐 : 고마워요. 그럼, 다음에 또 전화하세요.

어휘

1. 다음 [보기]에서 알맞은 단어를 골라 (   ) 안에 쓰십시오. (请从示例中选出正确的单词填空。)

[보기]	오래간만	힘들다	지내다	사귀다	익숙하다

❶ (오래간만   )에 운동을 하니까 다리가 아파요.

❷ 하숙집에 사니까 한국 친구를 많이 (   )을/ㄹ 수 있어서 좋아요.

❸ 그 동안 어떻게 (   )었습니까/았습니까/였습니까?

❹ 집이 멀어서 학교에 다니기가 (   )습니다/ㅂ니다.

❺ 이제는 매운 음식에 (   )어져서/아져서/여져서 잘 먹어요.

2. 다음 대화를 읽고 [보기]에서 알맞은 단어를 골라 (   ) 안에 쓰십시오. (请阅读下列对话，从示例中选择正确的单词填空。)

[보기]	조카	이모	할머니	작은아버지	고모

마이클 : 지선 씨 왼쪽에 있는 분은 어머니시지요?

　　　　어머니 옆에 계신 분은 누구세요?

지　선 : ❶ 아버지의 어머니세요.

마이클 : 지선 씨 뒤에 계신 분은 누구세요?

지　선 : ❷ 어머니의 언니세요.

마이클 : 지선 씨 남편 뒤에 계신 남자 분은 누구세요?

지　선 : ❸ 아버지의 동생이세요.

마이클 : 지선 씨 남편 옆에 계신 분이 지선 씨 아버지시지요?

　　　　아버지 옆에 있는 여자 분은 누구세요?

지　선 : ❹ 아버지의 여동생이세요.

마이클 : 앞에 있는 아이는 누구예요?

지　선 : ❺ 오빠의 아들이에요.

❸ [ ]　❷ [ ]

❹ [ ]　❺ [ ]　❶ 할머니

DVst 어지다/아지다/여지다[1]

3. 다음 그림을 보고 문장을 완성하십시오. (请看图完成句子。)

약을 먹으니까

괜찮아졌어요 ~~어졌어요/아졌어요/여졌어요.~~

청소를 해서 교실이

_____ 어졌어요/아졌어요/여졌어요.

발음 연습을 많이 해서 발음이

_____ 어졌어요/아졌어요/여졌어요.

1급 때보다 배우는 단어가 더

_____ .

컴퓨터 게임을 많이 해서 눈이

_____ .

요즘 날씨가

_____ .

4. 관계있는 것을 연결하고 '–어지다/아지다/여지다'를 사용해서 문장을 완성하십시오. (请将相关的内容用线连接起来，并使用 "–어지다/아지다/여지다" 完成句子。)

① 한국말을 잘하나 • ⟍ • 소용없다

② 창문을 열다 • ⟍ • 건강하다

③ 문을 닫다 • ⟍ • 한국생활이 재미있다

④ 방학이 끝나다 • • 건강이 나쁘다

⑤ 술을 많이 마시다 • • 도서관에 학생들이 많다

⑥ 담배를 끊다 • • 시원하다

① 한국말을 잘하면 _____한국생활이 재미있어질 거예요_____.

② 창문을 열면 _____.

③ 문을 닫으면 _____.

④ _____.

⑤ _____.

⑥ _____.

DVst 으려고/려고

---

5. 다음 두 문장을 연결하십시오. (请连接下列两个句子。)

① 수영장에 갑니다. / 수영복을 샀습니다.

→ _____수영장에 가려고_____ 으려고/려고 ____수영복을 샀습니다____.

② 아침에 일찍 일어납니다. / 일찍 잡니다.

→ _____ 으려고/려고 _____.

③ 책을 빌려요. / 도서관에 갔어요.

→ _____ 으려고/려고 _____.

❹ 새 차를 사요. / 돈을 모아요.

➜ _____.

❺ 음악을 듣습니다. / MP3를 샀습니다.

➜ _____.

❻ 샌드위치를 만들어요. / 빵을 샀어요.

➜ _____.

_____

6. '-으려고/려고'를 사용해서 질문에 대답하십시오. (请使用 "-으려고/려고" 回答问题。)

❶ 가 : 왜 CD를 샀어요?

　　나 : _____친구에게 생일 선물로 주려고 샀어요_____.

❷ 가 : 왜 돈을 찾았어요?

　　나 : _____.

❸ 가 : 왜 여권을 만들었어요?

　　나 : _____.

❹ 가 : 왜 큰 가방을 샀어요?

　　나 : _____.

❺ 가 : 왜 가족 사진을 가지고 왔어요?

　　나 : _____.

❻ 가 : 어제 왜 전화 하셨어요?

　　나 : _____.

어휘

1. 다음 [보기]에서 알맞은 단어를 골라 (   ) 안에 쓰십시오. (请从示例中选出正确的单词填空。)

[보기]	경치	시골	공기	맑다	다녀오다

❶ 어제 비가 와서 (**공기**   )이/가 좀 깨끗해진 것 같아요.

❷ 한국에는 (   )이/가 아름다운 산이 많아요.

❸ 부산은 비가 오는데 서울은 날씨가 (   )어요/아요/여요.

❹ 지난 주말에 일본에 (   )어서/아서/여서 좀 피곤합니다.

❺ 요즘은 도시에서 (   )으로/로 이사 가는 사람도 많아요.

2. 다음 [보기]에서 알맞은 단어를 골라 쓰십시오. (请从示例中选出正确的单词填在表格中。)

[보기]	도시	섬	관광지	유적지	바닷가

❶ 설악산, 나이아가라, 그랜드 캐년, 만리장성	관광지
❷ 서울, 뉴욕, 하노이, 시드니	
❸ 제주도, 하와이, 여의도, 마다가스카르	
❹ 경주, 교토, 카이로, 이스탄불	
❺ 동해, 와이키키, 부산, 플로리다	

DVst 어하다/아하다/여하다

3. 다음 [보기]에서 알맞은 단어를 골라 문장을 완성하십시오. (请从示例中选择正确的单词完成句子。)

| [보기] | 재미있다 | 어렵다 | 미안하다 | 슬프다 | 귀엽다 | 힘들다 |

❶ 아이가 고양이를 ___귀여워합니다___ ~~어합니다~~/~~아합니다~~/~~야합니다~~.

❷ 학생들이 이 문제를 _____ 어합니다/아합니다/야합니다.

❸ 학생들이 영화를 _____ 어합니다/아합니다/야합니다.

❹ 숙제가 많아서 학생들이 _____.

❺ 강아지가 죽어서 아이가 아주 _____.

❻ 정희 씨는 약속에 늦어서 _____.

4. 둘 중에서 맞는 것을 골라 ○표 하십시오. (请选出正确的单词，用○标出。)

우리 옆집에는 ❶((귀여운), 귀여워하는) 아이가 삽니다. 이 아이는 우리 가족이 ❷(귀여운, 귀여워하는) 우리 개 '해피'를 ❸(무서워해서, 무서워서) 우리 개를 보면 항상 웁니다. 어제도 이 아이가 해피 때문에 울었습니다. 제가 ❹(미안해서, 미안해해서) 사탕을 주었습니다.

아이는 사탕을 받고 ❺(좋았습니다, 좋아했습니다). 아이가 울지 않으니까 저도 ❻(기뻤습니다, 기뻐했습니다).

5. 다음 질문에 대답하십시오 (请回答下列问题   )

❶ 가 : 회사일 때문에 늦게 잤어요.

　　나 : _____**피곤하**_____ 겠군요.

❷ 가 : 저는 중국에서 5년 동안 살았어요.

　　나 : _____ 겠군요.

❸ 가 : 우리 하숙집 1층이 노래방이에요.

　　나 : _____ 겠군요.

❹ 가 : 10년 전부터 태권도를 배웠어요.

　　나 : _____.

❺ 가 : 어제 남대문 시장에서 구두 두 켤레하고 옷 세 벌을 샀어요.

　　나 : _____.

❻ 가 : 어제 식당에서 할아버지 생일 파티를 했어요.

　　나 : _____.

6. '-겠군요'를 사용해서 다음 대화를 완성하십시오. (请使用 "-겠군요" 完成下列对话。)

지 선 : 마이클 씨는 집이 어디예요?

마이클 : 인천이에요.

지 선 : ❶ 학교까지 시간이 많이 걸리겠군요.

마이클 : 네, 한시간 사십 분 쯤 걸려요. 그런데, 지선 씨는 고향이 어디예요?

지 선: 제주도예요.

마이클 : 그럼, ❷ _____ .

지 선 : 네, 자주 못가요. 아, 참 마이클 씨 아르바이트를 하셨지요?

마이클 : 네, 지난 달부터 시작했어요.

지 선 : 무슨 아르바이트를 하세요?

마이클 : 아이스크림 가게에서 일해요.

지 선 : 그럼 ❸ _____

마이클 : 네, 많이 먹어요. 그래서 요즘 뚱뚱해졌어요.

지 선 : 아르바이트는 몇 시쯤 끝나요?

마이클 : 아홉시에 끝나요.

지 선 : ❹ _____ .

마이클 : 네, 그래서 가끔 늦게 일어나요. 오늘도 여덟 시에 일어났어요.

지 선 : ❺ _____

마이클 : 네, 한 시간 늦었어요.

지 선 : 참, 아침을 드셨어요?

마이클 : 아니요, 늦어서 못 먹었어요.

지 선 : ❻ _____ .
　　　　같이 뭘 좀 먹을까요?

마이클 : 네, 그럽시다.

어휘

1. 다음 [보기]에서 알맞은 단어를 골라 (　　) 안에 쓰십시오. (请从示例中选出正确的单词填空。)

[보기]	도움	전공	시골	경치	필요하다
	부탁하다	졸업하다	익숙하다	지내다	다녀오다

❶ 여행갈 때 (**필요한**)<s>는, 은/ㄴ</s> 물건들을 샀어요.

❷ 지난 주에 이사왔기 때문에 아직 (　　　　)지 않은 것이 많아요.

❸ 양견 씨는 어느 대학교를 (　　　　)었어요/았어요/였어요?

❹ 지금 서울에 살고 있지만 고등학교 때까지는 (　　　　)에서 살았어요.

❺ 오후에 백화점에 갈 거예요. (　　　　)을/ㄹ 것이 있으면 말씀하세요.

❻ 제 고향은 (　　　　)도 아름답고 날씨도 따뜻합니다.

❼ 제 (　　　　)은/는 경영학입니다.

❽ 제가 한국에 처음 왔을 때 한국 친구들한테서 (　　　　)을/를 많이 받았어요.

❾ 방학 때마다 고향에 (　　　　)으세요/세요?

❿ 우리 집에 있는 개와 고양이는 싸우지 않고 잘 (　　　　)어요/아요/여요.

2. 다음 질문에 답하십시오. (请回答下列问题。)

1) 무엇을 전공하고 싶습니까? (你想学什么专业?) (　　　)

　❶ 역사학　　❷ 의학　　❸ 경제학　　❹ 신문방송학

2) 아래 친척 중에서 누구를 좋아합니까? (你喜欢下列亲戚中的哪位?) (　　　)

　❶ 고모　❷ 이모　❸ 외삼촌　❹ 할아버지　❺ 할머니　❻ 사촌

3) 어떤 장소를 좋아하십니까? (你喜欢什么地方?) (　　　)

　❶ 도시　　❷ 시골　　❸ 바닷가　　❹ 섬

4) 어느 회사에서 일하고 싶습니까? (你想在哪家公司工作?) (　　　)

　❶ 신문사　　❷ 여행사　　❸ 무역 회사　　❹ 항공사

5) 다음과 같이 문장을 만드십시오. (请参照示例造句。)

　❶ 　을/를 전공한 우리 　❷ 　은/는 　❸ 　에서 　❹ 　에 다닙니다.

[보기]　의학을 전공한 우리 고모는 바닷가에서 무역회사에 다닙니다.

_____ 을/를 전공한 우리 _____ 은/는 _____ 에서 _____ 에 다닙니다.

3. 대화를 완성하십시오. (请完成对话。)

　❶ 가 : 오늘은 도서관에 사람이 많지 않군요.

　　나 : ___**시험이 끝났**___ 기 때문에 ___**사람이 많지 않아요**___ .

　❷ 가 : 양견 씨는 음식은 다 잘 먹는 것 같아요.

　　나 : 네, 맞아요. _____ 이든지/든지 _____ .

　❸ 가 : 무슨 영화를 보고 싶어요?

　　나 : _____ 이든지/든지 _____ .

　❹ 가 : 언제 한국에 왔어요?

　　나 : _____ 은/ㄴ 지 _____ .

　❺ 가 : _____ 은/ㄴ 지 _____ ?

　　나 : 10분 됐어요.

　❻ 가 : 왜 케이크를 샀어요?

　　나 : _____ 으려고/려고 _____ .

　❼ 가 : 2급은 공부할 것이 많지요?

　　나 : 네, _____ 어졌어요/아졌어요/여졌어요.

❽ 가 : 어제 잡채 만들기 한 거 재미있었어요?

　　나 : 괜찮았어요. 친구들도 ＿＿＿＿＿＿＿＿ 어했어요/아했어요/야했어요.

❾ 가 : ＿＿＿＿＿＿＿＿＿＿ 는데, 은데/ㄴ데 ＿＿＿＿＿＿＿＿＿＿＿＿＿＿?

　　나 : 일본은 4월에 학교가 시작돼요.

❿ 가 : ＿＿＿＿＿＿＿ 으려고/려고 하는데 ＿＿＿＿＿ 으시겠어요/시겠어요?

　　나 : 죄송하지만 저는 등산을 안 좋아하는데요.

4. 둘 중에서 맞는 것을 골라 ○표 하십시오. (请选择正确的句子，用○标出。)

❶ 가 : 왜 이렇게 길이 복잡해요?

　　나 : 교통사고 때문에 길이 복잡해요.　　　　(　○　)

　　　　교통사고이기 때문에 길이 복잡해요.　　(　　)

❷ 가 : 영수 씨는 영어를 잘 하는군요.

　　나 : 재미 교포이기 때문에 영어를 잘 해요.　(　　)

　　　　재미 교포 때문에 영어를 잘 해요.　　　(　　)

❸ 가 : 언제 만날까요?

　　나 : 오늘은 바쁘기 때문에 내일 만납시다.　(　　)

　　　　오늘은 바쁘니까 내일 만납시다.　　　　(　　)

❹ 가 : 왜 1층 식당에 가요?

　　나 : 김밥을 사기 때문에 식당에 가요.　　　(　　)

　　　　김밥을 사려고 식당에 가요.　　　　　　(　　)

❺ 가 : 왜 돈을 모아요?

　　나 : 여행을 가러 돈을 모아요.　　　　　　(　　)

　　　　여행을 가려고 돈을 모아요.　　　　　　(　　)

5. 대화를 듣고 질문에 답하십시오. (请听对话，回答问题。)

1) 다음 그림 중에서 제주도가 <u>아닌</u> 것을 고르십시오. (请从下列图片中选出<u>不是</u>济州岛的一
　　幅。) (　　　)

2) 대화의 내용과 같으면 ○표, 다르면 ×표 하십시오. (与对话内容一致的标○，不一致
　　的标× 。)

　　❶ 제주도는 서울보다 춥고 바람이 많이 부는 곳입니다. 　(　　　)

　　❷ 여자는 고향에 갈 때 항상 비행기로 갑니다. 　　　　　(　　　)

　　❸ 여름에는 제주도로 신혼 여행을 많이 갑니다. 　　　　(　　　)

G. 다음 이야기를 읽고 질문에 답하십시오. (请阅读下列文章，回答问题。)

> 이 분은 영국에서 온 마이클 씨입니다. 한국에 온 지 1년 되었고, 내년까지 한국에 있겠습니다. 지금은 한국 회사에서 일하고 있습니다. 가족은 부모님과 동생 한 명이 있습니다. 동생은 고등학생이기 때문에 부모님과 함께 살고 있습니다.
>
> 마이클 씨의 고향은 영국에 있는 작은 도시입니다. 그래서 지하철도 없고 교통도 복잡하지 않습니다. 한국에 처음 왔을 때 지하철과 버스 타는 것이 어려웠지만 지금은 괜찮아졌습니다.
>
> 마이클 씨는 10살 때부터 태권도를 배웠습니다. 그래서 태권도를 아주 잘하고 또 아주 좋아합니다. 태권도를 좋아하기 때문에 한국말을 배우기 시작했습니다. 한국음식 중에서 갈비를 좋아하는데, 소갈비는 비싸서 자주 먹지 못합니다. 그렇지만, 돼지갈비는 비싸지 않으니까 자주 먹을 수 있습니다.

1) 마이클 씨는 왜 한국말을 배우기 시작했습니까? (迈克为什么开始学习韩国语？)

( )

❶ 갈비를 좋아해서 　　　　　　❷ 태권도를 좋아해서

❸ 한국 회사에서 일해서 　　　　❹ 한국 친구가 있어서

2) 마이클 씨 고향은 어떤 곳입니까? 쓰십시오. (迈克的故乡是个怎样的地方？请写下来。) ( )

_____

3) 내용과 같으면 ○표, 다르면 ×표 하십시오. (与文章内容一致的，用○标出，不一致的，用×标出。) ( )

❶ 마이클 씨는 1년 전에 한국에 왔습니다. 　　　　　　( )

❷ 마이클 씨는 형제가 한 명 있습니다. 　　　　　　　　( )

❸ 마이클 씨는 한국에 와서 태권도를 배웠습니다. 　　　( )

7. 다음 [보기]와 같이 자기 소개를 하십시오. (请参照示例进行自我介绍。)

[보기]

이름	다나카 미사코
나이	26살
결혼	했다　　안했다
고향	일본 도쿄
가족	부모님, 오빠 한 명
직업	회사원
한국말을 배우는 이유	회사일 때문에
지금 사는 곳	회사 기숙사
취미	등산

　안녕하십니까? 저는 일본 도쿄에서 온 다나카 미사코 입니다.

나이는 26살이고 결혼은 안 했습니다. 가족은 부모님과 오빠 한 명이 있습니다. 저는 지금 일본 여행사에서 일하고 있습니다.

한국말은 일 때문에 배우고 있습니다. 저는 지금 서울역 근처에 있는 회사 기숙사에서 살고 있습니다. 제 취미는 등산입니다.

이름	
나이	
결혼	했다　　안했다
고향	
가족	
직업	
한국말을 배우는 이유	
지금 사는 곳	
취미	

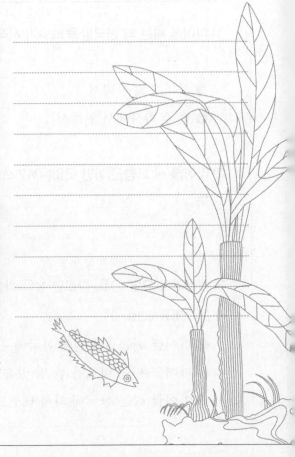

8. 배운 문법을 사용해서 친구에게 질문하고 대답하십시오. (请使用学到的语法与朋友进行问答。)

질문	대답
1) 한국에 온 지 얼마나 되었습니까?	
2) 한국 생활에 좀 익숙해지셨습니까?	
3) 무엇을 하려고 한국말을 배우십니까?	
4) 하숙집에 사는 학생들이 많은데 ○○ 씨는 어디에서 사세요?	
5) 왜 거기에서 삽니까?(-기 때문에)	
6) 그 하숙집(기숙사)에서는 외국 학생들만 살 수 있습니까?(든지)	
7) 우리 반 학생들은 한국생활을 재미있어합니까?	
8) 우리 반 ○○ 씨는 전공이 미술(수영, 피아노)입니다.(-겠군요)	

제**2**과 한국음식

2과 1항

어휘

1. 다음 [보기]에서 알맞은 단어를 골라 (   ) 안에 쓰십시오. (请从示例中选出正确的单词填空。)

[보기]	반찬	접시	파	설렁탕	덜다

❶ 요리를 할 때 (파)은/는 마지막에 넣는 게 좋아요.

❷ 하숙집 아줌마가 만드시는 (   )은/는 다 맛있어요.

❸ 오늘은 날씨가 추워서 따뜻한 (   )을/를 먹고 싶군요.

❹ 밥이 너무 많으면 좀 (   )으세요/세요.

❺ 손님이 많이 올 때는 종이로 만든 (   )을/를 사용하면 편해요.

2. 관계있는 단어를 연결하십시오. (请将相关的单词用线连接起来。)

설렁탕 •	• 찍다 •	• 간장
만두 •	• 비비다 •	• 소금
미역국 •	• 넣다 •	• 후추
국수 •	• 말다 •	• 밥
크림수프 •	• 뿌리다 •	• 고추장

Vst 어야/아야/여야 하다

3. 어떻게 해야 할까요? 다음 대화를 완성하십시오. (应该怎样做? 请完成下列对话。)

❶ 가 : 장학금을 받고 싶어요.

　　나 : 그러면 **열심히 공부해야** ~~어야/아야/여야~~ 합니다. (열심히 공부하다)

❷ 가 : 음악회가 곧 시작될 거예요.

　　나 : 그러면 ＿＿＿＿＿＿＿＿＿＿ 어야/아야/여야 합니다. (핸드폰을 끄다)

❸ 가 : 건강이 나빠졌어요.

　　나 : 그러면 ＿＿＿＿＿＿＿＿＿＿ 어야/아야/여야 합니다. (담배를 끊다)

❹ 가 : 해외 여행을 하고 싶어요.

　　나 : 그러면 ＿＿＿＿＿＿＿＿＿＿ 어야/아야/여야 합니다. (여권을 만들다)

❺ 가 : 도서관에서 책을 빌리고 싶어요.

　　나 : 그러면 ＿＿＿＿＿＿＿＿＿＿ 어야/아야/여야 합니다. (학생증이 있다)

❻ 가 : 요즘 인기 있는 영화를 보고 싶어요.

　　나 : 그러면 ＿＿＿＿＿＿＿＿＿＿ 어야/아야/여야 합니다. (예매하다)

4. 다음 그림의 사람들은 어떤 사람이어야 합니까? 문장을 만드십시오. (以下图片中的
人应该是什么样的人? 请完成下列句子。)

❶ 비행기 조종사는 ___눈이 좋아야___ ~~어야/아야/여야~~ 합니다.

❷ 외교관은 _____ 어야/아야/여야 합니다.

❸ 가수는 _____ 어야/아야/여야 합니다.

❹ _____ .

❺ _____ .

❻ _____ .

AVst 어/아/여 보다[1]

5. 아야코 씨가 제주도 여행을 가서 쓴 메모를 보고 문장을 만드십시오. (请读下面绫子去济州岛旅行写的便条，完成句子。)

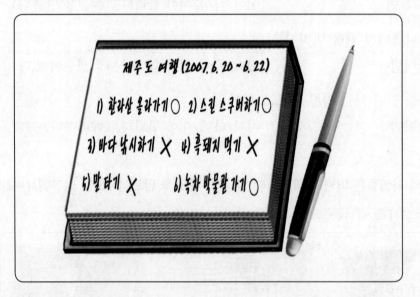

제주도 여행 (2007. 6. 20 ~ 6. 22)

1) 한라산 올라가기 ○   2) 스킨 스쿠버하기 ○

3) 바다 낚시하기 ✗   4) 흑돼지 먹기 ✗

5) 말 타기 ✗   6) 녹차 박물관 가기 ○

❶ ___한라산에 올라가___ 어/아/여 봤어요.

❷ _____ 어/아/여 봤어요.

❸ _____ 어/아/여 보지 못했어요.

❹ _____ .

❺ _____ .

❻ _____ .

6. 다음 표를 보고 '어/아/여 보다'를 사용해서 대화를 완성하십시오. (请看下列表格，使用 "어/아/여 보다" 完成对话。)

문	내답
❶ 가 본 도시	춘천, 부산, 경주
❷ 먹어 본 음식	불고기, 잡채, 설렁탕
❸ 불러 본 노래	아리랑, 사랑해
❹ 만들어 본 음식	김치찌개, 짐밥, 된장찌개
❺ 만나 본 유명한 사람	한국 대통령, 한국 축구선수
❻ 해 본 운동	탁구, 테니스, 골프

❶ 가 : _____춘천에 가 봤어요_____ ?

　 나 : 네, _____춘천에 가 봤어요_____ .

❷ 가 : _____ ?

　 나 : 네, _____ .

❸ 가 : _____ ?

　 나 : 아니요, _____ .

❹ 가 : _____ ?

　 나 : _____ .

❺ 가 : _____ ?

　 나 : _____ .

❻ 가 : _____ ?

　 나 : _____ .

어휘

1. 다음 [보기]에서 알맞은 단어를 골라 (   ) 안에 쓰십시오. (请从示例中选出正确的单词填空。)

| [보기] | 채소 | 고기 | 닭 | 갈비 | 유명하다 |

❶ 한국음식 중에서 김치하고 (**갈비**   )을/를 제일 좋아해요.

❷ 비빔밥에는 여러 가지 (   )이/가 들어 있어서 건강에 좋을 것 같아요.

❸ 엔리 씨 고향은 무슨 음식이 (   )어요/아요/여요?

❹ 한국에서 (   ) 한 근은 600g이에요.

❺ 삼계탕은 (   )에 인삼, 대추 등을 넣고 끓인 음식입니다.

2. 다음 [보기]에서 생각나는 음식 이름을 골라 쓰십시오. 여러 개를 써도 괜찮습니다. (请从示例中选出想到的食物，并写在横线上。可以填写多个。)

| [보기] | 샐러드 | 비빔밥 | 스파게티 | 탕수육 | 우동 | 잡채 |
| | 피자 | 짬뽕 | 김치찌개 | 순두부찌개 | 튀김 | 회 |

❶ 추운 날에 먹고 싶은 음식 : _____**우동,**_____

❷ 아직 먹어 본 적이 없는 음식 : _____

❸ 남자(여자)친구와 데이트 할 때 먹고 싶은 음식 : _____

❹ 배가 별로 고프지 않을 때 먹으면 좋은 음식 : _____

❺ 반 친구들과 모두 같이 먹으면 좋은 음식 : _____

Avst 는데, Dvst 은데/ㄴ데[2]

3. 관계있는 것을 연결하고 문장을 만드십시오. (请将相关的内容用线连接起来，并造句。)

❶ 이 사과는 3개에 천 원입니다. •   • 재미있고 친절하세요.

❷ 저 분은 우리 읽기 선생님이에요. •   • 커피도 맛있고 값도 싸요.

❸ 제 고향은 삿포로입니다. •   • 달고 맛있습니다.

❹ 저는 그 카페에 자주 가요. •   • 단어가 어렵지 않아서 좋습니다.

❺ 이 책은 생일 선물로 받았습니다. •   • 눈이 많이 오고 라면이 유명합니다.

❻ 이 가방은 홍콩에서 샀어요. •   • 색이 예뻐서 마음에 들어요.

❶ _____이 사과는 3개에 천 원인데_____ 는데, 은데/ㄴ데 _____달고 맛있습니다_____ .

❷ _____ 는데, 은데/ㄴ데 _____ .

❸ _____ 는데, 은데/ㄴ데 _____ .

❹ _____ .

❺ _____ .

❻ _____ .

4. 다음 [보기1]과 [보기2]에서 알맞은 것을 골라 반 친구들을 소개하십시오. (请从示例 1和示例2中选择合适的内容，介绍班上的朋友们。)

[보기1]	[보기2]	
_____에서 왔다	축구를 잘 하다	인기가 많다
_____이다/다 (회사원, 기자…)	열심히 공부하다	성격이 좋다
1급 때 같은 반이었다	수업시간에 이야기를 잘 하다	예쁘다
고향이 _____이다/다	술을 잘 마시다	키가 크다
_____에 살다	한국 영화를 좋아하다	발음이 좋다
_____씨하고 친하다	친구가 많다	지각을 한 번도 안 하다

| ① | 옌 리 | 씨는 중국 북경에서 왔는데 예쁘고 성격이 좋아요 | . |

① __옌 리__ 씨는 중국 북경에서 왔는데 예쁘고 성격이 좋아요_____ .

② _____ 씨는 _____ .

③ _____ 씨는 _____ .

④ _____ 씨는 _____ .

⑤ _____ 씨는 _____ .

⑥ _____ 씨는 _____ .

AVst 은/ㄴ 적이 있다

5. 다음 그림을 보고 문장을 만드십시오. (请看图完成句子。)

❶ 유치원	❷ 초등학교	❸ 중학교

발레를 배웠습니다.	그림을 잘 그려서 상을 받았습니다.	같은 반 여학생을 혼자 좋아했습니다.
❹ 고등학교	❺ 대학교	❻ 한국에서

친구들과 산으로 캠핑을 갔습니다.	도서관에서 아르바이트를 했습니다.	불고기를 만들었습니다.

❶ 유치원 때 _____ **발레를 배운** _____ 은/ㄴ 적이 있습니다.

❷ 초등학교 때 _____ 은/ㄴ 적이 있습니다.

❸ _____ 은/ㄴ 적이 있습니다.

❹ _____ .

❺ _____ .

❻ _____ .

6. 여러분은 한국에서 어떤 경험이 있습니까? 다음 대화를 완성하십시오. (大家在韩国
有什么经历? 请完成下列对话。)

경험	네	아니요
❶ 혼자 여행했습니다.	✓	
❷ 길을 잃어버렸습니다.		
❸ 영어(일본어…)를 가르쳤습니다.		
❹ 한국 친구 집에 갔습니다.		
❺ 버스를 잘못 탔습니다.		
❻ _____		

❶ 가 : 　　　　혼자 여행한 적이 있습니까　　　　 ?
　 나 : 　　　　네, 혼자 여행한 적이 있습니다　　　　 .

❷ 가 : _____ ?
　 나 : _____ .

❸ 가 : _____ ?
　 나 : _____ .

❹ 가 : _____ ?
　 나 : _____ .

❺ 가 : _____ ?
　 나 : _____ .

❻ 가 : _____ ?
　 나 : _____ .

어휘

1. 다음 [보기]에서 알맞은 단어를 골라 (　　) 안에 쓰십시오. (请从示例中选出正确的单词填空。)

[보기]	간	우선	끓이다	썰다	맞추다

❶ 한국음식은 보통 소금으로 (　간　)을/를 맞춰요.

❷ 한복은 시장에서 살 수도 있지만 (　　　　)는, 은/ㄴ 사람이 더 많아요.

❸ 밥이 없으면 라면을 (　　　　)어/아/여 주세요.

❹ 양파를 (　　　　)으면/면 눈물이 나요.

❺ (　　　　) 영화표를 산 후에 저녁을 먹는 게 어때요?

2. 다음 [보기]에서 그림의 음식을 만들 때 사용하는 동사를 골라 쓰십시오. (请从示例中选出制作图中食物所使用的动词。)

[보기]	굽다	튀기다	삶다	볶다	찌다

❶ 삶다

❷

❸

❹

❺

Dvst 게

3. 다음 [보기]에서 알맞은 단어를 골라 문장을 완성하십시오. (请从示例中选出正确的单词完成句子。)

[보기]	쉽다	짜다	행복하다	늦다	재미있다	크다

❶ 우리 선생님은 어려운 문법을 __쉽__ 게 설명해 주세요.

❷ 너무 _____ 게 먹으면 건강에 좋지 않아요.

❸ 결혼을 축하합니다. _____ 게 사세요.

❹ 중요한 약속이니까 _____ 가면 안 돼요.

❺ 잘 안 들려요. _____ 말씀해 주세요.

❻ 오랜만에 고등학교 때 친구들을 만나서 _____ 놀았어요.

4. 다음 [보기]에서 알맞은 단어를 골라 '–게'를 사용해서 대화를 완성하십시오. (请从示例中选出正确的单词，使用 "–게" 完成对话。)

[보기]	싸다	가볍다	빨갛다	예쁘다	밝다	작다

주 인 : 어서오세요.

손 님 : 디카 좀 보여주세요. 싸고 좋은 게 있나요?

주 인 : 네, 요즘 인기 있는 연세전자 디카를 이번 달만 20% ❶ __싸게__ 팔고
있어요. 이 디카는 어두운 곳에서 찍은 사진도 좀 더 ❷ _____ 할 수
있고, 사진을 스티커 사진처럼 여러 가지 모양으로 ❸ _____ 만들
수 있어요. 그리고 크기를 ❹ _____ 만들어서 여자 분들이 핸드백
속에 넣어 가지고 다닐 수 있어요.

손 님 : 무겁지 않을까요?

주 인 : 이전 모델보다 30g ❺ _____ 나왔어요.

손 님 : 이 버튼은 뭐예요?

주 인 : 이걸 누르면 플래시를 사용할 때 눈이 ❻ _____ 되지 않
아요. 누구든지 쉽게 사용할 수 있어요.

손 님 : 그럼, 이것으로 하겠습니다.

N 부터

5. 다음 질문에 대답하십시오. (请回答下列问题。)

❶ 가 : 누가 먼저 하시겠습니까?

　　나 : ＿＿＿＿저＿＿＿＿ 부터 ＿＿＿＿하겠습니다＿＿＿＿.

❷ 가 : 아침에 일어나면 제일 먼저 뭘 하세요?

　　나 : ＿＿＿＿＿＿＿ 부터 ＿＿＿＿＿＿＿＿＿＿＿.

❸ 가 : 시험지를 받으면 제일 먼저 뭘 하세요?

　　나 : ＿＿＿＿＿＿＿ 부터 ＿＿＿＿＿＿＿＿＿＿＿.

❹ 가 : 컴퓨터를 켜면 뭐부터 하세요?

　　나 : ＿＿＿＿＿＿＿＿＿＿＿＿＿＿＿＿＿＿＿.

❺ 가 : 라면을 먹고 싶은데요.

　　나 : 그럼, ＿＿＿＿＿＿＿＿＿＿＿＿＿＿＿＿＿.

❻ 가 : 내년에는 꼭 결혼할 거예요.

　　나 : 그럼, ＿＿＿＿＿＿＿＿＿＿＿＿＿＿＿＿＿.

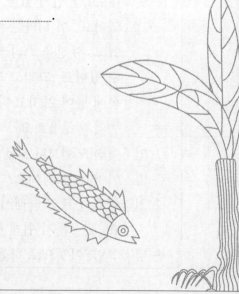

6. 알맞은 것을 골라 질문에 대답하십시오. (请选择适当的内容回答问题。)

❶ 라면을 먹을 때 뭐부터 드세요?

| 면 | 국물 | 계란 |

저는 국물부터 먼저 먹어요   .

❷ 백화점에서 쇼핑할 때 어디부터 구경하세요?

| 1층 | 지하 | 제일 위층 |

                                    .

❸ 청소할 때 어디부터 하세요?

| 화장실 | 방 | 부엌 |

                                    .

❹ 부모님이 서울에 오시면 어디부터 모시고 가겠습니까?

| 경복궁 | 명동 | 남대문 시장 |

                                    .

❺ 옷을 살 때 뭐부터 보세요?

| 색깔 | 가격 | 디자인 |

                                    .

❻ 처음 만났을 때 뭐부터 물어보세요?

| 이름 | 나이 | 직업 |

                                    .

어휘

1. 다음 [보기]에서 알맞은 단어를 골라 (   ) 안에 쓰십시오. (请从示例中选出正确的单词填空。)

[보기]	예절	윗사람	양손	들다	내려놓다

❶ 질문이 있는 사람은 손을 (드세요   )으세요/세요.

❷ 양식을 먹을 때는 (   )을/를 다 사용합니다.

❸ (   ) 앞에서는 담배를 피우면 안 돼요.

❹ 수업시간에 핸드폰을 끄는 것은 학생들이 지켜야 할 (   )입니다.

❺ 무거울 것 같으니까 잠깐 짐을 (   )으세요/세요.

2. 다음 [보기]에서 알맞은 단어를 골라 이야기를 완성하십시오. (请从示例中选出正确的单词完成文章。)

[보기]	밥그릇	반찬	숟가락	접시	젓가락

음식이 다 준비되면 어떻게 상을 차릴까요?

우선 먹는 사람 앞에 밥과 국을 놓는데 ❶ (밥그릇)이/ 가 왼쪽, 국그릇이 오른 쪽입니다. 여러 사람이 같이 먹을 때는 덜어 먹는 ❷ (   )이/가 있어요. 다 같이 먹는 찌개는 가운데에 놓고, 김치와 여러 가지 ❸ (   )들은 그 주변에 놓습니다. 수저는 어떨까요? 상의 오른쪽, 그러니까 국그릇 옆에 놓는데 ❹ (   )이/가 왼쪽, ❺ (   )이/가 오른쪽입니다.

이제 아셨죠?

Vet 어도/아도/여도 되다

3. 어떻게 말하면 좋을까요? 다음 문장을 완성하십시오. (怎样说比较好? 请完成下列

句子。)

❶ 수업시간인데 배가 아픕니다.

　　　선생님, 화장실에 가도　　 어도/아도/여도 돼요? (화장실에 가다)

❷ 한국 친구와 이야기하는데 단어가 생각나지 않습니다.

민수 씨, ＿＿＿＿＿＿＿＿＿＿ 어도/아도/여도 돼요? (영어로 이야기하다)

❸ 버스를 타고 가는데 좀 덥습니다.

아주머니, ＿＿＿＿＿＿＿＿＿ 어도/아도/여도 돼요? (창문을 열다)

❹ 배가 고픈데 식탁에 피자가 있습니다.

엄마, ＿＿＿＿＿＿＿＿＿＿＿＿＿? (이거 먹다)

❺ 칠판이 안 보여요.

선생님, ＿＿＿＿＿＿＿＿＿＿＿＿? (자리를 바꾸다)

❻ 숙제를 집에 놓고 왔습니다.

선생님, ＿＿＿＿＿＿＿＿＿＿＿＿? (내일 가지고 오다)

YONSEI KOREAN 2 WORKBOOK

Vst 으면/면 안 되다

4. 다음 그림을 보고 [보기]에서 적당한 것을 골라 문장을 만드십시오. (请看图，并从示例中选出适当的内容造句。)

[보기]   담배를 피우다   들어오다   기대다

   손을 대다   사진을 찍다   쓰레기를 버리다

❶ <u>담배를 피우면</u> <u>으면/면</u> 안 돼요.

❷ 으면/면 안 돼요.

❸ 출입금지 으면/면 안 돼요.

❹ .

❺ .

❻ .

5. 다음 대화를 완성하십시오. (请完成下列对话。)

❶ 가 : 여기 앉아도 돼요?

　나 : 네, ＿＿＿＿＿＿ 앉아도 돼요 ＿＿＿＿＿＿ .

❷ 가 : 신발을 신고 들어가도 돼요?

　나 : 아니요, ＿＿＿＿＿＿＿＿＿＿＿＿＿ .

❸ 가 : ＿＿＿＿＿＿＿＿＿＿＿＿＿＿＿ ?

　나 : 그럼요, 입어 보세요.

❹ 가 : ＿＿＿＿＿＿＿＿＿＿＿＿＿＿＿ ?

　나 : 네, 급하시면 먼저 가세요.

❺ 가 : ＿＿＿＿＿＿＿＿＿＿＿＿＿＿＿ ?

　나 : 안 돼요. 오늘까지예요.

❻ 가 : ＿＿＿＿＿＿＿＿＿＿＿＿＿＿＿ ?

　나 : 시험 볼 때는 안 돼요.

6. 여러분 나라의 고등학교에서 해도 되는 것 3가지와 하면 안 되는 것 3가지를 골라 문장을 만드십시오. (请选出三项在你的国家大学里可以做的事情和三项不可以做的事情，并造句。)

수업 시간에 모자를 쓰다	화장하다
교실에 신발을 신고 들어가다	파마를 하다
수업 시간에 껌을 씹다	귀걸이를 하다
수업 시간에 음료수를 마시다	머리를 길게 기르다
학교에서 담배를 피우다	짧은 반바지나 치마를 입다

❶ ＿＿＿＿ 파마를 해도 ＿＿＿＿ 아도/어도/여도 돼요.

❷ ＿＿＿＿＿＿＿＿＿＿＿＿＿＿＿＿＿ .

❸ ＿＿＿＿＿＿＿＿＿＿＿＿＿＿＿＿＿ .

❹ ＿＿＿＿＿＿＿＿＿ 으면/면 안 돼요.

❺ ＿＿＿＿＿＿＿＿＿＿＿＿＿＿＿＿＿ .

❻ ＿＿＿＿＿＿＿＿＿＿＿＿＿＿＿＿＿ .

어휘와 문법

1. 다음 [보기]에서 알맞은 단어를 골라 (　　　) 안에 쓰십시오. (请从示例中选出正确的单词填空。)

[보기]	채소	양손	반찬	간	깍두기
	그릇	윗사람	우선	맞추다	유명하다

❶ 무로 만든 김치 이름이 (**깍두기예요**)~~어예요/예요~~.

❷ 눈이 나빠져서 안경을 다시 (　　　　)었어요/았어요/였어요.

❸ 다 먹은 후에 빈 (　　　　)은/는 부엌에 갖다 놓으세요.

❹ 이 식당이 서울에서 냉면으로 가장 (　　　　)는, 은/ㄴ 집입니다.

❺ 건강에는 고기보다 (　　　　)이/가 더 좋지요.

❻ 맛을 잘 모르겠어요. 이 국 (　　　　) 좀 봐 주세요.

❼ 한정식은 (　　　　)이/가 너무 많이 나와서 다 먹기가 힘들어요.

❽ 피곤할 때는 (　　　　)을/를 위로 높이 올려 보세요.

❾ 해외여행을 하고 싶으면 (　　　　) 여권부터 만드세요.

❿ (　　　　)에게 반말을 하면 안 돼요.

2. 관계없는 단어를 고르십시오. (请选出无关的单词。)

❶ 말다	비비다	볶다	찍다
❷ 소금	고기	간장	설탕
❸ 반찬	그릇	접시	냄비
❹ 비빔밥	잡채	김치찌개	탕수육
❺ 덜다	튀기다	삶다	굽다

3. 다음 질문에 대답하십시오. (请回答下列问题。)

❶ 가 : 어느 나라에 가 봤어요?

　　나 : _____ 영국에 가 _____ 어/아/여 봤어요.

❷ 가 : 막걸리를 마셔 봤어요?

　　나 : 아니요, _____.

❸ 가 : 한국말을 빨리 잘 하고 싶어요.

　　나 : 그럼, _____ 어야/아야/여야 해요.

❹ 가 : 이 전자 사전은 어디에서 샀어요?

　　나 : _____ 는데, 은데/ㄴ데 _____.

❺ 가 : 한국말을 잘 못해서 실수한 적이 있어요?

　　나 : 네, _____.

❻ 가 : 김밥을 만들어 본 적이 있어요?

　　나 : 아니요, _____.

❼ 가 : 지난 주말을 어떻게 지내셨어요?

　　나 : _____ 게 _____.

❽ 가 : 고향에 돌아가면 제일 먼저 뭘 하고 싶어요?

　　나 : _____ 부터 _____.

❾ 가 : 1층에 있는 컴퓨터를 써도 돼요?

　　나 : 네, _____.

❿ 가 : 집에 늦게 들어가도 돼요?

　　나 : 아니요, _____.

4. 맞는 문장은 ○표, 틀린 문장은 ×표 하고 틀린 곳을 바르게 고치십시오. (请在正确的句子后面标○，错误的句子后面标×，并改正错误。)

❶ 저는 아직 남대문시장에 못 가 봤어요. (○)

❷ 저는 한국 영화를 <u>봤는</u> 적이 있어요. (×)
　　　　　　　　본

❸ 교실에서 담배를 피워도 안 돼요. ( )

❹ 저는 기숙사에서 살은 적이 없어요. ( )

❺ 천천히 출발해도 괜찮아요. ( )

❻ 파를 그렇게 크게 썰으면 안 돼요. ( )

❼ 엔리 씨는 중국에서 온 데 영어를 아주 잘 해요. ( )

❽ 오늘까지 이 일을 끝내야 돼요. ( )

5. 대화를 듣고 질문에 답하십시오. (请听对话，回答问题。)

1) 두 사람은 지금 어디에 있습니까? (这两个人现在在哪里？) (　　　)

　❶ 일식집　　　❷ 중국식당　　　❸ 한식집　　　❹ 양식집

2) 삼계탕에 **들어가지 않는** 재료는 무엇입니까? (以下哪种**不是**参鸡汤中的材料？)

　(　　　)

　❶ 인삼　　　❷ 배추　　　❸ 찹쌀　　　❹ 마늘

3) 삼계탕을 만들 때 사용하는 요리 방법은 무엇입니까? (制作参鸡汤使用的是哪种

　料理方法？) (　　　)

　❶ 튀기기　　　❷ 굽기　　　❸ 찌기　　　❹ 끓이기

4) 맞으면 ○표, 틀리면 ✕표 하십시오. (正确的标○，错误的标✕。)

❶ 남자는 삼계탕을 먹은 적은 있지만 만든 적은 없습니다.　　(　　　)

❷ 삼계탕은 시원한 음식이기 때문에 여름에 먹으면 좋습니다. (　　　)

❸ 삼계탕이 싱거우면 소금을 넣으면 됩니다.　　　　　　　(　　　)

6. 다음 글을 읽고 질문에 답하십시오. (请阅读下列文章，回答问题。)

지난 주말에 한국에 와서 처음으로 한국음식을 만들어 봤습니다. 요리책에는 어려운 단어가 너무 많았습니다. 그래서 사전을 찾아서 읽어 본 후에 시장에 가서 필요한 재료들을 샀습니다. 간장, 설탕, 참기름, 마늘은 집에 있으니까 소고기, 양파, 파, 버섯만 샀습니다. 집에 돌아와서 우선 재료부터 깨끗하게 씻었습니다. 그 다음에 양파, 버섯, 파를 크게 썰고 마늘을 다졌습니다. 큰 그릇에 준비한 재료와 소고기, 간장, 설탕, 참기름을 넣고 잘 섞었습니다. 그리고 프라이팬에 구웠습니다.

맛이 어땠을까요? 식당에서 먹어 본 그 맛은 아니었지만 제가 처음 만든 한국음식이어서 저는 더 맛있는 것 같았습니다. 학교에 가서 한국친구에게 이 이야기를 했는데 친구가 "다음에는 배를 넣어 보세요."라고 했습니다. 다음에는 더 맛있게 만들어서 친구들하고 같이 먹겠습니다.

1) 이 사람이 만든 음식의 이름은 무엇일까요? (这个人做的食物的名称是什么？)

(　　　　)

❶ 삼겹살　　❷ 갈비탕　　❸ 불고기　　❹ 소고기국

2) 이 사람이 요리한 순서대로 번호를 쓰십시오. (请标出他制作食物的顺序。)

섞기　-　썰기　-　굽기　-　씻기　-　다지기

(　　) (　　) (　　) (　　) (　　)

3) 맞으면 ○표, 틀리면 ✕표 하십시오. (正确的标○，错误的标✕。)

❶ 이 사람이 만든 음식은 한국에 와서 처음 먹어 본 음식입니다. (　　　)

❷ 다음에 만들 때는 배를 넣어서 만들겠습니다. (　　　)

❸ 어려운 단어를 친구가 설명해 주었습니다. (　　　)

7. 메뉴판을 보고 [보기]와 같이 대화를 만드십시오. (请看下列菜单, 参照示例编
对话。)

생갈비(200g)	15,000
돼지갈비(200g)	10,000
삼겹살(200g)	8,000
냉면(물, 비빔)	5,000
공기밥	1,000
음료수	1,000

자장면	3,500
짬뽕	4,000
볶음밥	4,500
군만두	3,000
물만두	3,000
탕수육	12,000

콤비네이션 피자	15,000
불고기 피자	17,000
치즈 피자	16,000
샐러드	5,000
스파게티	7,000
음료수	2,000

[보기]

(가) 아야코 : 민수 씨, 이 식당에 와 본 적이 있어요?

　　민수 　: 네, 몇 번 와 봤어요.

　　아야코 : 이 집은 무슨 음식을 잘 해요?

　　민수 　: 돼지갈비도 맛있고 삼겹살도 괜찮아요.

　　아야코 : 그럼, 오늘은 삼겹살을 먹어 볼까요?

　　민수 　: 좋아요. 아저씨, 여기요!

(나) 주인 　: 주문하시겠습니까?

　　민수 　: 삼겹살 2인분하고 공기밥 하나 주세요. 아, 콜라도 1병 주세요.

　　주인 　: 알겠습니다. 잠깐만 기다리세요.

　　　　　　(…)

　　주인 　: 맛있게 드셨습니까? 삼겹살 2인분하고 공기밥 하나, 17,000원
　　　　　　입니다. 콜라는 서비스입니다.

　　민수 　: 감사합니다. 그런데 카드도 돼요?

　　주인 　: 그럼요. 여기 서명해 주세요. 감사합니다. 안녕히 가십시오.

8. 배운 문법을 사용하여 친구에게 질문하고 대답하십시오. (请使用学到的语法与朋友进行问答。)

질문	대답
1) 한식집에 가 본 적이 있어요?	
2) 거기에서 무슨 음식을 먹어 봤어요?	
3) _____ 은/는 어떤 음식이에요? (–는데)	
4) 집에서도 쉽게 만들 수 있어요?	
5) 한국에서 윗사람과 술을 마신 적이 있어요?	
6) 한국에서는 윗사람과 술을 같이 마셔도 돼요?	
7) 술을 받을 때 한 손으로 술잔을 들어도 돼요?	
8) 그럼, 어떻게 마셔야 해요?	
9) _____ 씨 나라에서도 그렇게 해야 해요?	

비슷한 발음의 단어들로 만든 문장입니다. 여러 번 읽으면서 발음해 보세요. (请读以下
由发音相似的单词组成的句子，并练习发音。)

● 간장공장 공장장은 강공장장이고 된장공장 공장장은 장공장장이다.

● 내가 그린 기린 그림은 긴 그린 기린 그림이고 네가 그린 기린 그림은 안
   긴 그린 기린 그림이다.

● 경찰청 쇠창살 외 철창살, 검찰청 쇠창살 쌍 철창살

● 들의 콩깍지는 깐 콩깍지인가 안 깐 콩깍지인가?

● 앞뜰에 있는 말뚝이 말 맬 말뚝이냐 말 안 맬 말뚝이냐?

● 저기 계신 저 분이 박 법학 박사이시고, 여기 계신 이 분이 백 법학 박사이
   시다.

3과 1항

어휘

1. 다음 [보기]에서 알맞은 단어를 골라 (　　　) 안에 쓰십시오. (请从示例中选出正确的
单词填空。)

[보기]	행사	벌	정장	도와드리다	고르다

❶ 어제 동대문 시장에 가서 바지를 두 (　벌　) 샀어요.

❷ 어려운 일이 있으면 제가 언제든지 (　　　　　)겠습니다.

❸ 추석 때는 경복궁에서 여러 가지 (　　　　　)을/를 하니까 가보세요.

❹ 결혼식에 갈 때는 (　　　　　)을/를 입어야 합니다.

❺ 세일 때는 물건이 너무 많아서 (　　　　　)기가 어렵습니다.

2. 다음은 백화점 안내입니다. 층마다 파는 물건을 [보기]에서 골라 쓰십시오. (下面是
商场的导购图。请从示例中选出每层售卖的物品。)

[보기]	지갑	빵	치마	채소	화장품	생선	바지정장	수영복
	목걸이	양복	스키장갑	와이셔츠	블라우스	넥타이	등산화	

B1	식품	❶ _____빵_____ , _____ , _____
F1	패션 잡화	❷ _____ , _____ , _____
F2	여성복	❸ _____ , _____ , _____
F3	남성복	❹ _____ , _____ , _____
F4	스포츠용품	❺ _____ , _____ , _____

AVnt 을까/ㅁ까 하다

3. 다음 대화를 완성하십시오. (请完成下列对话。)

❶ 가 : 집이 학교에서 멀지요?

　　나 : 네, 그래서 ___**이사할까**___ 을까/ㄹ까 합니다.

❷ 가 : 옌리 씨 생일 선물로 뭘 살 거예요?

　　나 : 옌리 씨가 책을 좋아해서 _____ 을까/ㄹ까 합니다.

❸ 가 : 다음 학기에도 공부하시지요?

　　나 : 아니요, _____ 을까/ㄹ까 합니다.

❹ 가 : 요즘 컴퓨터를 아주 싸게 팔아요.

　　나 : 네, 그래서 _____ .

❺ 가 : 오늘 지선 씨 집에 갈 거예요?

　　나 : 아니요, 오늘은 좀 바빠서 _____ .

❻ 가 : 언제 결혼하세요?

　　나 : _____ .

YONSEI KOREAN 2 WORKBOOK

4. '-을까/ㄹ까 하다'를 사용해서 다음 이야기를 완성하십시오. (请使用 "-을까/ㄹ까 하다" 完成下列文章。)

제 친구가 이탈리아에 살고 있습니다. 그래서 이번 방학에는 이탈리아에 ❶ 갈
까 합니다. 호텔은 비싸니까 친구집에서 ❷ _____.
이탈리아 옷이 멋있고 질이 좋으니까 ❸ _____.
또, 이탈리아 음식이 유명하니까 식당에서 ❹ _____.
그리고, 이탈리아 와인도 ❺ _____. 참, 친구 집 근처에 바
다가 있으니까 바다에 가서 ❻ _____.

Vst 기는 하지만

5. 관계있는 것을 연결하고 문장을 만드십시오. (请将相关的内容用线连接起来，并造句。)

❶ 그 영화가 재미있습니다.　　　•　　　　•춤을 잘 춥니다.

❷ 그 식당 음식이 비쌉니다.　　　•　　　　•너무 깁니다.

❸ 그 가수가 노래를 잘 못 부릅니다.•　　　•아주 맛있습니다.

❹ 그 사람을 압니다.　　　　　　　•　　　•돈을 많이 썼습니다.

❺ 피아노를 배웠습니다.　　　　　•　　　•친하지 않습니다.

❻ 여행을 가서 구경을 잘 했습니다.•　　　•잘 치지 못합니다.

❶ _____그 영화가 재미있_____ 기는 하지만 _____너무 깁니다_____.

❷ _____ 기는 하지만 _____.

❸ _____ 기는 하지만 _____.

❹ _____.

❺ _____.

❻ _____.

6. 다음 그림을 보고 '-기는 하지만'을 사용해서 대화를 완성하십시오. (请看图, 并使用 "-기는 하지만" 完成对话。）

가 : 닭갈비가 맵지요?

나 : <u>　맵기는 하지만 맛있어요　</u>.

가 : 그 회사 일이 힘들지요?

나 : _____.

가 : 한국 뉴스를 듣습니까?

나 : _____.

가 : 그 식당에 주차장이 있어요?

나 : _____.

가 : 저 가수가 예쁘지요?

나 : _____.

가 : 이 가방이 어때요?

나 : _____.

어휘

1. 다음 [보기]에서 알맞은 단어를 골라 (   ) 안에 쓰십시오. (请从示例中选出正确的单词填空。)

[보기]	하늘색	치수	어울리다	하얗다	갈아입다

❶ 여름에는 노란색, 흰색, (**하늘색**) 같은 밝은색 옷을 많이 입어요.

❷ 마이클 씨는 키가 커서 제일 큰 (   )을/를 입을 거예요.

❸ 청바지에는 티셔츠가 잘 (   )습니다/ㅂ니다.

❹ 밤에 잘 때는 잠옷으로 (   )어요/아요/여요.

❺ 눈이 와서 산도 집도 모두 (   )어요/아요/여요.

2. 얼굴과 몸과 다리를 연결하십시오. (请将脸、身体和腿用线连接起来。)

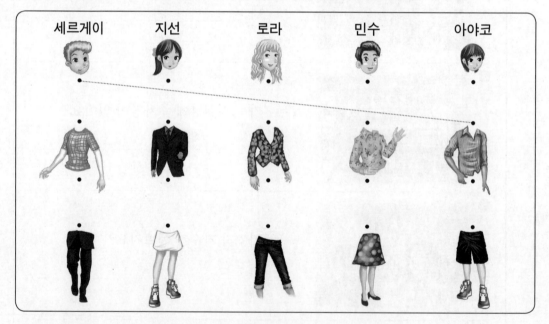

❶ 세르게이 씨는 줄무늬 셔츠와 까만색 반바지를 입고 있어요.

❷ 지선 씨는 체크무늬 티셔츠에 하얀 치마를 입고 있어요.

❸ 로라 씨는 물방울무늬 정장을 입고 있어요.

❹ 민수 씨는 까만 색 양복을 입고 있어요.

❺ 아야코 씨는 꽃무늬 셔츠에 청바지를 입고 있어요.

Avst 어/아/여 보다[2]

3. 다음 대화를 완성하십시오. (请完成下列对话。)

❶ 가 : 그 김치찌개는 아주 매울 것 같아요.

　　나 : 아니요, 안 매워요. 한 번 _____잡숴_____ ~~어/아/여~~ 보세요.

❷ 가 : 이 의자 얼마예요?

　　나 : 5만 원인데, 아주 편해요. 한 번 _____ 어/아/여 보세요.

❸ 가 : 저쪽에 있는 치마 좀 보여 주세요.

　　나 : 네, 아주 잘 어울릴 것 같은데요. 한 번 _____ 어/아/여 보세요.

❹ 가 : 그 책 재미있어요?

　　나 : 네, 저는 아주 재미있게 읽었어요. 한 번 _____ .

❺ 가 : 선생님 말이 너무 빨라서 듣기가 힘들어요.

　　나 : 그럼 조금 천천히 할게요. 다시 한 번 _____ .

❻ 가 : 이거 새로 나온 와인이에요?

　　나 : 네, 이번 달에 새로 나왔어요. 한 번 _____ .

4. 다음 그림을 보고 '-어/아/여 보다'를 사용해서 대화를 완성하십시오. (请看图，并使用 "-어/아/여 보다" 完成对话。)

가 : 어, 이 까페 처음 보는데요.

나 : 까페 이름이 재미있군요.

　　우리 한 번 ❶ ___들어가 볼까요___ ?

가 : 그래요.

가 : '아이스 인삼'을 마셔 봤어요?

나 : 아니요, 마신 일이 없어요.

　　점원에게 ❷ _____ 을까요/ㄹ까요?

가 : 네, 그럽시다.

나 : '아이스 인삼'이 뭐예요?

점원 : 찬 인삼차인데, 손님들이 좋아하십니다.

　　　한 번 ❸ _____ 으세요/세요.

나 : 그럼 아이스인삼 둘 주세요.

가 : 이거… 생일 축하해요.

나 : 어, 제 생일을 알고 있었어요? 정말 고맙습니다.

　　와, 아주 멋있는 모자군요.

가 : 마음에 들어요? 한 번 ❹ _____ 으세요/세요.

가 : 여기 카드도 있어요.

나 : 고마워요. 이거 지금 ❺ _____

　　어도/아도/여도 돼요?

가 : 네, 읽어 보세요.

나 : 참, 어제 CD를 하나 샀는데 노래가 괜찮아요.

가 : 한국가수가 부른 노래예요?

나 : 네, 한 번 ❻ _____ 으시겠어요/겠어요?

가 : 네, 들어 볼게요.

5 다음 그림을 보고 문장을 완성하십시오. (请看图写句子。)

①
> 아픈 것 같은데   는데, 은/ㄴ데
>
> 집에서 쉬세요   으세요/세요.

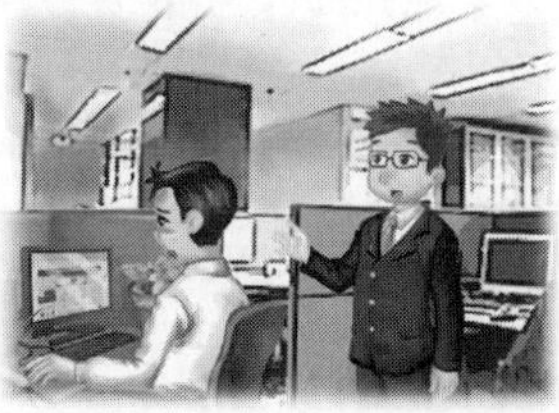

②
>   는데, 은/ㄴ데
>
>   읍시다/ㅂ시다.

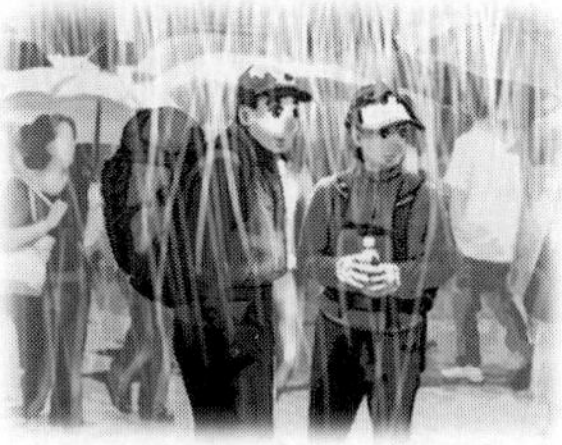

③
>   는데, 은데/ㄴ데
>
>   을까요/ㄹ까요?

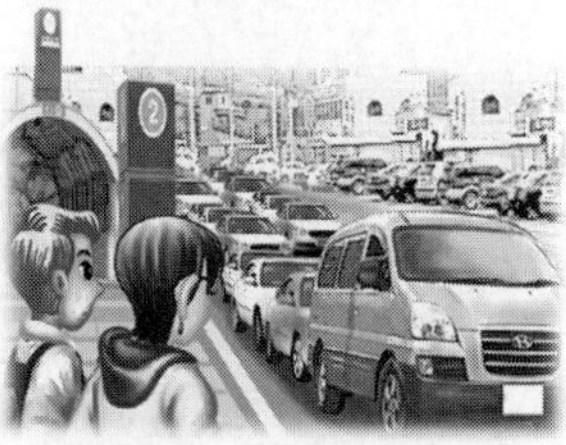

④

⑤

⑥
> 아이고, 다리 아파!   2km

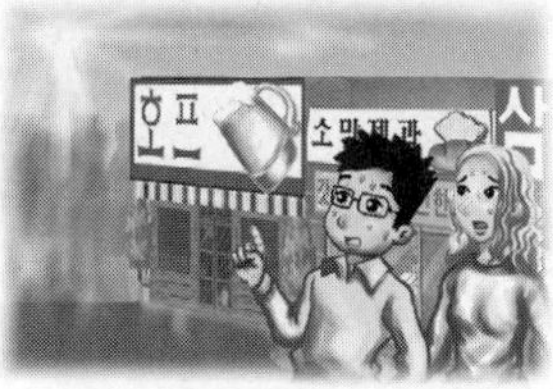

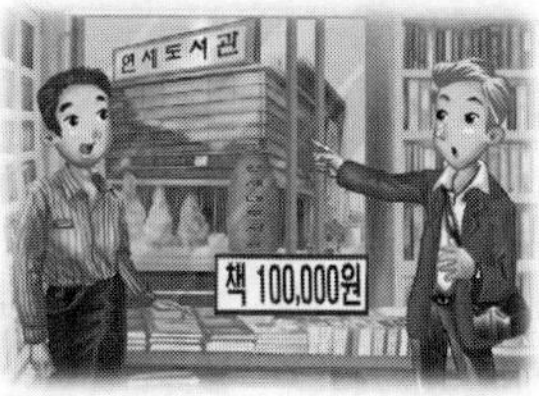

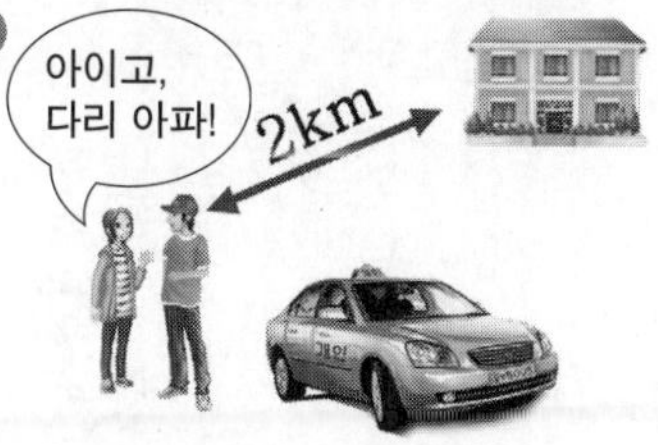

6. '-는데, 은데/ㄴ데'를 사용해서 대화를 완성하십시오. (请使用 "-는데, 은데/ㄴ데" 完成
   对话。)

❶ 가 : ＿＿＿＿＿＿＿늦을 것 같은데 어떻게 하지요＿＿＿＿＿＿＿ ?

   나 : 전화를 하세요.

❷ 가 : ＿＿＿＿＿＿＿＿＿＿＿＿＿＿＿＿＿＿＿＿＿＿＿＿＿＿ ?

   나 : 옷 가게에 가서 바꾸세요.

❸ 가 : ＿＿＿＿＿＿＿＿＿＿＿＿＿＿＿＿＿＿＿＿＿＿＿＿＿＿ ?

   나 : 된장찌개에 물을 좀 넣으세요.

❹ 가 : ＿＿＿＿＿＿＿＿＿＿＿＿＿＿＿＿＿＿＿＿＿＿＿＿＿＿ ?

   나 : 다른 식당으로 갑시다.

❺ 가 : ＿＿＿＿＿＿＿＿＿＿＿＿＿＿＿＿＿＿＿＿＿＿＿＿＿＿ ?

   나 : 편의점에서 우산을 삽시다.

❻ 가 : ＿＿＿＿＿＿＿＿＿＿＿＿＿＿＿＿＿＿＿＿＿＿＿＿＿＿ ?

   나 : 그럼, 5시 표를 삽시다.

어휘

1. 다음 [보기]에서 알맞은 단어를 골라 (　　　) 안에 쓰십시오. (请从示例中选出正确的单词填空。)

| [보기] | 봉투 | 계산 | 서명하다 | 주문하다 | 배달하다 |

❶ 손님, 여기에 (**서명해**)~~어/아/여~~ 주세요.

❷ 지난 번에는 지선 씨가 점심을 사 주셨으니까 오늘은 제가 (　　　　　) 하겠습니다.

❸ 편지 (　　　　　)의 앞쪽에 보내는 사람과 받는 사람의 주소를 모두 쓰십시오.

❹ 이 물건들을 직접 가지고 가실 거예요, 아니면 (　　　　　)어/아/여 드릴까요?

❺ 이 책을 오늘 (　　　　　)으면/면 언제쯤 받을 수 있습니까?

2. 관계있는 것을 연결하십시오. (请将相关的内容用线连接起来。)

❶ 냉동식품　•　　　　　　　　　　　　　• 칫솔, 치약, 비누

❷ 유제품　•　　　　　　　　　　　　　• 만두, 피자, 아이스크림

❸ 생활용품　•　　　　　　　　　　　　　• 쌀, 콩, 보리, 밀

❹ 주방용품　•　　　　　　　　　　　　　• 우유, 치즈, 요구르트, 버터

❺ 곡물　•　　　　　　　　　　　　　• 냄비, 프라이팬

N 으로/로

3. 다음 그림을 보고 대화를 완성하십시오. (请看图完成对话。)

가 : 밥으로 드릴까요, 빵으로 드릴까요?

나 : _____ **밥** _____ 으로/로 주세요.

가 : 어떤 자리로 드릴까요?

나 : _____ 으로/로 주세요.

가 : 무슨 냉면을 드시겠습니까?

나 : _____ 으로/로 주세요.

가 : 후식은 뭘로 드릴까요?

나 : _____ .

남자의 왕	
제1회	9 : 00
제2회	11 : 00
제3회	13 : 00
제4회	15 : 00

가 : 몇 시 표로 드릴까요?

나 : _____ .

요 금	
연세호텔	₩ 150,000
서울호텔	₩ 200,000
신촌호텔	₩ 100,000
한국호텔	₩ 190,000

가 : 호텔 예약은 어디로 하시겠습니까?

나 : _____ .

4. 은영 씨가 결혼식장을 예약하고 있습니다. '-으로/로 하다'를 사용해서 다음 대화를 완성하십시오. (恩英在预约婚礼会场。请使用 "-으로/로 하다" 完成下列对话。)

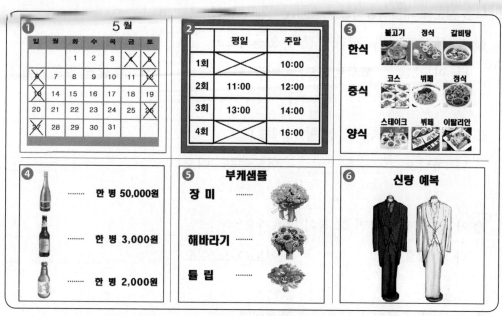

직원 : 이 표를 보고 날짜를 정하세요. 언제로 하시겠어요?

은영 : ❶ _____ 5월 19일로 하겠습니다 _____.

직원 : 시간은 몇 시가 좋으시겠습니까?

은영 : ❷ _____.

직원 : 식사는 어떻게 하시겠습니까? 여기 메뉴가 있습니다.

은영 : ❸ _____.

직원 : 술은 뭘로 하시겠어요?

은영 : ❹ _____.

직원 : 꽃은 어떤 것으로 하시겠어요?

은영 : ❺ _____.

직원 : 신랑 옷도 빌려 드리는데 어떤 색으로 하시겠습니까?

은영 : ❻ _____.

5. 다음 질문에 대답하십시오. (请回答下列问题。)

❶ 가 : 택시로 가면 2시까지 갈 수 있을까요?

　나 : 아니요, <u>택시로 가도</u> <u>어도/아도/여도</u> <u>2시까지 갈 수 없을 거예요</u> .

❷ 가 : 비가 오면 축구를 안 할 거예요?

　나 : 아니요, ＿＿＿＿＿＿＿ 어도/아도/여도 ＿＿＿＿＿＿＿ .

❸ 가 : 큰 서점에 가면 그 책이 있을까요?

　나 : 글쎄요. ＿＿＿＿＿＿＿ 어도/아도/여도 ＿＿＿＿＿＿＿ .

❹ 가 : 선생님 설명을 들으니까 알겠어요?

　나 : 아니요, ＿＿＿＿＿＿＿＿＿＿＿＿＿＿＿ .

❺ 가 : 지도가 있으니까 미선 씨 집을 찾을 수 있겠지요?

　나 : 글쎄요. ＿＿＿＿＿＿＿＿＿＿＿＿＿＿＿ .

❻ 가 : 소주를 3병 마셨군요. 술을 그렇게 많이 마시면 취하지 않아요?

　나 : 저는 ＿＿＿＿＿＿＿＿＿＿＿＿＿＿＿ .

6. 다음 질문에 '-어도/아도/여도'를 사용해서 대답하십시오. (请使用 "-어도/아도/여도" 回答下列问题。)

가 : 늦었는데 가지 맙시다.

나 : _____늦어도 가야해요_____.

가 : 이거 너무 비싸지 않아요?

나 : _____.

가 : 그 식당은 음식이 맛이 없어요.

나 : _____.

가 : 마이클 씨는 공부를 열심히 하지
   않는 것 같아요.

나 : _____.

가 : 약을 먹으니까 좀 괜찮아졌어요?

나 : 아니요, _____.

가 : 일찍 자면 일찍 일어날 수 있을
   거예요.

나 : 저는 _____

_____.

어휘

1. 다음 [보기]에서 알맞은 단어를 골라 (   ) 안에 쓰십시오. (请从示例中选出正确的单词填空。)

[보기]	바구니	짜리	광고	마음에 들다	주소

❶ 우리 집 (**주소**) 은/는 서대문구 신촌동 134번지입니다.

❷ 10원 (   ) 동전은 다른 동전보다 조금 작아요.

❸ 물건이 (   )었지만/았지만/였지만 비싸서 못 샀어요.

❹ 어, 저 사람 어제 TV (   )에서 본 사람이에요.

❺ 과일은 (   )에 담아서 선물하면 좋아요.

2. 다음 [보기]에서 관계있는 것을 골라 ▨▨▨▨ 안에 쓰십시오. (请从示例中选出相关的内容填入表格中。)

[보기]	넥타이	반지	향수	현금	장갑

❶ 야구, 겨울, 끼다	장갑
❷ 화장품, 냄새, 뿌리다	
❸ 와이셔츠, 무늬, 매다	
❹ 돈, 현금인출기(ATM), 찾다	
❺ 손가락, 결혼, 끼다	

Vst 으니까/니까

3. 관계 있는 것을 연결하고 문장을 만드십시오. (请将相关的内容用线连接起来，并造句。)

❶ 가까이 가 봤습니다. •   • 맛있었습니다.

❷ 먹어 봤습니다. •   • 아무도 없었어요.

❸ 집에 갔어요. •   • 빌딩이 컸습니다.

❹ 10분 쯤 걸어갔어요. •   • 아주 가벼웠습니다.

❺ 가방을 들어 봤습니다. •   • 주문한 피자가 왔어요.

❻ 30분쯤 기다렸어요. •   • 학교가 보였어요.

❶ <u>　가까이 가 보니까　</u> <s>으니까/니까</s> <u>　빌딩이 컸습니다　</u>.

❷ <u>　　　　　　　　　　　</u>으니까/니까　　　　　　　　　　.

❸ <u>　　　　　　　　　　　</u>으니까/니까　　　　　　　　　　.

❹ _____.

❺ _____.

❻ _____.

4. 다음 그림을 보고 대화를 완성하십시오. (请看图完成对话。)

민수 : 아침에 비가 많이 왔지요?

지선 : 네, 버스에서 내리니까 ❶ **갑자기 비가 왔어요** .

민수 : 우산은 가지고 왔어요?

지선 : 네, 가방 안에 있었어요. 며칠 전에 백화점에서 옷을 사니까

❷ _____ .

민수 : 참, 어제 은영 씨가 결혼을 했지요? 결혼식이 어땠어요?

지선 : 아주 좋았어요. 은영 씨 친구들이 결혼 축하 노래를 부르니까

❸ _____ .

민수 : 은영 씨는 예뻤어요?

지선 : 웨딩드레스를 입으니까 ❹ _____ .

민수 : 그런데, 어제 몇 시에 돌아오셨어요? 제가 전화하니까

❺ _____ .

지선 : 결혼식이 끝난 후에 또 약속이 있었어요. 집에 돌아오니까

❻ _____ .

5. 다음 대화를 완성하십시오. (请完成下列对话。)

❶ 가 : 돈이 많으면 무엇을 사고 싶어요?

　나 : ＿＿＿＿＿**자동차를 샀으면**＿＿＿＿＿ 었으면/았으면/였으면 좋겠어요.

❷ 가 : 어디에 가고 싶어요?

　나 : ＿＿＿＿＿＿＿＿＿＿＿＿＿ 었으면/았으면/였으면 좋겠어요.

❸ 가 : 지금 제일 보고 싶은 사람이 누구예요?

　나 : ＿＿＿＿＿＿＿＿＿＿＿ 었으면/았으면/였으면 좋겠어요 .

❹ 가 : 어떤 사람을 사귀고 싶어요?

　나 : ＿＿＿＿＿＿＿＿＿＿＿＿＿＿＿＿＿＿ .

❺ 가 : 무엇을 잘 하고 싶어요?

　나 : ＿＿＿＿＿＿＿＿＿＿＿＿＿＿＿＿＿＿ .

❻ 가 : 무엇이 없으면 행복해질까요?

　나 : ＿＿＿＿＿＿＿＿＿＿＿＿＿＿＿＿＿＿ .

6. 어떤 말을 할 것 같습니까? '–었으면/았으면/였으면 좋겠다'를 사용해서 쓰십시오. (下面的人会说什么? 请使用 "–었으면/았으면/였으면 좋겠다" 把会说的话写下来。)

❶ 한국말을 공부하는 학생 : ＿＿＿＿**한국말을 잘 했으면 좋겠어요**＿＿＿ .

❷ 초등학생 : ＿＿＿＿＿＿＿＿＿＿＿＿＿＿＿＿ .

❸ 회사원 : ＿＿＿＿＿＿＿＿＿＿＿＿＿＿＿＿＿ .

❹ 주부 : ＿＿＿＿＿＿＿＿＿＿＿＿＿＿＿＿＿＿ .

❺ 어학당 선생님 : ＿＿＿＿＿＿＿＿＿＿＿＿＿＿ .

❻ 나 : ＿＿＿＿＿＿＿＿＿＿＿＿＿＿＿＿＿＿＿ .

어휘와 문법

1. 다음 [보기]에서 알맞은 단어를 골라 (   ) 안에 쓰십시오. (请从示例中选出正确的词语填空。)

[보기]	행사	정장	봉투	치수	계산
	주문하다	서명하다	고르다	마음에 들다	어울리다

❶ (계산)이/가 틀리면 안 되니까 영수증을 잘 보세요.

❷ 오늘 연세대학교에서 (   )이/가 있어서 학교 안이 아주 복잡합니다.

❸ (   )은/는 자주 안 입으니까 편한 옷을 사세요.

❹ 편지를 보낼 때 (   )에 주소와 우편번호를 써야 합니다.

❺ 한국의 신발 (   )이/가 미국하고 달라서 신발 사기가 힘들어요.

❻ 도장이 없을 때는 (   )으면/면 돼요.

❼ 이 넥타이가 까만 색 양복과 잘 (   )을/ㄹ 것 같아요.

❽ 뷔페 식당에서는 먹고 싶은 음식을 (   )어서/아서/여서 먹을 수 있어요.

❾ 이 옷은 디자인도 괜찮고 색도 (   )어요/아요/여요.

❿ 지금 (   )으면/면 언제 배달이 됩니까?

2. 알맞은 단어를 쓰십시오. (请填入正确的单词。)

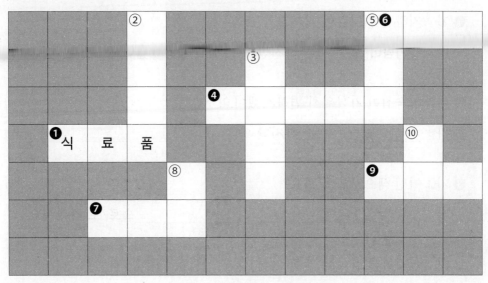

				②							⑤ **6**		
							③						
					4								
1 식	료	품								⑩			
			⑧						**9**				
		7											

[가로 열쇠]

1 음식의 재료가 되는 것

4 동그란 모양이 많이 있는 무늬

6 꽃을 예쁘게 싸서 묶은 것

7 짧은 바지

9 가방이나 주머니에 넣을 수 있는

　 작은 수건

[세로 열쇠]

② 집에서 사용하는 전기 제품

③ 부엌에서 쓰는 물건들

⑤ 꽃이 있는 무늬

⑧ 손가락에 끼는 것

⑩ 냄새가 좋은 화장품

3. 다음 대화를 완성하십시오. (请完成下列对话。)

❶ 가 : 지하철에 사람이 많지요?

　 나 : _____사람이 많_____ 기는 하지만 _____빨라서 좋아요_____ .

❷ 가 : 하숙집이 가까워서 편하시겠어요.

　 나 : _____ 기는 하지만 _____ .

❸ 가 : 어떤 색으로 드릴까요?

　 나 : _____ 으로/로 하겠어요.

❹ 가 : 언제까지 한국에 계실 거예요?

　 나 : _____ 을까/ㄹ까 합니다.

❺ 가 : 양견 씨가 왜 이렇게 안 오지요?

　 나 : _____ 어/아/여 볼까요?

❻ 가 : _____ 는데, 은데/ㄴ데 _____ 으세요/세요.

　 나 : 아니에요. 조금 전에 점심을 먹어서 배가 불러요.

❼ 가 : 그렇게 머리가 아픈데 시험을 볼 수 있겠어요?

　 나 : _____ 어도/아도/여도 _____ .

❽ 가 : 조금 전에 드셨는데 또 드세요?

　 나 : _____ 어도/아도/여도 _____ .

❾ 가 : 교실에 왔을 때 학생들이 몇 명 있었어요?

　 나 : _____ 으니까/니까 _____ .

❿ 가 : 방학 때 뭐 하고 싶어요?

　 나 : _____ 었으면/았으면/였으면 좋겠어요.

4. 맞는 것에 ○표 하십시오. (请在正确的内容后面标○。)

❶ 파티에 가니까

　　맛있는 음식을 많이 먹었습니다. 　(　　)

　　맛있는 음식이 많았습니다. 　(　　)

❷ 가방을 여니까

　　지갑이 없었어요. 　(　　)

　　지갑을 찾았어요. 　(　　)

❸ 전화를 거니까

　　아이가 받았어요. 　(　　)

　　빨리 받으세요. 　(　　)

❹ 피곤한데

　　일찍 집에 갑니다. 　(　　)

　　일찍 집에 갑시다. 　(　　)

❺ 바람이 많이
불기는 하지만

　　춥지 않아요. 　(　　)

　　비가 와요. 　(　　)

듣기 연습 　🔊 MP3: 03

5. 다음을 듣고 질문에 답하십시오. (请听录音，回答问题。)

1) 무슨 광고입니까? (这是什么广告?) (　　)

❶ 초콜릿 　　　　　　❷ 꽃 　　　　　　❸ 꽃배달

2) 발렌타인세트를 주문하면 무엇을 받을 수 있습니까? 모두 쓰십시오. (预订情人节套餐的话会得到什么? 请全部写下来。)

3) 5천 원을 더 내면 무엇을 해 줍니까? 쓰십시오. (多付5000元的话会得到什么? 请写下来。)

YONSEI KOREAN 2 WORKBOOK

6. 다음을 읽고 질문에 답하십시오. (请阅读下列内容，回答问题。)

학당 슈퍼 추석선물세트 특별 세일

생활용품세트 ○ 10개 사시면 하나 더 드립니다.	■생활용품 A세트 15,000원	■생활용품 B세트 20,000원	■생활용품 C세트 25,000원
곡물세트 ○ 10개 사시면 쌀 10kg을 드립니다.	■4가지 곡물세트(2.5kg) 25,000원	■8가지 곡물세트(4kg) 40,000원	
김치세트 ○ B세트를 사시면 고추장 500g을 드립니다.	■김치 A세트(배추김치 4kg) 25,000원	■김치 B세트(배추김치 5kg, 깍두기 2kg, 오이김치 2kg) 50,000원	
과일세트 ○ 환불 및 교환할 수 없습니다.	■배세트(5kg) 50,000원	■사과세트(5kg) 50,000원	■배, 사과세트(5.5kg) 55,000원
인삼세트 ○ 인삼세트를 사시면 인삼술 500ml를 드립니다.	■인삼세트(500g) 50,000원	■인삼세트(1kg) 100,000원	

➡ 직접 오시지 않고 전화와 인터넷으로도 주문하실 수 있습니다.

➡ 추석 전에 배달을 받고 싶으시면 9월 20일까지 주문하셔야 합니다.

➡ 추석날은 쉽니다.

1) 여기에서 소개하는 물건들은 어떤 물건입니까? (这里介绍的物品都是什么?)

2) 물건을 배달 받은 후에 마음에 안 들어도 바꿀 수 없는 것은 무엇입니까? (物品送 到之后，如果不合心意，哪种物品是不能退换的?)

3) 내용과 **다른 것**을 고르십시오. (选出与以上内容**不相符**的选项。) (   )

   ❶ 생활용품세트 10개를 주문하면 11개를 받을 수 있습니다.

   ❷ 곡물세트 10개를 사면 쌀을 받을 수 있습니다.

   ❸ 김치 B세트를 사면 고추장을 줍니다.

   ❹ 인삼 A세트를 사면 인삼술을 받을 수 없습니다.

4) 내용과 같으면 ○, 다르면 ×표 하십시오. (与对话内容一致的, 用○标出; 不一致 的, 用×标出。)

   ❶ 주문은 전화와 인터넷으로만 할 수 있습니다.   (   )

   ❷ 이 슈퍼는 추석날 문을 닫습니다.   (   )

   ❸ 9월 20일에 주문하면 추석 전에 물건을 받을 수 있습니다. (   )

7. 다음 표는 신발과 옷의 치수입니다. 표를 보고 [보기]와 같이 물건을 바꾸는 상황의 대화
를 만드십시오. (下面是服装和鞋的尺码表。请参照示例编写换货时的对话。)

치수	신발	상의/자켓			바지/치마(허리사이즈)
치수	여자 : 225, 230, ~ 260(mm) 남자 : 250, 255, ~ 285(mm)	44 55	XS S	85 90	24, 25, 26, 27, 28,
		66 77	M L	95 100	29, 30, 31, 32
			XL XXL	105 110	34, 36, 38
색깔	까만색, 하얀색, 파란색, 빨간색, 노란색, 분홍색, 하늘색, 녹색, 밤색, 회색				
무늬	줄무늬, 체크무늬, 꽃무늬, 물방울무늬, 얼룩무늬				

▩ 여자 사이즈   ▩ 남자 사이즈   ▩ 남/여 사이즈

[보기] 옷가게

점원 : 어서 오세요. 뭘 찾으세요?

손님 : 저, 지난 주말에 이 바지를 샀는데, 좀 작아요.

점원 : 그래요? 잠깐만 기다리세요. 한 치수 큰 것으로 바꿔 드리겠습니다.

손님 : 한 치수 큰 게 있어요?

점원 : 제가 찾아 보겠습니다. 그 바지 치수가 어떻게 되지요?

손님 : 28이요.

점원 : 손님, 그 바지는 29가 없는데요. 같은 모양으로 까만 색은 29가 있는데,
　　　입어 보시겠습니까?

손님 : 네, 입어 보겠어요.

점원 : 어떻습니까? 잘 맞으십니까?

손님 : 네, 편하고 색깔도 괜찮은데요. 이것으로 하겠어요.

8. 배운 문법을 사용하여 친구에게 질문하고 대답하십시오. (请使用学到的语法与朋友进行问答。)

질문	대답
1) 이 옷을 언제 바꾸러 갈 거예요?(-을까 하다)	
2) 이 옷이 예쁜데 왜 바꾸세요?(-기는 하지만)	
3) 이 옷 백화점에서 사셨지요? 백화점은 좀 비싸지 않아요?(-어도)	
4) 어떤 옷으로 바꾸고 싶어요?(-었으면 좋겠어요.)	
5) 어제 백화점에 가니까 사람이 많았어요?	
6) 저도 옷을 사고 싶은데 어디에 가면 좋을까요?(-는데 -세요.)	
7) 그 가게에서 옷을 입어 볼 수 있어요?	
8) 저도 그 가게에 가고 싶은데 같이 갈까요? 약속 시간을 몇 시로 할까요?	

4과 1항

어휘

1. 다음 중에서 **틀린 것**을 고르십시오. (请选出错误的一项。)

1) (　❷　)　❶ 친구에게 우산을 선물했어요.

❷ 친구에게 우산을 선물로 했어요.

❸ 친구에게서 선물을 받았어요.

❹ 친구에게 우산을 선물로 주었어요.

2) (　　)　❶ 생일 파티를 했어요.

❷ 졸업 파티를 했어요.

❸ 휴가 파티를 했어요.

❹ 크리스마스 파티를 했어요.

3) (　　)　❶ 친구를 초대했어요.

❷ 친구에게서 초대받았어요.

❸ 생일 파티를 초대했어요.

❹ 생일 파티에 초대받았어요.

4) (　　)　❶ 약속을 잊었어요.

❷ 직업을 잊었어요.

❸ 숙제 하는 것을 잊었어요.

❹ 전화번호를 잊었어요.

5) (　　)　❶ 내일 꼭 오세요.

❷ 꼭 전화하겠습니다.

❸ 시험을 꼭 봐야 합니다.

❹ 오늘은 날씨가 꼭 좋겠습니다.

2. [보기]에서 알맞은 단어를 골라 대화를 완성하십시오. (请从示例中选出正确的单词 完成对话。)

| [보기] | 부르다 | 끄다 | 자르다 | 터뜨리다 | 불다 |

로라 : 제가 카드를 쓰겠어요.

양견 : 그럼, 저는 풍선을 ❶ <u>불겠어요</u>

~~겠어요.~~

로라 : 지선 씨, 고깔모자를 쓰세요.

양견 : 다 같이 생일 축하 노래를

❷ _____ 읍시다/ㅂ시다.

지선 : 촛불을 ❸ _____ 을까요/ㄹ까요?

양견 : 네, 저는 폭죽을 ❹ _____

을게요/ㄹ게요.

로라 : 자, 다같이 박수를 칩시다.

지선 : 케이크를 ❺ _____ 겠습니다.

양견 : 사진을 찍을게요.

웃으세요.

문법

반말[1]

3. 다음을 반말로 바꾸십시오. (请把下列句子改写为非敬语形式。)

N 이야/야

❶ 아침에 산 김밥이에요. ➜ 아침에 산 김밥이야 .

❷ 고향에서 온 친구예요? ➜ _____ ?

❸ 우리 반 학생이 아니에요. ➜ _____ .

❹ 도서관에서 신문을 읽을 거예요. ➜ _____ .

❺ 누구한테 말할 거예요? ➜ _____ ?

❻ 오후에는 비가 오지 않을 거예요. ➜ _____ .

Vst 어/아/여

❼ 제주도가 참 아름다워요. ➜ 제주도가 참 아름다워 .

❽ 제 동생은 키가 커요. ➜ _____ .

❾ 은행에서 돈을 찾아요. ➜ _____ .

❿ 오늘은 학교에 가지 않아요. ➜ _____ .

⓫ 어디에서 공부해요? ➜ _____ ?

⓬ 한국에 온 지 얼마나 됐어요? ➜ _____ ?

⓭ 같이 점심을 먹어요. ➜ _____ .

⓮ 같이 등산을 가요. ➜ _____ .

4. 다음 질문에 반말로 대답하십시오. (请使用非敬语回答下列问题。)

❶ 가 : 어디에서 살아요?

　　나 : _____신촌에서 살아_____ .

❷ 가 : 주말에 뭐 해요?

　　나 : _____ .

❸ 가 : 오늘 날씨가 어때요?

나 : _____.

❹ 가 : 지금 몇 시예요?

나 : _____.

❺ 가 : 어제 뭐 했어요?

나 : _____.

❻ 가 : 식당에 사람이 많아요?

나 : 아니, _____.

❼ 가 : 그 사람이 3시까지 올까요?

나 : 응, _____.

❽ 가 : 시험 공부 많이 했어요?

나 : 아니, _____.

❾ 가 : 커피나 한 잔 할까요?

나 : 그래, _____.

❿ 가 : 이 옷을 살 거예요?

나 : 응, _____

5. 어떻게 하시겠습니까? 하나를 고르고 문장을 만드십시오. (应该怎么做？请选择其中的一
项完成句子。)

❶　　　　　친구에게 좋은 선물을 하고 싶지만 돈이 없습니다.

　　□장미　　　　□카드　　　☑초콜릿

　　초콜릿　　（이나）/나　　　　　사 주겠습니다　　　　.

❷　　　　　갈비를 먹고 싶지만 너무 비쌉니다.

　　□샌드위치　　□김밥　　　□라면

　　　　　　　　이나/나　　　　　　　　　　.

❸　　오후에 데이트를 하고 싶지만 다음 주에 시험이 있습니다.

　　□단어복습　　□숙제　　　□발음연습

　　　　　　　　이나/나　　　　　　　　　　.

❹　　　　　등산을 하고 싶지만 너무 춥습니다.

　　□TV　　　　□비디오　　　□만화책

　　　　　　　　　　　　　　　　　　　　.

❺　　　　술을 마시고 싶지만 운전을 해야 합니다.

　　□커피　　　　□콜라　　　□주스

　　　　　　　　　　　　　　　　　　　　.

❻　　　　제주도에 가고 싶지만 시간이 없습니다.

　　□노래방　　　□롯데월드　　□북한산

　　　　　　　　　　　　　　　　　　　　.

6. '이나/나'를 사용해서 대화를 완성하십시오. (请使用 "이나/나" 完成对话。)

❶ 가 : 뭘 마실까요?

　 나 : _____ 커피나 마십시다 _____.

❷ 가 : 오후에 뭘 할 거예요?

　 나 : _____.

❸ 가 : 여름방학에 어디에 갈 거예요?

　 나 : _____.

❹ 가 : 저녁에 뭐 먹을까?

　 나 : _____.

❺ 가 : 동생 졸업 선물로 뭘 사면 좋을까요?

　 나 : _____.

❻ 가 : 심심한데 뭐 재미있는 일 없어요?

　 나 : _____.

어휘

1. 다음 [보기]에서 알맞은 단어를 골라 (   ) 안에 쓰십시오. (请从示例中选出正确的单词填空。)

[보기]	동료	집들이	따로	적다	결정하다

❶ (**집들이**) 선물로는 예쁜 커피잔 같은 것도 좋아요.

❷ 이번 토요일에 회사 (   )들하고 등산을 가요.

❸ 우리 기숙사에는 욕실과 화장실이 (   ) 있습니다.

❹ 어머니 생일 선물로 뭘 살지 (   )지 못했어요.

❺ 여기에 이름과 전화번호를 (   )어/아/여 주세요.

2. 다음 [보기]에서 알맞은 단어를 골라 (   ) 안에 쓰십시오. (请从示例中选出正确的单词填空。)

[보기]	거실	베란다	욕실	방	현관

마이클 씨는 아파트에서 친구 한 명과 같이 삽니다.

이 아파트에는 ❶(**방**)이/가 두 개 있습니다. 마이클 씨는 수업이 끝나고 집으로 돌아가면 ❷(   )에서 신발을 벗습니다. 고향에서는 신발을 신고 들어갔지만 한국에 와서는 꼭 신발을 벗고 들어갑니다.

우선 ❸(   )에서 손을 씻은 후에 점심을 먹습니다. 점심은 식탁에서 먹기도 하지만 보통 ❹(   )에 있는 소파에서 먹습니다. 마이클 씨는 점심을 먹은 후에 ❺(   )으로/로 나가서 담배를 피웁니다. 같이 사는 친구가 집안에서 담배 피우는 것을 싫어하기 때문입니다.

3. 다음을 반말로 바꾸십시오. (请把下列句子改写为非敬语形式。)

❶ 이쪽으로 오세요.　　　→ ....이쪽으로 와.......................

❷ 숙제 좀 도와 주세요.　　→ ....

❸ 담배를 피우지 마세요.　　→ ....

❹ 요즘 어떻게 지내셨어요?　→ ....

❺ 지선 씨, 할머니께서는 어디에 사세요?

→ ....

❻ 민수 씨, 어머니께서 청소하시는 것 좀 도와 드리세요.

→ ....

❼ 제가 전화 받을게요.　　→ ....

❽ 순두부찌개가 맵군요.　　→ ....

❾ 안녕히 가세요.　　　　→ ....

❿ 안녕히 주무셨어요?　　→ ....

⓫ 안녕히 계세요.　　　　→ ....

⓬ 많이 잡수세요.　　　　→ ....

⓭ 급한 일이 생기면 언제든지 말씀하세요.

→ ....

4. 다음 대화의 밑줄 친 부분을 반말로 바꾸십시오. （请将以下对话中的画线部分改写为非敬语形式。）

가 : ❶ 지선 씨, 생일날 케이크에 촛불을 몇 개 ❷ 꽂으셨어요?

　　지선아,

나 : ❸ 제 나이를 물어 ❹ 보시는 거예요? ❺ 저 스물일곱 ❻ 살이에요.

가 : 그럼 촛불도 스물일곱 개 ❼ 꽂으세요?

나 : ❽ 네. 자기 나이하고 똑같이 ❾ 하는데요.

가 : 나이는 스물일곱 살이지만 생일은 스물여섯 번째 ❿ 아니에요?

　　그럼 아기의 첫 번 째 생일에도 초를 두 개 ⓫ 꽂아요?

나 : ⓬ 아니요, 하나만 ⓭ 꽂아요. 첫 번째 생일에만 그렇게 ⓮ 해요.

가 : 첫 번째 생일에 하나를 꽂으면 스물여섯 번째 생일에도 스물여섯 개

　　꽂는 게 ⓯ 맞지 않아요?

나 : ⓰ 저도 잘 ⓱ 몰라요. 촛불이 많으면 예쁘니까 많이 꽂는 것 ⓲ 같아요.

5. 다음 그림을 보고 문장을 바꾸어 쓰십시오. (请看图改写句子。)

---

①

무슨 음식을 준비할지 고민이에요.

→ <u>한식을 준비할지</u> ~~을지/ㄹ지~~

<u>양식을 준비할지</u> ~~을지/ㄹ지~~

고민이에요.

---

②

• 설악산

제주도 •

어디에 갈지 결정하지 못했어요.

→ _____ 을지/ㄹ지

_____ 을지/ㄹ지

결정하지 못했어요

---

③

토요일 2   일요일 3

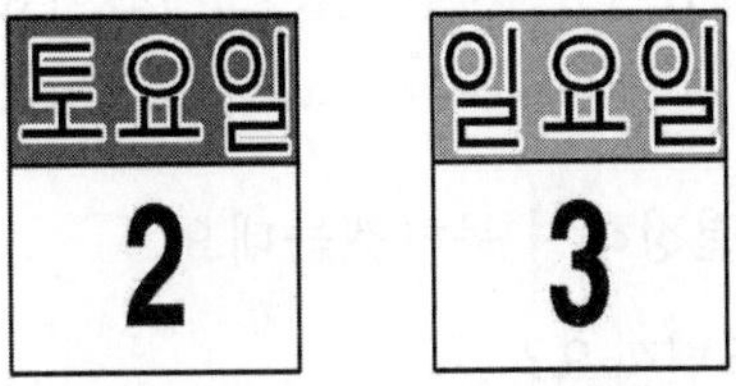

언제 만날지 정합시다.

→ _____ 을지/ㄹ지

_____ 을지/ㄹ지

정합시다.

---

④

무엇으로 갈지 이야기할 거예요.

→ _____

_____ .

---

⑤

3급? 4급?

몇 급까지 공부할지 생각중이야.

→ _____

_____ .

---

⑥

?!

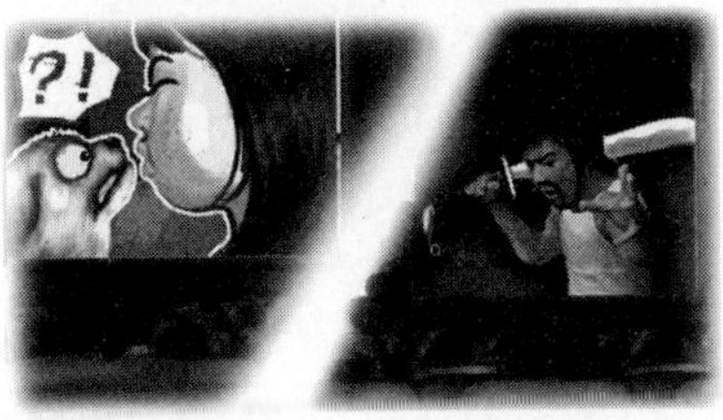

무슨 영화가 좋을지 모르겠어요.

→ _____

_____ .

---

6. '-을지/ㄹ지 -을지/ㄹ지'를 사용해서 다음 대화를 완성하십시오. (请使用 "-을지/ㄹ지 -을지/ㄹ지" 完成下列对话。)

세르게이 씨가 집들이를 합니다. 민수 씨가 세르게이 씨 집에 30분 늦게 도착했습니다.

세르게이 : 민수 씨, 어서 오세요.

민수　　 : 늦어서 미안해요. ❶ ___버스를 탈지 지하철을 탈지___ 결정하지 못해
　　　　　서 늦었어요. 많이 기다렸지요?

세르게이 : 아니에요.

민수　　 : 이건 집들이 선물이에요. ❷ _____ 결정하기
　　　　　힘들었는데, 그냥 알람시계를 샀어요. 마음에 들어요?

세르게이 : 와! 고맙습니다. 민수 씨, 어서 이쪽으로 오세요. 그런데 제가
　　　　　요리를 잘 못해서 중국집에서 시켰어요. 자장면을 드시겠어요?
　　　　　짬뽕을 드시겠어요?

민수　　 : ❸ _____ 결정하지 못하겠는데요.

세르게이 : 그럼 둘 다 드세요. 술은 뭘로 드릴까요?
　　　　　맥주도 있고 소주도 있어요.

민수　　 : 글쎄요, ❹ _____ 모르겠어요.

세르게이 : 맥주를 드세요. 맥주가 시원해요.

민　수　 : 그런데, 세르게이 씨는 어느 회사에 갈지 결정했어요?

세르게이 : 아니요, ❺ _____ 결정하지 못했어요.
　　　　　민수 씨는 영어를 배우러 어느 나라로 가실 거예요?

민수　　 : ❻ _____ 모르겠어요.

어휘

1. 다음 [보기]에서 알맞은 단어를 골라 (   ) 안에 쓰십시오. (请从示例中选出正确的
单词填空。)

[보기]   청첩장   연세   후배   별로   서두르다

❶ 실례지만 (**연세**   )이/가 어떻게 되세요?

❷ (   )지 않으면 2시 기차를 못 탈 것 같아요.

❸ 이번에 민수 씨 동생이 우리 학교에 입학했으니까 제 (   )이/가
   됐군요.

❹ 한국 겨울 날씨가 생각보다 (   ) 춥지 않아요.

❺ 한국 친구한테서 (   )을/를 받았는데 무슨 선물을 하면 좋아요?

2. 설명에 맞는 단어를 연결하고 쓰십시오. (请用线连接相关的单词, 并填在相应的说明
后面。)

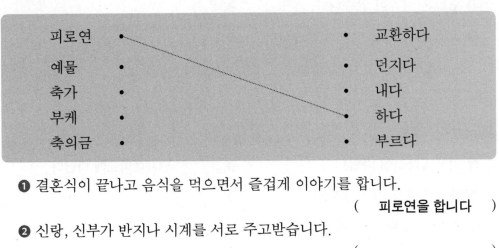

피로연	교환하다
예물	던지다
축가	내다
부케	하다
축의금	부르다

❶ 결혼식이 끝나고 음식을 먹으면서 즐겁게 이야기를 합니다.

                                                 (**피로연을 합니다**)

❷ 신랑, 신부가 반지나 시계를 서로 주고받습니다.

                                                 (   )

❸ 신부가 들고 있는 꽃다발을 친구에게 줍니다.

                                                 (   )

❹ 결혼식을 축하하는 노래를 합니다.

                                                 (   )

❺ 결혼식을 축하하는 마음으로 선물 대신 돈을 줍니다.

                                                 (   )

반말³

3. 다음을 반말로 바꾸십시오. (请把下列句子改写为非敬语形式。)

N 이다/다

❶ 제 고향은 제주도입니다.   ➜   내 고향은 제주도다   .

❷ 우리 아버지는 의사입니다.   ➜   .

❸ 저는 한국 사람입니다.   ➜   .

❹ 이것은 제 공책이 아닙니다.   ➜   .

DVst 다

❺ 주말에는 한가합니다.   ➜   주말에는 한가하다   .

❻ 날마다 숙제가 많습니다.   ➜   .

❼ 오늘은 시간이 없습니다.   ➜   .

❽ 물건 값이 별로 비싸지 않습니다.   ➜   .

AVst 는다/ㄴ다

❾ 연세대학교에 다닙니다.   ➜   연세대학교에 다닌다   .

❿ 매운 음식도 잘 먹습니다.   ➜   .

⓫ 옆 반 친구와 같은 하숙집에 삽니다. ➜   .

⓬ 그 사람을 사랑하지 않습니다.   ➜   .

Vst 었다/았다/였다, Vst 겠다

⑬ 공항까지 1시간 걸렸습니다. → _공항까지 1시간 걸렸다_.

⑭ 교통이 복잡하지 않았습니다. → _____.

⑮ 부모님이 오셔서 좋겠습니다. → _____.

⑯ 영어로 이야기하지 않겠습니다. → _____.

Vst 니?

⑰ 누구 교과서입니까? → _누구 교과서니_?

⑱ 남자 친구 사진입니까? → _____?

⑲ 여기가 현대백화점 아닙니까? → _____?

⑳ 그 식당 음식 맛이 어떻습니까? → _____?

㉑ 김치는 어떻게 만듭니까? → _____?

㉒ 아르바이트가 힘들지 않습니까? → _____?

㉓ 어제 누구를 만났습니까? → _____?

㉔ 무슨 노래를 부를 겁니까? → _____?

AVst 어라/아라/여라

㉕ 안녕히 가십시오. → _잘 가라_.

㉖ 앉아서 말씀하십시오. → _____.

㉗ 추우니까 창문을 닫으십시오. → _____.

㉘ 공부할 때 음악을 듣지 마십시오. → _____.

4. 다음 대화를 읽고 피터의 일기를 써 보십시오. (请阅读以下对话，并完成彼得的日记。)

지선 : 오늘 뭐 할 거야?

피터 : 오늘 스티브 생일이야.

　　　그래서 스티브 집에서 친구들과 같이 생일파티를 할거야.

지선 : 재미있겠다. 무슨 선물을 샀어?

피터 : CD를 사 가지고 가려고 해.

지선 : 그 친구가 음악을 좋아하니?

피터 : 응, 음악은 뭐든지 다 좋아해. 운동도 좋아하고.

지선 : 그래? 그럼 같이 운동도 해?

피터 : 주말에 시간 있으면 학교에서 가끔 같이 테니스를 쳐.

지선 : 오늘 집에 늦게 들어가겠구나.

피터 : 그럴 것 같아. 내일은 집에 일찍 가서 숙제도 하고 복습도 해야겠어.

지선 : 그래, 재미있게 놀고 내일 학교에서 만나자.

2007년 9월 27일 목요일　　날씨 : 맑음

❶ _____오늘은 스티브의 생일이었다_____.

❷ 나는 CD를 사 가지고 _____.

❸ 스티브는 음악도 _____.

❹ 그래서 _____.

❺ 오늘은 너무 _____.

❻ 내일은 _____.

AVst 기로 하다

5. 다음 대화를 읽고 문장을 만드십시오 (请阅读下列对话，并造句。)

아야코 : ❶ 이번 방학 때 제주도로 여행 갑시다. 어때요?

안나 　 : 좋은 생각이에요. 그럼 비행기 표를 빨리 예매해야겠군요.

아야코 : 그런데 비행기는 비싸지 않을까요?

안나 　 : 그럼, ❷ 배를 타고 갑시다. 잠은 어디에서 자는 게 좋을까요?

아야코 : ❸ 민박이 값도 싸고 한국 사람도 사귈 수 있으니까 민박을 합시다.

안나 　 : 2박 3일로 갈까요? 3박 4일로 갈까요?

아야코 : ❹ 구경할 게 많을 것 같으니까 3박 4일 동안 여행합시다.

안나 　 : 로라 씨도 같이 가면 재밌을 것 같은데요. ❺ 갈 수 있는 지 물어봅시다.

아야코 : 그래요. 그럼 ❻ 시험 끝나고 다시 만나서 계획을 더 세웁시다.

❶ _____이번 방학 때 제주도로 여행 가_____ 기로 했어요.

❷ _____ 기로 했어요.

❸ _____ 기로 했어요.

❹ _____ .

❺ _____ .

❻ _____ .

6. 새해가 되어 여러 사람들이 결심을 했습니다. '-기로 하다'를 사용해서 여러분의 결심도 써

보십시오. (新年到了，大家都有决心要做的事情。请使用 "-기로 하다" 也写下你们决心要

做的事情。)

① 올해는 꼭
승진할 거야!

올해는 꼭 승진하기로 했어요 _____ .

② 항상 웃는 얼굴로
일할 거야!

_____ .

③ 역사소설을
쓸 거야!

_____ .

④

_____ .

⑤

_____ .

⑥

_____ .

4과 4항

1. 다음 [보기]에서 알맞은 단어를 골라 (   ) 안에 쓰십시오. (请从示例中选出正确的 单词填空。)

[보기]	음악회	뒤풀이	꽃다발	동창	기대가 되다

❶ 민수는 제 초등학교 (**동창**)인데 같은 회사에서 일하게 됐어요.

❷ 졸업식 날에는 (   )을/를 들고 있는 사람들을 많이 볼 수 있어요.

❸ 졸업 여행에서 돌아와서 친구들과 (   )을/를 했어요.

❹ (   )이/가 시작되기 전에 핸드폰을 꺼 주세요.

❺ 내일 처음으로 해외 여행을 가는데 (   )어서/아서/여서 잠이 안 와요.

2. 게시판이 붙어 있는 종이를 보고 [보기]에서 알맞은 것을 골라 쓰십시오. (请读下列 贴在告示板上的内容, 并从示例中选择适当的内容填空。)

[보기]	동창회	환영회	동아리	동호회	반상회

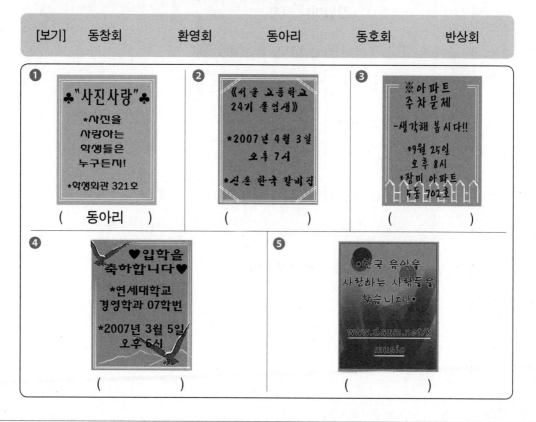

❶ ♣"사진사랑"♣
*사진을 사랑하는 학생들은 누구든지!
*학생회관 321호
(동아리)

❷ 《서울 초등학교 24기 졸업생》
*2007년 4월 3일 오후 7시
*신촌 한국 갈비집
(   )

❸ ※아파트 주차문제
-생각해 봅시다!!
*9월 25일 오후 8시
*장미 아파트 5동 702호
(   )

❹ ♥입학을 축하합니다♥
*연세대학교 경영학과 07학번
*2007년 3월 5일 오후 6시
(   )

❺ *한국 음악을 사랑하는 사람들을 찾습니다!*
www.daum.net/k music
(   )

반말[4]

3. 다음을 반말로 바꾸십시오. (请把下列句子改写为非敬语形式。)

AVst 자

❶ 내일 오후 3시 쯤에 만납시다.　➔　　　내일 오후 3시 쯤에 만나자　　　　.

❷ 심심한데 DVD를 빌려 봅시다.　➔　　　　　　　　　　　　　　　　　.

❸ 점심은 간단하게 먹읍시다.　➔　　　　　　　　　　　　　　　　　.

❹ 날씨가 좋으니까 좀 걸읍시다.　➔　　　　　　　　　　　　　　　　　.

❺ 배가 부르니까 더 시키지 맙시다.　➔　　　　　　　　　　　　　　　　　.

❻ 비가 올 것 같은데 나가지 맙시다.　➔　　　　　　　　　　　　　　　　　.

4. '-자'를 사용해서 다음 대화를 완성하십시오. (请使用 "-자" 完成下列对话。)

❶ 가 : 시간이 별로 없는데 뭘 먹을까?

　　나 : 　　　　　　김밥이나 먹자　　　　　　.

❷ 가 : 갑자기 일이 생겨서 오늘 만날 수 없어.

　　나 : 그럼, 　　　　　　　　　　　　　　　.

❸ 가 : 안나가 왜 아직 안 올까?

　　나 : 　　　　　　　　　　　　　　　　　.

❹ 가 : 파티에 누굴 더 초대할까?

　　나 : 　　　　　　　　　　　　　　　　　.

❺ 가 : 내일 시험인데 모르는 게 너무 많아.

　　나 : 　　　　　　　　　　　　　　　　　.

❻ 가 : 지금 식당에 사람이 많을 것 같지 않아?

　　나 : 　　　　　　　　　　　　　　　　　.

AVst 어/아/여 가지고

5 다음 두 문장을 연결하십시오. (请将以下两个句子连接起来。)

❶ 배운 단어로 문장을 만듭니다. / 오세요.

➔ 배운 단어로 문장을 만들어 ~~어/아/여~~ 가지고　　오세요　.

❷ 김밥을 쌉니다. / 놀러 가려고 해요.

➔ _____ 어/아/여 가지고 _____ .

❸ 사진을 찍습니다. / 친구들에게 보여 줄 거예요.

➔ _____ 어/아/여 가지고 _____ .

❹ 한국말을 배웁니다. / 무슨 일을 하고 싶습니까?

➔ _____ ?

❺ 은행에서 돈을 찾았습니다. / 하숙비를 냈어요.

➔ _____ .

❻ 작은 옷을 골랐습니다. / 동생에게 주었어요.

➔ _____ .

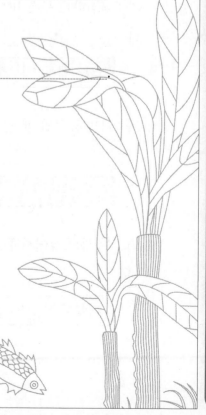

6. 여러분은 어떻게 하시겠습니까? 적당한 것을 골라 '-어/아/여 가지고'를 사용해서 질문에 대답하십시오. (你会怎么做？请选出适当的内容，使用"-어/아/여 가지고"回答问题。)

❶ 가 : 친구 생일인데 무슨 선물을 사겠습니까?

　　나 : <u>저는 꽃을 사 가지고 친구에게 주겠습니다</u> .

꽃	책	와인

❷ 가 : 소풍을 갈 건데 무슨 음식을 만들까요?

　　나 : ....

샌드위치	주먹밥	김밥

❸ 가 : 요리하기가 싫은데 뭘 시킬까요?

　　나 : ....

자장면	피자	치킨

❹ 가 : 심심한데 무슨 비디오를 빌릴까요?

　　나 : ....

액션영화	코미디영화	공포영화

❺ 가 : 라면을 끓일 때 뭘 넣어요?

　　나 : ....

계란	치즈	떡

❻ 가 : 뭘 사고 싶어서 돈을 모아요?

　　나 : ....

전자사전	핸드폰	디카

어휘와 문법

1. 다음 [보기]에서 알맞은 단어를 골라 (   ) 안에 쓰십시오. (请从示例中选出正确的
单词填空。)

[보기]	동료	음악회	꼭	청첩장	별로
	잊다	초대하다	결정하다	서두르다	기대가 되다

❶ 한국에 온 후에 (음악회)에 가 본 적이 없어요.

❷ 시험이 끝나서 도서관에 학생들이 (   ) 없어요.

❸ 아직 시간이 있으니까 (   )지 마세요.

❹ 직장 (   )들이 돈을 모아서 집들이 선물로 청소기를 사 주었어요.

❺ 요즘에는 (   )에 신랑, 신부 사진을 넣어서 만들어요.

❻ 혼자 (   )지 말고 부모님과 같이 이야기해 보세요.

❼ 중요한 책이니까 (   )지 말고 가지고 와.

❽ 약속 시간은 (   ) 지켜야 합니다.

❾ 이번 생일에 어떤 선물을 받을 지 (   )어/아/여.

❿ 제 생일 파티에 (   )고 싶은데 오실 수 있지요?

2. 다음 설명에 맞는 단어를 찾아 ○표 하십시오. (请找出与下列说明相符的单词，用○标出。)

촛	풍	선	소	침	반	상	회
불	치	욕	주	실	동	아	리
축	거	실	방	창	물	축	반
하	수	쓰	회	예	현	의	가
피	로	연	다	방	관	금	회

❶ 집에서 세수, 목욕 등을 할 수 있는 곳

❷ 같은 학교를 졸업한 학생들의 모임

❸ 학교에서 취미가 비슷한 사람들이 모이는 모임

❹ 결혼식을 축하해 주려고 부르는 노래

❺ 신랑, 신부에게 선물을 주기도 하고 이것을 주기도 합니다.

❻ 보통 여기에서 TV를 보고 손님이 왔을 때 차를 마시기도 합니다.

❼ 공기를 넣으면 점점 커집니다. 여러 가지 색이고 아이들이 좋아합니다.

❽ 결혼식이 끝나고 음식을 먹으면서 즐겁게 이야기하는 모임

3. 맞으면 ○표, 틀리면 ×표 하십시오. (正确的画○，错误的画×。)

❶ 돈을 모아 가지고 노트북을 살 거예요.　　　　　　(　○　)

❷ 집에서 숙제를 해서 오세요.　　　　　　　　　　(　　)

❸ 원피스를 입어 가지고 친구 결혼식에 갔어요.　　(　　)

❹ 한국말을 배워 가지고 무역회사에 취직하고 싶어요.　(　　)

❺ 친구 집들이에 비누를 사서 갔어요.　　　　　　(　　)

❻ 편지를 써 가지고 부모님께 보냈어요.　　　　　(　　)

4. 반말을 사용해서 다음 대화를 완성하십시오. (请使用非敬语完成下列对话。)

❶ 가 : 어학당을 졸업하면 뭐 할 거야?

　　나 : ＿＿＿＿＿＿ 고향에 돌아가서 취식할 거야 ＿＿＿＿＿＿.

❷ 가 : 시험도 끝났는데 어디 놀러 갈까?

　　나 : ＿＿＿＿＿＿＿ 이나/나 ＿＿＿＿＿＿＿＿＿＿.

❸ 가 : 언제까지 서울에 있을 거야?

　　나 : ＿＿＿＿＿＿ 을지/ㄹ지 ＿＿＿＿＿ 을지/ㄹ지 ＿＿＿＿＿.

❹ 가 : ＿＿＿＿＿＿＿＿＿＿＿＿＿＿＿＿＿＿?

　　나 : 아니, 늦게 일어나서 못 먹었어.

❺ 가 : 수업 시간에 모르는 단어가 많아.

　　나 : 그럼, ＿＿＿＿＿＿＿＿＿＿＿＿＿＿＿.

❻ 가 : 집들이를 언제 할 거야?

　　나 : ＿＿＿＿＿＿＿＿＿＿＿＿ 기로 했어.

❼ 가 : 맥주를 더 시킬까?

　　나 : 아니, ＿＿＿＿＿＿＿＿＿＿＿＿＿＿.

❽ 가 : 이거 누구 교과서니?

　　나 : ＿＿＿＿＿＿＿＿＿＿＿＿＿＿＿＿.

❾ 가 : 요즘 여의도에 벚꽃이 예쁘게 피었어.

　　나 : 그럼, 우리 ＿＿＿＿＿＿＿＿ 어/아/여 가지고 ＿＿＿＿＿＿.

❿ 가 : ＿＿＿＿＿＿＿＿＿＿＿＿＿＿＿＿＿?

　　나 : 수업 끝나고 만나자.

5. 대화를 듣고 질문에 답하십시오. (请听对话，回答问题。）

　1) 아이는 왜 여자를 이상하게 봤습니까? (孩子为什么很奇怪地看着女人？）

　　　　　　　　　　　　을/를 쓰지 않고 　　　　　　　　　　을/를 썼기 때문입니다.

　2) 여자는 아이에게 뭐라고 말하는 게 좋았을까요? (女人对孩子说什么比较好？）

　　❶ 이름이 　　　　　　　　　　　?

　　❷ 지수 　　　　　　　　, 　　　　　　　　　　　　　　.

　3) 맞으면 ○표, 틀리면 ×표 하십시오. (与对话内容一致的，用○标出；不一致的，用×标出。)

　　❶ 남자는 선생님 댁에 같이 가고 싶어서 전화했습니다. 　（　　　）

　　❷ 여자는 아직 한국말을 잘 못하는 것 같습니다. 　（　　　）

　　❸ 어제는 선생님 생신이었습니다. 　（　　　）

6. 다음 글을 읽고 질문에 답하십시오. (请阅读下列文章，回答问题。）

　　우리는 생일이나 결혼식같이 기쁜 날 가까운 사람들을 초대해서 파티를 하고 축하를 받습니다. 초대한 사람들은 음식을 준비하고 초대를 받은 사람들은 그 사람에게 필요한 선물을 사 가지고 갑니다.

　　그런데 선물을 고를 때 뭘 사 가지고 가야 할 지 결정하기 힘들 때가 많습니다. 우선 선물을 받는 사람의 나이, 성별, 취미 등을 잘 생각해야 합니다. 그리고 무슨 일로 축하를 하는 지 생각해야 합니다. 생일파티에는 CD, 액세서리, 책 등 너무 비싸지 않고 생활에서 자주 쓸 수 있는 선물이 좋습니다. 결혼식에는 선물보다 현금을 주는 게 보통입니다. 결혼식 준비에 돈이 많이 들고 부부가 직접 필요한 물건을 살 수 있으니까요. 아이의 첫 번째 생일인 '돌'에는 아이 옷, 장난감 등을 사 주기도 하지만 금반지를 선물하는 사람들이 많습니다. 그 이유는 옛날부터 금이 아이의 건강에 좋다고 생각했기 때문입니다. 집들이 선물로는 뭐가 좋을까요? 한국에서는 옛날부터 집들이 선물로 비누나 양초를 많이 선물했는데 그건 '부자가 되세요.'라는 뜻입니다. 재미있지요?

1) 선물을 고를 때 **생각하지 않아도** 되는 것은 무엇입니까? (选礼物的时候可以**不考虑**什么?) (　　　　)

❶ 나이　　　　❷ 취미　　　　❸ 전공　　　　❹ 성별

2) 윗글에서는 다음과 같은 때 어떤 선물을 하면 좋다고 했습니까? 연결하십시오. (上文中提到，在下列情况中应该选择什么样的礼物？请将相应的内容用线连接起来。)

❶ 집들이　　•　　　　　•　책

❷ 결혼식　　•　　　　　•　금반지

❸ 생일　　•　　　　　•　비누

❹ 돌　　•　　　　　•　현금

3) 맞으면 ○표, 틀리면 ×표 하십시오. (正确的画○，错误的画×。)

❶ 돌은 결혼한 지 1년 되는 날입니다.　　　　　　　　(　　　　)

❷ 새로 이사 간 집에는 비누나 양초를 많이 사 가지고 갑니다. (　　　　)

❸ 옛날에는 아이에게 금반지를 많이 선물했지만 요즘은 하지 않습니다.

(　　　　)

7. 다음 초대장을 보고 친구를 초대하는 대화를 만드십시오. 반말을 사용하십시오. (请看下列请柬，完成邀请朋友的对话。请使用非敬语。)

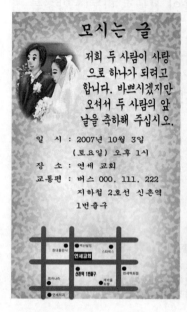

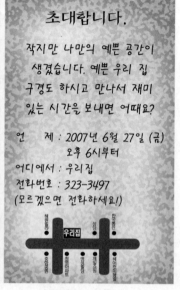

[보기]

아야코 : 지선아, 다음 주 토요일에 시간 있어?

지선　　: 응, 괜찮아. 무슨 일 있어?

아야코 : 나 그날 결혼해. 이거 받아

지선　　: 청첩장이구나! 축하해. 결혼식이 몇 시야?

아야코 : 오후 1시니까 점심 먹지 말고 와.

지선　　: 어디에서 해?

아야코 : 연세교회야. 청첩장에 약도가 있으니까 어렵지 않을 거야.

지선　　: 그래. 그 날 꼭 갈게.

8. 배운 문법을 사용하여 친구에게 질문하고 대답하십시오. (请使用学到的语法和朋友 进行问答。）

질문	대답
1) ＿＿＿＿＿ 씨 생일이 얼마 안 남았는데 어디에서 파티를 할 거야? (-을지 -을지 모르다)	
2) 그럼, 시간은 정했어? 몇 시에 하기로 했어?	
3) 음식은 어떻게 할 거야? (-어 가지고)	
4) 케익은 누가 사기로 했어?	
5) 그럼, 나는 뭘 사면 좋을까? (이나)	
6) 넌 뭘 사 가지고 갈 거야?	
7) 참, 다음 달에 고향 친구 결혼식에 갈 거야? (-을지 -을지 모르다)	
8) 결혼식에 가지 못해도 축하 인사는 해야 되지 않아? (이나)	

● 발음은 같은데 뜻이 다른 단어들이 있습니다. 연결해 보세요. (有些单词发音相同，意思却不同。请将对应的内容用线连接起来。)

1.

　●　　　●　운동을 안 하고 먹기만 해서 .... 가 나왔어요.

　●　　　●　돈이 없어서 제주도에 .... 로 가야겠어요.

　●　　　●　가을에는 사과도 맛있고 .... 도 맛있어요.

2.

　●　　　●　............ 은 삶아 먹어도 맛있고 구워 먹어도 맛있어요.

　●　　　●　공기가 나빠져서 .... 에 별을 보기가 쉽지 않아요.

3.

　●　　　●　그 아이는 .... 이 커서 더 예쁜 것 같아요.

　●　　　●　우리 고향은 겨울에도 .... 이 오지 않습니다.

4.

 ● ● 보통 식사 후에는 _____ 를 한 잔 마십니다.

 ● ● 방학이 되면 _____ 를 빌려서 여행을 갈 거예요.

5.

 ● ● 오랜만에 등산을 하니까 _____ 가 아파요.

 ● ● 생각보다 한강이 크고 _____ 가 아주 많아요.

● 다른 단어들도 많이 있습니다. 한번 찾아보세요. (还有很多其他单词，请找找看。)

→ 말, 병, 공, 모자, 부자, 상, 살

1과 1항

어휘

1. 다음 [보기]에서 알맞은 단어를 골라 (   ) 안에 쓰십시오. (请从示例中选出正确的单词填空。)

[보기]	놀이 공원	번	호선	직접	갈아타다

❶ 신촌로터리에 가면 인천공항으로 (**직접**   ) 가는 버스가 있습니다.

❷ 한국에 올 때 뉴욕에서 비행기를 (   )었습니다/았습니다/였습니다.

❸ 이는 하루에 세 (   ), 3분 동안 닦으세요.

❹ (   )에 가면 롤러코스터, 바이킹, 범퍼카 같은 것을 탈 수 있습니다.

❺ 지하철 2(   )을/를 타면 신촌에 갈 수 있습니다.

2. 무엇을 타면 좋을까요? 다음 [보기]에서 골라 (   ) 안에 쓰십시오. (坐哪种车比较好? 请从示例中选出适当的内容填空。)

[보기]

시내버스	무궁화호	마을버스	모범택시	KTX

❶ 집에서 지하철 역까지 걸어서 20분쯤 걸리는데 좀 힘듭니다.

(마을버스)

❷ 지금 10시입니다. 부산에 1시까지 가야 하는데 비행기표가 없습니다.

(   )

❸ 밤 늦게 일반 택시를 타면 좀 위험할 것 같습니다.   (   )

❹ 신촌에서 여의도까지는 멀지 않지만 지하철로 가려면 갈아타야 합니다.

(   )

❺ 광주에 가야 하는데 창문 밖의 경치를 천천히 구경하고 싶습니다.

(   )

AVst 는지, DVst 은지/ㄴ지, Vct 은지/ㄱ지 알다/모르다

3. 다음 두 문장을 한 문장으로 만드십시오. (请将下列两句连成一句。)

❶ 지선 씨 생일이 언제입니까? 아십니까?

➜ ___지선 씨 생일이 언제인지___ 는지, 은지/ㄴ지, 을지/ㄹ지 ___아십니까___ ?

❷ 그 학생이 어느 나라 사람이에요? 알아요?

➜ _____ 는지, 은지/ㄴ지, 을지/ㄹ지 _____ ?

❸ 오늘 이 근처에 왜 사람들이 많아요? 아세요?

➜ _____ 는지, 은지/ㄴ지, 을지/ㄹ지 _____ ?

❹ 어느 시장이 물건 값이 쌉니까? 압니다.

➜ _____ .

❺ 경복궁이 어디에 있습니까? 아십니까?

➜ _____ ?

❻ 이 글자를 어떻게 읽습니까? 아십니까?

➜ _____ ?

❼ 마이클 씨가 어디에 살아요? 모르세요?

➜ _____ ?

❽ 양견 씨가 어디에서 한국말을 배웠습니까? 알아요.

➜ _____ .

❾ 아이가 어제 무슨 음식을 먹었습니까? 모르세요?

➡ _____?

❿ 언제 그 식당이 다시 문을 열겠습니까? 모르겠습니다.

➡ _____.

4. '–는지, 은지/ㄴ지 알다'를 사용해서 질문하십시오. (请使用 "–는지, 은지/ㄴ지 알다" 提问。)

❶ 가 : _____영수 씨가 어디에 사는지 알아요_____?

　나 : 네, 알아요. 영수 씨는 신촌에 살아요.

❷ 가 : _____

　나 : 네, 알아요. 수업은 1시에 끝나요.

❸ 가 : _____

　나 : 네, 알아요. 그분 이름이 김지선이에요.

❹ 가 : _____

　나 : 네, 알아요. 양견 씨는 어제 친구와 등산을 갔어요.

❺ 가 : _____

　나 : 네, 알아요. 신촌에 있어요.

❻ 가 : _____

　나 : 네, 알아요. 2123-3465예요.

6. 다음 질문에 대답하십시오. (请回答下列问题。)

❶ 가 : 명동에 가려고 하는데 몇 번 버스로 갈아타야 합니까?

　나 : ＿＿＿＿722번 버스＿＿＿＿ 으로/(로) ＿＿＿＿갈아타세요＿＿＿＿.

❷ 가 : 얼마 짜리 동전으로 바꿔 드릴까요?

　나 : ＿＿＿＿＿＿＿＿＿＿으로/로＿＿＿＿＿＿＿＿＿＿.

❸ 가 : 오늘 놀이 공원에 가려고 하는데 어떤 옷으로 갈아입을까요?

　나 : ＿＿＿＿＿＿＿＿으로/로＿＿＿＿＿＿＿＿.

❹ 가 : ＿＿＿＿＿＿＿＿＿＿＿＿＿＿＿＿＿＿＿＿＿?

　나 : 작고 가벼운 핸드폰으로 바꿀 거예요.

❺ 가 : ＿＿＿＿＿＿＿＿＿＿＿＿＿＿＿＿＿＿＿＿＿?

　나 : 운동화로 갈아 신으세요.

❻ 가 : ＿＿＿＿＿＿＿＿＿＿＿＿＿＿＿＿＿＿＿＿＿?

　나 : 약속 장소를 연세 카페로 바꿉시다.

6. [보기 1]과 [보기 2]의 '으로/로'가 같은 뜻으로 쓰인 것을 연결하십시오. (请将示例1 与示例2中 "으로/로" 的意思相同的句子用线连接起来。)

[보기 1]

❶ 불고기는 소고기로 만들어요. •

❷ 저는 학교 버스로 와요. •

❸ 왼쪽으로 가면 화장실이 있어요. •

❹ 한식은 수저로 먹습니다. •

❺ 좀 큰 것으로 바꿔 주세요. •

[보기 2]

• 지하철로 가는 게 빨라요.

• 책상은 나무로 만듭니다.

• 4호선으로 갈아 타세요.

• 앞 쪽으로 나오세요.

• 냉면을 가위로 살라 주세요.

어휘

1. 다음 [보기]에서 알맞은 단어를 골라 (　　) 안에 쓰십시오. (请从示例中选出正确的单词填空。)

[보기]	출퇴근	정도	번	보통	한

❶ 지하철 4(**번**) 출구로 나오면 큰 약국이 있습니다.

❷ 서울에서 설악산까지 (　　　) 네 시간 걸릴 거예요.

❸ 점심을 집에서 먹을 때도 있지만 (　　　) 밖에서 사 먹습니다.

❹ (　　　) 시간에는 길이 많이 복잡하기 때문에 일찍 출발해야 합니다.

❺ 담배를 하루에 한 갑 (　　　) 피웁니다.

2. 관계있는 것을 연결하십시오. (请将相关的内容用线连接起来。)

❶ 여기는 버스를 타는 곳입니다.　　　　　　　•　　　　　　　• 거스름돈

❷ 이것은 돈을 내고 남은 돈입니다.　　　　　•　　　　　　　• 단말기

❸ 버스 요금을 낼 때 여기에 카드를 댑니다. •　　　　　　　• 정류장

❹ 여기에는 할아버지, 할머니, 아이들,　　　•　　　　　　　• 노선도
  그리고 몸이 불편한 사람들이 앉습니다.

❺ 버스가 어디에 가는지 그린 지도입니다. •　　　　　　　• 노약자석

AVst 으려면/려면

3. 다음 대화를 완성하십시오. (请完成下列对话。)

❶ 가 : 비자를 받고 싶은데 어디에 가야 합니까?

　나 : ___비자를 받으려면___ ~~으려면/려면~~ ___대사관에 가야 합니다___ .

❷ 가 : 해외 여행을 하고 싶은데 무엇이 있어야 합니까?

　나 : _____ 으려면/려면 _____ .

❸ 가 : 교과서를 사고 싶은데 몇 층으로 가야 합니까?

　나 : _____ 으려면/려면 _____ .

❹ 가 : 삼계탕을 만들고 싶은데 무엇을 사야 해요?

　나 : _____ .

❺ 가 : 학교에 늦으면 안돼요. 몇 시에 일어나야 합니까?

　나 : _____ .

❻ 가 : 결혼식에 가야 해요. 어떤 옷을 입어야 해요?

　나 : _____ .

4. 다음 문장을 완성하십시오. (请完成下列句子。)

❶ 한국말을 잘 하려면 ___열심히 공부해야 합니다___ .

　한국말을 잘 하면 ___한국 회사에서 일할 수 있어요___ .

❷ 기차를 타려면 _____

　기차를 타면 _____

❸ 건강해지려면 _____

　　건강해지면 _____

❹ 이 일을 다 끝내려면 _____

　　이 일을 다 끝내면 _____

❺ 물건을 싸게 사려면 _____

　　물건을 싸게 사면 _____

❻ 그 사람 전화 번호를 알려면 _____

　　그 사람 전화 번호를 알면 _____

5. 다음 대화를 완성하십시오. (请完成下列对话。)

❶ 가 : 저는 커피를 하루에 열잔 쯤 마셔요.

　　나 : _____ **열 잔** _____ 이나요/나요?

❷ 가 : 어제 친구와 두 시간 동안 전화를 했어요.

　　나 : _____ 이나요/나요?

❸ 가 : 저는 동생이 네 명 있어요.

　　나 : _____ 이나요/나요?

❹ 가 : _____ .

　　나 : 50만 원이나요?

❺ 가 : _____ .

　　나 : 열 권이나요?

❻ 가 : _____ .

　　나 : 다섯 마리나요?

6. 다음 질문에 대답하십시오. (请回答下列问题。)

❶ 가 : 시간이 많이 걸렸어요?

　나 : 네, ____두 시간____ 이나/나 ____걸렸어요____ .

❷ 가 : 어제 저녁에 불고기를 많이 먹었어요?

　나 : 네, _____ 이나/나 _____ .

❸ 가 : 어제 남대문 시장에 가서 돈을 많이 썼어요?

　나 : 네, _____ 이나/나 _____ .

❹ 가 : 어제 술을 많이 마셨어요?

　나 : 네, _____ .

❺ 가 : 영수 씨가 담배를 많이 피워요?

　나 : 네, _____ .

❻ 가 : 오늘 안 온 학생이 많아요?

　나 : 네, _____ .

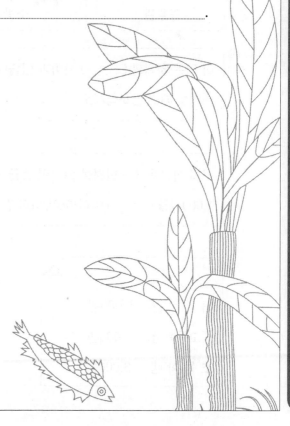

어휘

1. 다음 [보기]에서 알맞은 단어를 골라 (   ) 안에 쓰십시오. (请从示例中选出正确的单词填空。)

[보기]	반대	승강장	요금	역무원	내다

❶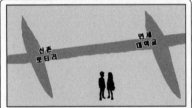

가 : 연세대학교에 가려면 신촌로터리쪽으로
   가야 합니까?

나 : 아니요, (반대)쪽으로 가십시오.

❷

경찰관

소방관

(   )

❸ 이 역은 열차와 (   ) 사이가 넓습니다.
내리실 때 조심하십시오.

❹ 우리 식당에서는 반찬을 남기면 벌금으로
1,000원을 (   ) 어야/아야/여야 합니다.

❺
　　　(   )
어　　　른: 5,000원
중고등학생: 4,000원
초 등 학 생: 3,000원

2. 다음 [보기]에서 관계 있는 것을 골라 (   ) 안에 쓰십시오. (请从示例中选出相关的内容填空。)

[보기]	스크린도어	환승역	승객	행	안전선

❶ 을지로 3가, 시청, 충무로, 종로3가 (환승역)

❷ 열차가 멈춘 후 열리는 문 (   )

❸ 노란 색, 한 걸음 뒤 (   )

❹ 의정부○ 열차, 뉴욕○ 비행기 (   )

❺ 버스, 지하철, 비행기 등을 탄 손님 (   )

문법

Vst 었다가/았다가/였다가

3. 관계있는 것을 연결하고 문장을 만드십시오. (请将相关的内容用线连接起来, 并造句。)

❶ 지하식당에 갔습니다. • • 껐습니다.

❷ 가방을 샀습니다. • • 입었습니다.

❸ 옷을 벗었습니다. • • 왔습니다.

❹ TV를 켰습니다. • • 벗었습니다.

❺ 모자를 썼습니다. • • 일어섰습니다.

❻ 의자에 앉았습니다. • • 바꾸었습니다.

❶ ___지하식당에 갔다가___ 었다가/았다가/였다가 ___왔습니다___.

❷ _____ 었다가/았다가/였다가 _____.

❸ _____ 었다가/았다가/였다가 _____.

❹ _____.

❺ _____.

❻ _____.

4. 다음 그림을 보고 '-었다가/았다가/였다가'를 사용해서 질문에 대답하십시오. (请看下列图片，并使用"-었다가/았다가/였다가"回答问题。)

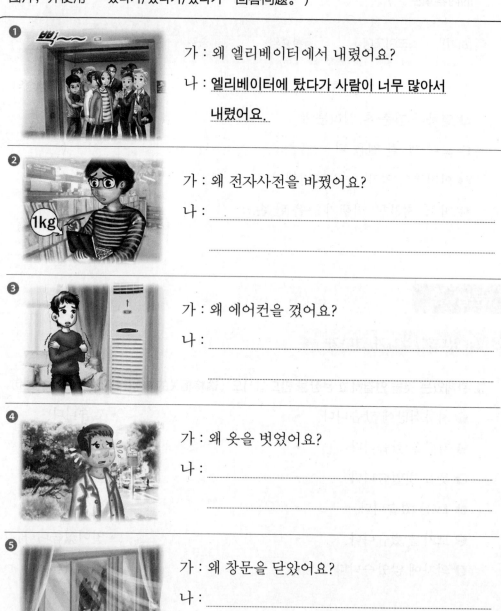

① 가 : 왜 엘리베이터에서 내렸어요?

나 : <u>엘리베이터에 탔다가 사람이 너무 많아서</u>

　　<u>내렸어요.</u>

② 가 : 왜 전자사전을 바꿨어요?

나 : _____

　　_____

③ 가 : 왜 에어컨을 껐어요?

나 : _____

　　_____

④ 가 : 왜 옷을 벗었어요?

나 : _____

　　_____

⑤ 가 : 왜 창문을 닫았어요?

나 : _____

　　_____

⑥ 가 : 왜 선글라스를 벗었어요?

나 : _____

　　_____

5. 다음 문장을 바꾸어 쓰십시오 (请改写下列句了)

① 한국사람입니까? → <u>　　　　　　한국사람인가요　　　　　</u>?

② 이 분이 고향 친구입니까? → <u>　　　　　　　　　　　　　　　　　</u>?

③ 오늘 날씨가 춥습니까? → <u>　　　　　　　　　　　　　　　　　</u>?

④ 한국말 공부하기가 어떻습니까? → <u>　　　　　　　　　　　　　　</u>?

⑤ 물어볼 것이 없습니까? → <u>　　　　　　　　　　　　　　　　</u>?

⑥ 학교에 무엇으로 옵니까? → <u>　　　　　　　　　　　　　　　</u>?

⑦ 삼계탕에는 무엇을 넣습니까? → <u>　　　　　　　　　　　　　　</u>?

⑧ 양견 씨를 아십니까? → <u>　　　　　　　　　　　　　　　　</u>?

⑨ 어제 몇 시에 주무셨습니까? → <u>　　　　　　　　　　　　　　</u>?

⑩ 방학 동안 무슨 책을 읽었습니까? → <u>　　　　　　　　　　　　</u>?

6. 다음 광고를 보고 '-나요, 은가요/ㄴ가요?'를 사용해서 질문을 만드십시오. (请看下面的
广告，使用 "–나요, 은가요/ㄴ가요?" 提问。）

아르바이트

저희 연세 여행사에서는

영어를 할 수 있는 사람을 찾습니다.

3월 3일부터 6개월 동안 일해야 합니다.

아래 전화 번호로 연락 주십시오.

Tel : 02)2123-3455

가 : 네, 연세 여행사입니다.

나 : 아르바이트를 하고 싶어서 전화했습니다. 그런데 ❶ <u>무슨 일을 하나요</u> ?

가 : 영어로 전화 받는 일을 합니다.

나 : ❷ _____ ?

가 : 회사는 명동에 있습니다.

나 : ❸ _____ ?

가 : 오전 9시까지 출근해야 합니다.

나 : ❹ _____ ?

가 : 하루에 4시간 일합니다.

나 : ❺ _____ ?

가 : 한 달에 100만 원입니다.

나 : ❻ _____ ?

가 : 네, 점심 식사는 드립니다.

나 : 네, 알겠습니다. 제가 다시 연락하겠습니다.

어휘

1. 자동차를 타고 핸드폰으로 연세여행사에 어떻게 가는지 묻습니다. 다음 지도를 보고
[보기]에서 알맞은 단어를 골라 (　　) 안에 쓰십시오. (行车途中用手机询问怎么去延
世旅行社。请看地图，从示例中选择适当的单词填空。)

[보기]	약도	사거리	쪽	똑바로	보이다

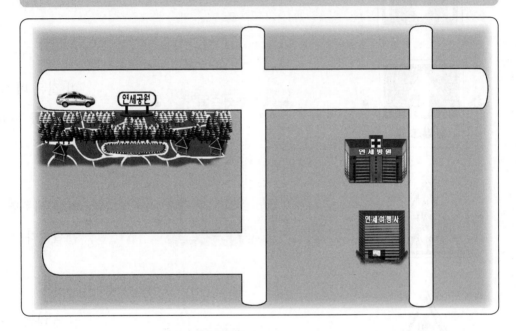

가 : 여보세요? 거기 연세여행사지요? 저는 지금 ❶(　　　　)을/를 보고
　　연세여행사를 찾아가고 있는데 거기에 어떻게 갑니까?

나 : 지금 어디에 계세요?

가 : 연세공원 앞에 있는데요.

나 : ❷(똑바로) 가다가 두 번째 ❸(　　　　)에서 오른쪽으로 가세요.

가 : 네, 오른쪽으로 갔어요.

나 : 거기에 무엇이 있습니까?

가 : 병원이 있는데요.

나 : 병원을 지나서 앞쪽으로 50m쯤 ❹(　　　　)오세요. 그러면 연세여행
　　사 건물이 ❺(　　　　)어요/아요/여요.

가 : 네, 여기 있군요. 고맙습니다.

2. 관계있는 것을 연결하십시오. (请将相关的内容用线连接起来。)

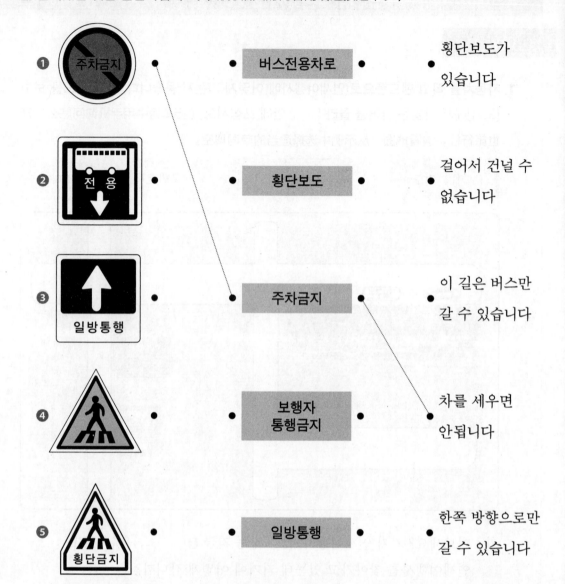

① 주차금지

버스전용차로 •

횡단보도가 있습니다

② 전 용

• 횡단보도 •

걸어서 건널 수 없습니다

③ 일방통행

• 주차금지 •

이 길은 버스만 갈 수 있습니다

④

보행자 통행금지 •

차를 세우면 안됩니다

⑤ 횡단금지

• 일방통행 •

한쪽 방향으로만 갈 수 있습니다

AVst 다가

3. 다음 [보기]에서 알맞은 단어를 골라 문장을 완성하십시오. (请从示例中选择适当的
单词完成句子。)

[보기 1]	[보기 2]
❶ 영화를 봅니다.	김밥을 샀어요.
❷ 회사에 다닙니다.	나왔어요.
❸ 학교에 옵니다.	그만두었습니다.

❶ ____영화를 보____ 다가 ____나왔어요.____

❷ _____ 다가 _____

❸ _____ 다가 _____

[보기 1]	[보기 2]	[보기 3]
❹ 공부를 합니다.	다리가 아픕니다.	신촌으로 이사했습니다.
❺ 명동에 삽니다.	졸립니다.	커피를 마셨어요.
❻ 산에 올라갑니다.	학교가 멉니다.	내려왔습니다.

❹ _____ 다가 _____ 어서/아서/여서 _____

❺ _____ 다가 _____ 어서/아서/여서 _____

❻ _____ 다가 _____ 어서/아서/여서 _____

4. '–다가'를 사용해서 다음 질문에 대답하십시오. (请使用 "–다가" 回答下列问题。)

❶ 가 : 청소를 하다가 무엇을 찾았어요?

　　나 : _____ **청소를 하다가 학생증을 찾았어요** _____ .

❷ 가 : 어떻게 두 사람이 같이 와요?

　　나 : _____

❸ 가 : 도서관에서 공부하다가 어디에 갔어요?

　　나 : _____

❹ 가 : 무엇을 하다가 다리를 다쳤어요?

　　나 : _____ .

❺ 가 : 서울에서만 계속 살았어요?

　　나 : 아니요, _____ .

❻ 가 : 요즘도 요가를 배워요?

　　나 : 아니요, _____ .

Vst 어/아/여 보이다

5. 다음 문장을 완성하십시오. (请完成下列句子。)

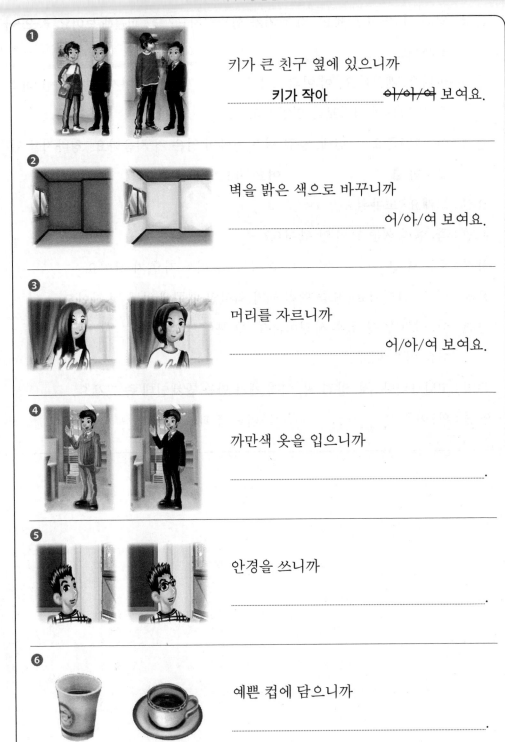

① 키가 큰 친구 옆에 있으니까

　　　키가 작아　　　~~어/아/여~~ 보여요.

② 벽을 밝은 색으로 바꾸니까

　　　　　　　　　어/아/여 보여요.

③ 머리를 자르니까

　　　　　　　　　어/아/여 보여요.

④ 까만색 옷을 입으니까

　　　　　　　　　　　.

⑤ 안경을 쓰니까

　　　　　　　　　　　.

⑥ 예쁜 컵에 담으니까

　　　　　　　　　　　.

6. '-어/아/여 보이다'를 사용해서 다음 대화를 완성하십시오. (请使用 "-어/아/여 보이다" 完成下列对话。)

은영 : 양견 씨, 어서 오세요. 집 찾기가 힘들었지요? ❶ <u>**피곤해 보여요**</u> <s>어요/아 요/여요</s>.

양견 : 아니요, 괜찮아요. 이 아파트가 ❷ _____ 어서/아서/여서 마을 버스 를 안 탔는데 생각보다 멀었어요.

은영 : 아, 그랬군요. 그런데, 양견 씨가 청바지 입은 거 처음봐요. 청바지를 입 으니까 ❸ _____ 어요/아요/여요.

양견 : 그래요? 고마워요.

은영 : 참, 옌리 씨는 같이 안 왔어요?

양견 : 오늘 좀 ❹ _____ 어서/아서/여서 저 혼자 왔어요.

은영 : 네, 잘 하셨어요. 요즘 옌리 씨가 회사일 때문에 바쁜 것 같아요.

양견 : 어, 이거 두 분 결혼 사진이군요. 두 분이 정말 ❺ _____ 어요/아요/여요.

은영 : 고맙습니다. 저, 양견 씨, 이거 제가 만든 잡채인데 좀 드세요.

양견 : 와! 아주 ❻ _____ 는데요, 은데요/ㄴ데요.

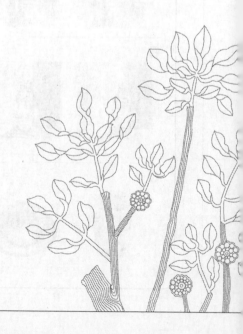

어휘와 문법

1. 다음 [보기]에서 알맞은 단어를 골라 (   ) 안에 쓰십시오. (请从示例中选出正确的单词填空。）

[보기]	반대	요금	사거리	출퇴근	정도
	보통	쭉	내다	갈아타다	보이다

❶ 저기 보이는 (사거리)에서 우회전 해 주세요.

❷ 날씨가 좋으면 서울타워에서 인천이 (   )습니다/ㅂ니다.

❸ 학교까지 직접 오는 버스가 없어서 한 번 (   )어야/아야/여야 합니다.

❹ 어학당에 다니는 학생들은 (   ) 신촌에서 하숙을 해요.

❺ (   ) 시간에는 지하철에 사람이 너무 많아요.

❻ 이쪽에서 타면 잠실쪽으로 갑니다.

　　신촌역으로 가려면 (   )쪽으로 가세요.

❼ 공항까지 가려면 택시 (   )이/가 얼마나 나와요?

❽ 오른쪽으로 돌아서 (   ) 가면 도서관이 있습니다.

❾ 한국 사람들은 식당에서 서로 돈을 (   )으려고/려고 해요.

❿ 수업이 1시 (   )에 끝나니까 1시 반에 만납시다.

2. 다음 단어 중 지하철과 관계있는 것에는 '지', 버스와 관계있는 것에는 '버', 택시와 관계있는 것에는 '택'을 쓰십시오. 여러 번 써도 괜찮습니다. (下列单词中，在与地铁有关的单词下面写"지"，与公共汽车有关的单词下面写"버"，与的士有关的单词下面写"택"。可以多次使用。）

개인	시외	고속	역	모범
(택)	( )	( )	( )	( )
마을	단말기	벨	승강장	안전선
( )	( )	( )	( )	( )
환승역	정류장	전용차로	잡다	역무원
( )	( )	( )	( )	( )
노선도	노약자석			
( )	( )			

YONSEI KOREAN 2 WORKBOOK

3. 다음 대화를 완성하십시오. (请完成下列对话。)

❶ 가 : 백화점 문을 몇 시에 여는지 아세요?

　　나 : 네, <u>몇 시에 여는지 알아요. 10시 반에 열어요</u> .

❷ 가 : <u>　　　　　　　　　　　</u> 는지, 은지/ㄴ지 <u>　　　　　　　　　　　</u> ?

　　나 : 네, 알아요. 우리 반에서 옌리 씨가 노래를 제일 잘 해요.

❸ 가 : 무슨 색으로 바꿔 드릴까요?

　　나 : <u>　　　　　　　　　　　</u> 으로/로 바꿔 주세요.

❹ 가 : <u>　　　　　　　　</u> 으려면/려면 <u>　　　　　　　　</u> 어야/아야/여야 합니까?

　　나 : 일찍 자야 합니다.

❺ 가 : 어제는 배가 너무 고파서 혼자서 불고기 3인분을 먹었어요.

　　나 : <u>　　　　　　　　　　　</u> 이나요/나요?

❻ 가 : 왜 택시에서 내렸어요?

　　나 : <u>　　　　　　　</u> 었다가/았다가/였다가 <u>　　　　　　　</u> 어서/아서/여서

　　　　<u>　　　　　　　　　　　　　　　　　　　　</u> .

❼ 가 : 저 파마했는데, 어때요?

　　나 : <u>　　　　　　　</u> 으니까/니까 <u>　　　　　　　</u> 어/아/여 보여요.

❽ 가 : 양견 씨, 왜 태권도를 배우다가 그만 두었어요?

　　나 : <u>　　　　　</u> 다가 <u>　　　　</u> 어서/아서/여서 <u>　　　　</u> .

❾ 가 : <u>　　　　　　　　　　　　　　</u> 나요, 은가요/ㄴ가요?

　　나 : 7시쯤 집에 돌아오는데요.

❿ 가 : <u>　　　　　　　　　　　　　　</u> 나요, 은가요/ㄴ가요?

　　나 : 바람이 조금 불지만 춥지 않아요.

4. 다음 두 문형 중에서 알맞은 것을 골라 다음 두 문장을 연결하십시오. (请在以下两种句型中选择适当的一项将下列两个句子连接起来。)

> AVsl 다가
> AVst 었다가/았다가/였다가

❶ 시내에 가다 / 우체국에 들르다

➔ _____시내에 가다가 우체국에 들렀습니다_____ 었습니다/았습니다/였습니다.

❷ 텔레비전을 켜다 / 재미없어서 끄다

➔ _____ 었습니다/았습니다/였습니다.

❸ 너무 더워서 문을 열다 / 비가 와서 닫다

➔ _____ 었습니다/았습니다/였습니다.

❹ 방 청소를 하다 / 옛날 사진을 찾다

➔ _____ 었습니다/았습니다/였습니다.

❺ 비가 오다 / 그치다

➔ _____ 었습니다/았습니다/였습니다.

❻ 방학 동안 고향에 가다 / 오다

➔ _____ 겠습니다.

❼ 영화를 보다 / 너무 슬퍼서 울다

➔ _____ 었습니다/았습니다/였습니다.

❽ 우유를 냉장고에 넣다 / 꺼내다

➔ _____ 었습니다/았습니다/였습니다.

5. 듣고 질문에 답하십시오. (请听录音，回答问题。)

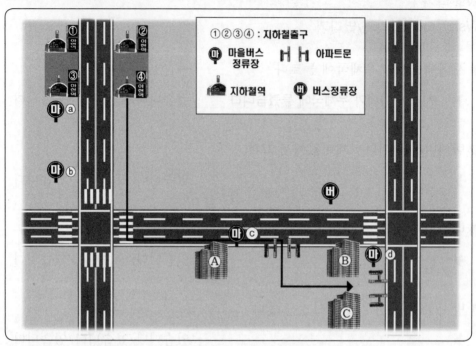

1) 마을 버스를 타는 곳과 내리는 곳이 알맞게 연결된 것을 고르십시오. (请选出正确连接区域公共汽车上车地点和下车地点的一项。) (　　　　)

❶ ⓐ － ⓑ　　　　❷ ⓐ － ⓒ　　　　❸ ⓐ － ⓓ

2) 우리집은 어디에 있습니까? (我家在哪儿?) (　　　　)

❶ A　　　　❷ B　　　　❸ C

3) 들은 내용과 다른 것을 고르십시오. (请选出与听到的内容不相符的选项。) (　　　　)

❶ 우리집은 아파트입니다.

❷ 학교에서 버스로 올 수 있습니다.

❸ 우리집은 2층에 있습니다.

4) 지하철역에서 걸어오려고 합니다. '→'표를 따라서 어떻게 해야 하는지 그림을 보고 쓰십시오. (从地铁站走出来，按照图中→的指示，写出应该怎么走。)

　2호선 (　　　　　　)역에서 내려서 (　　　　　　)번 출구로 나오세요. 똑바로 걸어오면

(　　　　　　)이/가 있습니다. 횡단보도를 건너서 (　　　　　　)쪽으로 가세요. 쭉 가면

아파트 정문이 있습니다. 아파트 정문으로 들어와서 다시 (　　　　　　)쪽으로 가면

우리 아파트 건물이 있습니다.

6 다음 이야기를 읽고 질문에 답하십시오. (请阅读下列文章，回答问题。)

> 길찾기는 어렵습니다. 그렇지만, 지하철을 타면 조금 쉽습니다. 두 가지만 알면 찾을 수 있습니다. 우선, 역 이름을 잘 알아야 합니다. '신촌'역도 있고 '신천'역도 있습니다. '상봉'역도 있고 '산본'역도 있습니다. 지하철 역 이름을 잘못 알고 있으면, 다른 곳으로 갑니다. 그 다음에는 몇 번 출구로 나가야 하는지 알아야 합니다. 출구번호를 알면 그 쪽으로 나가서 내가 가고 싶은 곳을 쉽게 찾을 수 있습니다. 지하철로 어디에 갈 때 두 가지를 질문하면 갈 수 있습니다. "어디 어디에 가려면 어느 역에서 내려야 합니까?" 그리고, "어디 어디에 가려면 몇 번 출구로 나가야 합니까?" 이 두 질문을 꼭 기억하십시오.

1) 지하철을 타고 친구 집을 찾아갈 때 무엇을 알면 찾을 수 있습니까? 쓰십시오.

(坐地铁去朋友家的时候，要知道什么才能找得到路？请写在下面的横线上。)

❶ _____

❷ _____

2) 왜 역 이름을 잘 알아야 합니까? (为什么要熟知站名？) (   )

❶ 역 이름이 많아서

❷ 비슷한 역 이름이 있어서

❸ 역 이름이 같은 곳이 있어서

3) 지하철로 연세대학교에 가고 싶습니다. 어떻게 질문하면 됩니까? 쓰십시오.

(想要坐地铁去延世大学。应该怎么问路？请写在下面的横线上。)

_____

_____

7. 버스와 지하철의 좋은 점과 나쁜 점을 찾아보고 무엇이 더 좋은지 이야기하십시오. (请找出公共汽车和地铁的优缺点，说说哪种更好。)

지하철의 좋은 점	버스의 좋은 점
• 길이 막히지 않는다.	• 갈아탈 때 많이 걷지 않는다.
• 노선표를 보고 어디든지 갈 수 있다.	• 밖을 볼 수 있다.
• _____	• _____
지하철의 나쁜 점	**버스의 나쁜 점**
• 사람이 많다.	• 버스마다 노선이 다르다.
• 갈아탈 때 많이 걷는다.	• 길이 막힌다.
• _____	• _____

[보기]
가 : 저는 길이 막히지 않아서 지하철이 좋아요.
나 : 길이 안 막히기는 하지만 지하철은 갈아탈 때 많이 걸어서 저는 버스가 더 좋아요.

가 : 저는 _____ 어서/아서/여서 _____ 이/가 좋아요/싫어요.

나 : _____ 기는 하지만 _____ 은/는 _____ 어서/아서/여서

저는 _____ 이/가 좋아요/싫어요.

8. 배운 문법을 사용하여 친구에게 질문하고 대답하십시오. (请使用学到的语法和朋友进行问答。)

질문	대답
1) ○○씨, 어제 어디에 갔다가 왔어요?	
2) 신촌에서 거기에 가려면 어떻게 해야 합니까?	
3) ○○씨, 교통카드를 어디에서 파는지 아세요?	
4) 교통카드는 비싼가요?	
5) 학교에 무엇으로 오나요?	
6) 오늘 학교에 오다가 누구를 만났어요?	
7) 저는 집에서 학교까지 두 시간 걸려요. (이나요?)	
8) 참, 어제 머리를 잘랐는데 어때요? (-어 보이다)	

복습 문제 (1과 – 5과) (复习题（1-5课）)

I. 다음 [보기]에서 안맞은 단어를 고리 (   ) 안에 쓰십시오. (请从示例中选出正确
的单词填空。)

[보기]	전공	예절	치수	동창	광고	계산	요금	꼭
	별로	우선	쭉	직접	짜리	부터	정도	

1. 배도 고픈데 밥(   ) 먹고 일을 시작합시다.

2. 가게로 (   ) 오지 않고 전화로 주문하셔도 괜찮습니다.

3. 중요한 모임이니까 (   ) 오세요.

4. 하루에 한 시간 (   ) 운동을 하면 건강에 좋습니다.

5. (   ) 토요일에 만날지 일요일에 만날지 결정합시다.

6. 횡단보도를 건너서 (   ) 가면 교회가 보일 거예요.

7. 이 자동판매기는 오백 원 (   ) 동전만 사용할 수 있어요.

8. 시험이 끝나서 도서관에 학생들이 (   ) 없군요.

9. 친구에게 옷을 사 주고 싶은데 (   )을/를 잘 몰라서 사기가 힘들어요.

10. 제 (   )은/는 경제학이지만, 여행을 좋아해서 여행사에서 일합니다.

11. (   )은/는 카드로 하겠습니다.

12. 나라마다 음식도 다르고 식사 (   )도 다릅니다.

13. 오늘 저녁에 (   ) 모임이 있어서 좀 늦을 거예요.

14. 지난 달에 고향에 전화를 많이 해서 전화 (   )이/가 많이 나왔어요.

15. 신문 (   )을/를 보고 왔는데, 이 의자가 50% 세일 하는 거예요?

Ⅱ. 알맞은 단어를 고르십시오. (请选择正确的单词。)

1. 이 청바지가 저에게 _____ 어요/아요/여요. (   )

❶ 익숙하다   ❷ 어울리다   ❸ 갈아입다   ❹ 좋아하다

2. 그 친구가 준 생일 선물이 _____ 어요/아요/여요. (   )

❶ 마음에 들다   ❷ 반갑다   ❸ 필요하다   ❹ 유명하다

3. 밥이 너무 많으면 ＿＿＿＿＿＿ 어서/아서/여서 드세요. (　　　)

　❶ 담다　　　❷ 들다　　　❸ 넣다　　　❹ 덜다

4. 약속 시간에 늦을 것 같아서 ＿＿＿＿＿＿ 어서/아서/여서 준비했어요. (　　　)

　❶ 잊다　　　❷ 부탁하다　　　❸ 서투르다　　　❹ 서두르다

5. 아주머니, 냉면 좀 ＿＿＿＿＿＿ 어/아/여 주세요. (　　　)

　❶ 깎다　　　❷ 썰다　　　❸ 자르다　　　❹ 찌다

Ⅲ. [보기]와 같은 관계가 아닌 것을 고르십시오. (请选出与示例中关系不同的一项。)

1. [보기] 편지 — 우체국　　　　　(　　　)

　❶ 돈 — 은행　　　　　　　　❷ 여행 — 공항

　❸ 비자 — 출입국관리사무소　　❹ 책 — 도서관

2. [보기] 간장 — 찍다　　　　　(　　　)

　❶ 친구 — 사귀다　　　　　　❷ 촛불 — 끄다

　❸ 라면 — 뿌리다　　　　　　❹ 박수 — 치다

3. [보기] 맛있게 — 먹다　　　　(　　　)

　❶ 즐겁게 — 지내다　　　　　❷ 귀엽게 — 결혼하다

　❸ 깨끗하게 — 청소하다　　　❹ 예쁘게 — 입다

4. [보기] 입다 — 벗다　　　　　(　　　)

　❶ 졸업하다 — 입학하다　　　❷ 열다 — 닫다

　❸ 보내다 — 부치다　　　　　❹ 주다 — 받다

5. [보기] 제일 — 가장　　　　　(　　　)

　❶ 같이 — 따로따로　　　　　❷ 우선 — 먼저

　❸ 똑바로 — 쭉　　　　　　　❹ 참 — 아주

Ⅳ. 다음 대화를 완성하십시오. (请完成下列对话。)

1. 가 :내일 몇 시 쯤 전화드릴까요?

   나 : _____ 이른 시/ 는 시 _____.

2. 가 :이 사전 좀 써도 돼요?

   나 :네, _____.

3. 가 :수업시간에 음식을 먹어도 돼요?

   나 :아니요, _____.

4. 가 :그 단어가 사전에 있을 것 같은데 없어요?

   나 :네, _____ 어도/아도/여도 _____.

5. 가 :기숙사에 냉장고가 있어?

   나 : _____ 기는 하지만 _____.

6. 가 :영화가 몇 시에 끝나는지 알아요?

   나 :아니요, _____.

7. 가 :수술을 받은 적이 있어요?

   나 :아니요, _____.

8. 가 :옆집이 시끄러워서 잠을 못 잤어요.

   나 : _____ 겠군요.

9. 가 :김영수 씨가 오늘 기분이 좀 안 좋은 것 같습니다.

   나 : _____ 기 때문이에요.

10. 가 :박 선생님이 언제 나갔습니까?

    나 : _____ 은/ㄴ 지 _____.

11. 가 : _____.

　　나 : 두 시간이나요?

12. 가 : _____ 나요, 은가요/ㄴ가요?

　　나 : 출퇴근 시간에는 지하철이 제일 빠릅니다.

13. 가 : 방학 때 어디에 가고 싶으세요?

　　나 : _____ 었으면/았으면/였으면 좋겠어요.

14. 가 : 어제 집에 가다가 어디에 들렀어요?

　　나 : _____ 다가 _____.

15. 가 : 왜 옷을 샀다가 바꿨어요?

　　나 : _____ 었다가/았다가/였다가 _____ 어서/아서/여서 _____.

16. 가 : 무슨 색으로 드릴까요?

　　나 : _____ 으로/로 하겠습니다.

17. 가 : 책을 빌리려면 무엇이 있어야 합니까?

　　나 : _____ 어야/아야/여야 합니다.

18. 가 : 영화가 시작되려면 40분 쯤 기다려야 해요.

　　나 : _____ 이나요/나요?

19. 가 : 생일 파티를 어디에서 할 지 결정했어요?

　　나 : 아니요, _____ 을지/ㄹ지 _____ 을지/ㄹ지 결정하지 못 했어요.

20. 가 : 어떤 학생에게 장학금을 줄까요?

　　나 : _____ 기로 합시다.

V. 맞는 문장에 ○표 하십시오. (请在正确的句子后画○。)

1. 잘 어울리는데 입어 보세요.   (   )

    잘 어울리는데 입어 봤어요.   (   )

2. 한국 신문을 읽으면 한자를 공부했어요.   (   )

    한국 신문을 읽으려면 한자를 공부해야 해요.   (   )

3. 도서관에서 책을 빌려서 왔어요.   (   )

    도서관에서 책을 빌려 가지고 왔어요.   (   )

4. 제 농담 때문에 친구가 화가 났어요.   (   )

    제 농담이기 때문에 친구가 화가 났어요.   (   )

5. 하숙비를 내러 돈을 찾았어요.   (   )

    하숙비를 내려고 돈을 찾았어요.   (   )

VI. 밑줄 친 부분을 맞게 고치십시오. (请改正画线部分。)

1. 그 친구가 언제 고향에 **돌아가겠는지** 모르겠어요.

2. 주말에도 **바쁘나요?**

3. 지선 씨는 고양이를 아주 **귀엽습니다.**

4. 밥을 **먹었다가** 전화가 와서 나갔어요.

5. 대학교를 **졸업했는지** 3년 되었어요.

Ⅶ. 다음 [보기]에서 알맞은 것을 골라서 두 문장을 한 문장으로 연결하십시오. (请从示例中选择正确的语法将两句连成一句。)

> [보기]   –었다가/았다가/였다가   –으니까/니까   –는데, 은데/ㄴ데
>
>   –어도/아도/여도   –어/아/여 가지고

1. 어제 집에 갔어요. 4시 반이었어요.

→ _____

2. 숙제로 문장을 3개 만드십시오. 오십시오.

→ _____

3. 친구의 우산을 빌렸습니다. 그 다음 날 학교에서 돌려주었습니다.

→ _____

4. 어제 산 가방이에요. 값도 싸고 모양도 예뻐요.

→ _____

5. 민수 씨는 술을 조금만 마십니다. 취합니다.

→ _____

Ⅷ. 반말로 바꾸십시오. (请将下列句子改写成非敬语形式。)

1. 지선 씨, 오늘 바쁘세요?

   ➡ _____

2. 어디에 갈 거예요?

   ➡ _____

3. 친구가 많아서 좋으시겠습니다.

   ➡ _____

4. 날마다 한국 뉴스를 듣습니다.

   ➡ _____

5. 네, 어제는 술을 많이 마셨어요.

   ➡ _____

6. 약속 시간이 4시 아니에요?

   ➡ _____

7. 진심으로 축하합니다.

   ➡ _____

8. 밤늦게 전화하지 마십시오.

   ➡ _____

9. 다음 주 수요일에 만납시다.

   ➡ _____

10. 제 친구입니다.

   ➡ _____

Ⅸ. 반말로 대답하십시오. (请使用非敬语回答问题。)

1. 가 : 지금 뭐 하고 계세요?

　　나 : _____.

2. 가 : 졸업하면 무슨 일을 하고 싶어요?

　　나 : _____.

3. 가 : 오늘 바람이 많이 불어요?

　　나 : 아니, _____.

4. 가 : 제가 운전할까요?

　　나 : 응, _____.

5. 가 : 두 시 비행기를 타려면 몇 시에 출발해야 해요?

　　나 : _____.

6. 가 : 날마다 운동하면 살이 좀 빠질까요?

　　나 : _____.

7. 가 : 어제 몇 시에 집에 들어 왔어요?

　　나 : _____.

8. 가 : 창문을 닫아도 돼요?

　　나 : 응, _____.

9. 가 : 마이클 씨가 미국사람이지요?

　　나 : 아니, _____.

10. 가 : 오늘 날씨가 어때요?

　　나 : _____.

십자말 풀이 1 (填字谜1)

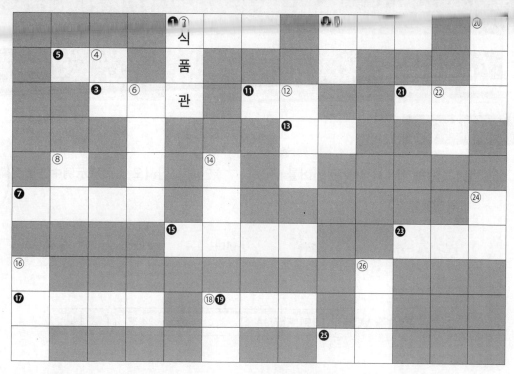

[가로 열쇠]

❶ 백화점에서 과일, 우유, 고기 등이 있는 층

❸ 책도 빌리고 공부도 하는 곳

❺ 시험 공부를 안 해서 ○○이에요.

❼ 카드로 계산할 때 이름을 쓰다

❾ 노래방에서 노래를 ○○○

⓫ 우체국에서 보내는 것

⓭ 물건을 산 후에 돈을 ○○

⓯ 여행을 가려고 옷, 여권 등을 ○○○○

⓱ 팔천원 짜리 물건을 사고 만원을 내면 ○○○○은 이천원

⓳ 물건을 살 때 좋은 것을 찾다

㉑ 옛날부터 전해내려오는 물건이 많은 곳

㉓ 스프에 후추를 ○○○

㉕ 다른 나라와 물건을 사고 파는 것

[세로 열쇠]

② 백화점에서 식당이 있는 층

④ 쯤

⑥ 어떤 일을 급하게, 빨리 하다

⑧ 한국 음식 중에서 김치가 ○○해요.

⑩ 음식을 만드는 곳, 집집마다 있어요.

⑫ 시간을 보내다, 즐겁게 ○○○

⑭ 닭으로 만든 갈비

⑯ 길과 길이 만나는 곳, 네 방향으로 갈 수 있어요.

⑱ 아버지의 누나

⑳ 구경이나 여행을 하러 많이 가는 곳

㉒ 전화번호, 주소 등을 ○○

㉔ 만두를 간장에 ○○

㉖ 갈아타는 역

제6과 공공기관

6과 1항

어휘

1. 다음 [보기]에서 알맞은 단어를 골라 (　　) 안에 쓰십시오. (请从示例中选出正确的 单词填空。)

[보기]	종교	검색	아마	자료	알아보다

❶  YAHOO! | 냉면 맛있는 집 ▼ | 검색

❷ 이름 : 김 지선　　나이: 25　　(　　　　) : 기독교

❸
[2과 2항]
학습 목표 : 음식 소개하기
어　　휘 : 음식 이름
(　　　) : 음식 사진

❹ 수학여행을 가겠습니까?

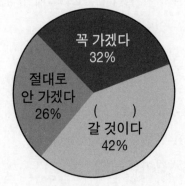

꼭 가겠다
32%

절대로
안 가겠다
26%

(　　)
갈 것이다
42%

❺

내일 할 일

비디오 반납하기

하숙집 (　　　　　)

세탁소에서 옷 찾기

2. 다음 [보기]에서 알맞은 단어를 골라 (   ) 안에 쓰십시오. (请从示例中选出正确的
单词填空。)

[보기]	열람실	학생증	연체료	반납하다	대출하다

〈도서관 이용 안내〉
■ (❶ 학생증)이/가 없는 사람은 도서관에 들어갈 수 없습
니다.
■ 도서관에서 담배를 피울 수 없습니다.
■ 휴대폰을 꺼 주십시오.

〈도서관 안내〉
■ (❷   )은/는 지하 1층부터 4층까지 입니다.
■ 5층에는 식당과 복사실이 있습니다.
■ 화장실은 층마다 있습니다.

〈알림〉
■ 책은 2주일 동안 (❸   )을/ㄹ 수 있습니다.
■ 오늘 빌린 책은 9월 15일까지 (❹   )어야/아야/
여야 합니다.
■ (❺   )은/는 하루에 500원입니다.

YONSEI KOREAN 2 WORKBOOK

N 에 대해서

3. 다음 그림을 보고 무엇에 대한 책인지 쓰십시오. (请写出图中所示图书是哪方面的书籍。)

❶ 나도 100살까지 살 수 있다!

_____건강_____ 에 대한 책입니다.

❷ 스피드 한국요리

_____ 에 대한 책입니다.

❸ 혼자 하는 요가

_____ 에 대한 책입니다.

❹ 서울의 고궁

_____ .

❺ 아름다운 고흐

_____ .

❻ 서울의 맛집

_____ .

4. '에 대한/대해서'를 사용해서 다음 대화를 완성하십시오. (请使用 "에 대한/대해서" 完成下列对话。)

❶ 가 : 무슨 책을 찾으세요?

나 : **교육에 대한 책 있어요?**

| ☐ 사랑 | ☐ 결혼 | ☑ 교육 | ☐ 건강 |

❷ 가 : 무슨 운동에 대해서 알고 싶습니까?

나 : ....

| ☐ 축구 | ☐ 야구 | ☐ 농구 | ☐ 수영 |

❸ 가 : 이 회사에 대해서 무엇을 알고 싶습니까?

나 : ....

| ☐ 월급 | ☐ 분위기 | ☐ 하는 일 | ☐ 일하는 시간 |

❹ 가 : 친구들과 무슨 이야기를 했어요?

나 : ....

| ☐ 여행 준비물 | ☐ 여행 장소 | ☐ 여행 날짜 | ☐ 출발 시간 |

❺ 가 : 그 사람의 무엇에 대해서 알고 싶어요?

나 : ....

| ☐ 성격 | ☐ 직업 | ☐ 가족 | ☐ 취미 |

❻ 가 : 어제 본 영화는 무엇에 대한 거예요?

나 : ....

| ☐ 결혼 | ☐ 친구 | ☐ 전쟁 | ☐ 가족의 사랑 |

5. 다음 대화를 완성하십시오. (请完成下列对话。)

❶ 가 : 민수 씨가 우리를 알아볼까요?

　나 : 글쎄요, ___오래간만에 만나서___ ~~어서/아서/여서~~ ___알아볼지___ ~~을지/ㄹ지~~

　　　모르겠습니다.

❷ 가 : 지금 가면 표가 있을까요?

　나 : _____ 어서/아서/여서 _____ 을지/ㄹ지 모르겠습니다.

❸ 가 : 제시간에 도착할 수 있을까요?

　나 : _____ 어서/아서/여서 _____ 을지/ㄹ지 모르겠습니다.

❹ 가 : 오늘 이 일을 다 끝낼 수 있을까요?

　나 : _____ .

❺ 가 : 지선 씨가 우리를 도와줄까요?

　나 : _____ .

❻ 가 : 내일 등산을 갈 거예요?

　나 : _____ .

6. '-을지/ㄹ지 모르겠다'를 사용해서 다음 대화를 완성하십시오. (请使用 "-을지/ㄹ지 모르겠다" 完成下列对话。)

지선　: 마이클 씨 드리려고 책을 한 권 샀는데 ❶ **마음에 드실지 모르겠습니다.**

마이클 : 아, 고맙습니다. 그런데 제가 한국말을 잘 못해서

　　　　❷ _____.

지선　: 아니에요. 마이클 씨는 한국말을 잘 하니까 괜찮을 거예요.

마이클 : 오늘 세르게이 씨도 옵니까?

지선　: 글쎄요, 세르게이 씨가 요즘 바빠서 ❸ _____.

　　　　참, 마이클 씨, 다음 학기에도 공부해요?

마이클 : 아르바이트를 시작해서 ❹ _____.

지선　: 그렇지만, 아르바이트를 하면 한국말을 많이 쓰니까 말하기가 좋

　　　　아질 거예요.

마이클 : 외국 회사에서 아르바이트를 해서 ❺ _____

　　　　_____.

지선　: 그런데, 오늘은 뭘 먹을까요?

마이클 : 인도 음식을 먹으려고 하는데 ❻ _____

　　　　_____.

지선　: 좋아요. 저는 인도 음식이 입에 맞아요.

어휘

1. 다음 [보기]에서 알맞은 단어를 골라 써 넣으십시오. (请从示例中选出适当的单词填入空格中。)

[보기]	환율	환전	여직원	여권	처리하다	떨어지다

[가로]

❶ 은행에는 남자 직원도 있고 ○○○도 있어요.

❸ 이것은 날마다 바뀌어요. $1 = ₩ xxx

❺ 일을 끝내다, 쓰레기를 ○○○○

[세로]

② 해외여행갈 때 이것이 꼭 필요해요.

④ 다른 나라 돈으로 바꾸는 것

⑥ 날씨가 추워져서 기온이 ○○○○

2. 다음 단어를 연결하고 은행에서 무엇을 하는지 쓰십시오. (请将相关的单词用线连接起来，并写出在银行中所做的事情。)

❶ 번호표	❷ 통장	❸ 줄	❹ 예금	❺ 돈

만들다　　　찾다　　　하다　　　서다　　　뽑다

❶ _____ 번호표를 뽑습니다 _____.

❷ _____

❸ _____

❹ _____

❺ _____

AVst 는 동안

3. 로라 씨와 양견 씨는 같은 하숙집에서 삽니다. 다음은 로라 씨와 양견 씨의 하루 생활입니다. 문장을 완성하십시오. (劳拉和杨绢住同一个宿舍。下面是她们一天的生活。请完成下列句子。)

	로라	양견
1:00 ~ 1:30	점심을 먹었다	숙제를 했다
1:30 ~ 3:00	낮잠을 잤다	TV 봤다
3:00 ~ 5:00	쇼핑을 했다	헬스클럽에서 운동을 했다
5:00 ~ 7:00	미장원에서 머리를 잘랐다	집에서 쉬었다
7:00 ~ 8:00	청소를 했다	빨래를 했다
8:00 ~ 10:00	친구에게 이메일을 보냈다	친구와 술을 마셨다

❶ _____로라 씨가 점심을 먹____ 는 동안 _____양견 씨는 숙제를 했습니다_____ .

❷ _____ 는 동안 _____

❸ _____ 는 동안 _____

❹ _____

❺ _____

❻ _____

4. 질문에 맞는 대답을 연결하고 '-는 동안'을 사용해서 문장을 만드십시오. (请将问题与相应的回答用线连接起来，并使用 "-는 동안" 造句。)

❶ 버스를 타고 올 때 뭐 해요? •   • 이천만 원을 모았어요.

❷ 회사에 다닐 때 돈을 많이 모았어요? •   • 사진을 많이 찍었어요.

❸ 여행을 할 때 뭐 했어요? •   • 밖을 구경해요.

❹ 한국에서 사는 동안 뭐 하고 싶어요? • • 도서관에서 아르바이트를
              했어요.

❺ 대학교에 다닐 때 무슨 아르바이트를 • • 책을 읽어요.
  했어요?

❻ 친구를 기다릴 때 뭐 해요? •   • 한국 친구를 많이 사귀고
              싶어요.

❶   버스를 타고 오는 동안 밖을 구경해요   .

❷ ....

❸ ....

❹ ....

❺ ....

❻ ....

5. 그림을 보고 문장을 완성하십시오. (请看图完成句子。)

① 35℃ 32℃

작년   올해

올해 여름이 ___작년 여름에 비해서___
___안 더워요.___

② 3,000원 1,000원

맥주가 _____

③ 중간시험   기말시험

기말시험이 _____

④ 나이 : 8살
키 : 150cm

나이에 비해서 _____

⑤ 냉면 3,000원

값에 비해서 _____

⑥ 식구수에 비해서 _____

YONSEI KOREAN 2 WORKBOOK

6. 다음 [보기]에서 알맞은 단어를 골라 '에 비해서'를 사용해서 대화를 완성하십시오.

（请从示例中选择适当的单词，使用"에 비해서"完成对话。）

[보기]	값	다른회사	뉴욕	버스	크기	일

❶ 가 : LA가 복잡하지요?

　　나 : 아니요, ＿＿＿＿뉴욕에 비해서 복잡하지 않아요＿＿＿＿.

❷ 가 : 지하철로 오는 것이 더 빠릅니까?

　　나 : 네, ＿＿＿＿＿＿＿＿＿＿＿＿＿＿＿＿.

❸ 가 : 그 회사는 출근시간이 어떻습니까?

　　나 : ＿＿＿＿＿＿＿＿＿＿＿＿＿＿＿＿.

❹ 가 : 그 회사는 월급이 많아요?

　　나 : 아니요, ＿＿＿＿＿＿＿＿＿＿＿＿＿.

❺ 가 : 이 차가 기름값이 많이 들어요?

　　나 : 네, ＿＿＿＿＿＿＿＿＿＿＿＿＿＿＿.

❻ 가 : 그 가게 물건이 어때요?

　　나 : ＿＿＿＿＿＿＿＿＿＿＿＿＿＿＿＿.

어휘

1. 다음 [보기]에서 알맞은 단어를 골라 (   ) 안에 쓰십시오. (请从示例中选出适当的
单词填入空格中。)

> [보기]   이상   저울   올려놓다   생기다   보험에 들다

❶ 사용하시다가 (**이상**)이/가 있으면 언제든지 가지고 오십시오.

❷ 지선 씨한테 남자친구가 (   )어서/아서/여서 요즘 너무 예뻐졌어요.

❸ 공항에서 짐을 부칠 때 (   )으로/로 가방이 몇 kg인지 확인합니다.

❹ 갑자기 사고가 나거나 아플 수 있으니까 (   )는, 은/ㄴ 것이
좋습니다.

❺ 지하철에는 가방을 (   )는, 은/ㄴ 곳이 있습니다.

2. 다음 [보기]에서 알맞은 단어를 골라 (   ) 안에 쓰십시오. (请从示例中选出适当的
单词填入空格中。)

> [보기]   배편   특급 우편   보통 우편   국제 특급   택배

❶ 가 : 외국으로 이삿짐을 보내려고 합니다. 어떻게 보내면 됩니까?
　나 : (**배편**)으로/로 보내십시오.

❷ 가 : 외국으로 보내는 급한 서류는 무엇으로 보내야 합니까?
　나 : (   )으로/로 보내십시오.

❸ 가 : 우체국에 갈 시간이 없을 때 소포를 보낼 방법이 있을까요?
　나 : (   )으로/로 보내면 돼요.

❹ 가 : 이 편지를 내일까지 부산에 보내야 하는데 어떻게 하면 돼요?
　나 : (   )으로/로 보내세요.

❺ 가 : 이 편지를 다음 주 수요일까지 제주도에 보내려면 무엇으로 보내야 해요?
　나 : (   )으로/로 보내면 돼요.

vst 거나

3. 다음 문장을 바꾸어 쓰십시오. (请改写下列句子。)

❶ 주말에는 운동을 할 때도 있고 집에서 쉴 때도 있습니다.

→ ___ 주말에는 운동을 하 ___ 거나 ___ 집에서 쉽니다 ___ .

❷ 오후에는 도서관에서 공부할 때도 있고 친구들과 같이 이야기할 때도 있습니다.

→ _____ 거나 _____

❸ 심심하면 만화책을 읽을 때도 있고 컴퓨터 게임을 할 때도 있습니다.

→ _____ 거나 _____

❹ 시간이 있으면 미술관에 갈 때도 있고 등산을 할 때도 있습니다.

→ _____

❺ 돈이 없으면 친구들한테 빌릴 때도 어머니께 부탁할 때도 있습니다.

→ _____

❻ 고향에서 친구가 오면 같이 쇼핑을 할 때도 있고 서울 시내를 구경할 때도 있습니다.

→ _____

4. '-거나'를 사용해서 질문에 대답하십시오. (请使用 "-거나" 回答问题。)

❶ 가 : 언어교환을 하려면 어떻게 해야 해요?

　　　나 : _____친구들한테 부탁하거나 학교에 신청하세요_____.

❷ 가 : 학생들은 보통 어떤 아르바이트를 해요?

　　　나 : _____

❸ 가 : 물건을 살 때 돈이 모자라면 어떻게 해요?

　　　나 : _____

❹ 가 : 공부하다가 모르는 것이 있으면 어떻게 합니까?

　　　나 : _____

❺ 가 : 지하철역에서 학교까지 어떻게 와요?

　　　나 : _____

❻ 가 : 스트레스가 쌓이면 어떻게 합니까?

　　　나 : _____

YONSEI KOREAN 2 WORKBOOK

5. 다음 문장을 바꾸어 쓰십시오. (请改写下列句子。)

❶ 운동을 좋아합니다. 그렇지만 자주 하지 않습니다.

→ _____운동을 좋아합니다만_____ 습니다만/ㅂ니다만 _____자주 하지 않습니다_____.

❷ 방은 좋습니다. 그렇지만 학교에서 너무 멉니다.

→ _____ 습니다만/ㅂ니다만 _____

❸ 모양은 괜찮습니다. 그렇지만 값이 좀 비쌉니다.

→ _____ 습니다만/ㅂ니다만 _____

❹ 술을 잘 못 마십니다. 그렇지만 분위기는 좋아합니다.

→ _____

❺ 한국에 온 지 3년 되었습니다. 그렇지만 아직 모르는 게 많습니다.

→ _____

❻ 제 친구는 아닙니다. 그렇지만 몇 번 만난 적이 있습니다.

→ _____

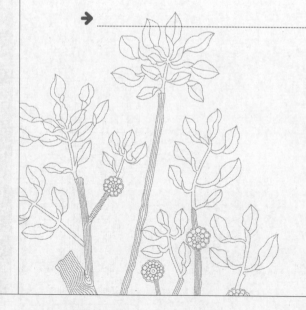

6. '-습니다만/ㅂ니다만'을 사용해서 질문에 대답하십시오. (请使用 "-습니다만/ㅂ니다만" 回答问题。)

❶ 가 : 영화를 좋아하시지요? 오늘 같이 영화나 봅시다.

　나 : <u>영화를 좋아합니다만</u> <del>습니다만/ㅂ니다만</del> 　고향에서 친구가 와서 <del>어서/아서/여서</del> 　못 가겠습니다.

❷ 가 : 어머, 고기를 안 좋아하세요?

　나 : 아니요, ＿＿＿＿＿＿＿＿ 습니다만/ㅂ니다만

　어서/아서/여서 ＿＿＿＿＿＿＿＿＿＿＿＿.

❸ 가 : 오래간만에 만났으니까 한잔합시다. 맥주 좋아하시지요?

　나 : ＿＿＿＿＿＿＿＿＿ 습니다만/ㅂ니다만

　어서/아서/여서 ＿＿＿＿＿＿＿＿＿＿＿＿.

❹ 가 : 토요일에 친구들과 같이 등산을 가려고 하는데 같이 가시겠어요?

　나 : ＿＿＿＿＿＿＿＿＿＿＿＿＿＿＿＿

❺ 가 : 수업이 한 시에 끝나니까 오후에는 한가하시지요?

　나 : ＿＿＿＿＿＿＿＿＿＿＿＿＿＿＿＿

❻ 가 : 제주도에 배로 갈 수 있지요?

　나 : ＿＿＿＿＿＿＿＿＿＿＿＿＿＿＿＿

YONSEI KOREAN 2 WORKBOOK

어휘

1. 다음 [보기]에서 알맞은 단어를 골라 (   ) 안에 쓰십시오. (请从示例中选出适当的单词填入空格中。)

| [보기] | 연장 | 신청서 | 서류 | 재학 증명서 | 놓이다 |

❶ 통장을 만드시려면 (**신청서**)을/(를)써 주십시오.

❷ 비자를 (   )하려면 어떻게 해야 합니까?

❸ 책상 위에 (   )는, 은/ㄴ 물건이 뭐예요?

❹ 오늘 할 일이 많아요. 회의 준비도 해야 하고 (   )도 정리해야 해요.

❺ 장학금을 받으려면 (   )을/를 내야 합니다.

2. 관계있는 단어를 연결하고 문장을 만드십시오. (请将相关的单词用线连接起来，并造句。)

❶　　외국인 ○○○
　　　주민 ○○○ •
　　　차량 ○○○

　　　　　　　　• 기간

```
_____ 은/는
_____ 부터
　　　　　　　까지입니다.
```

❷재학 증명서를 ○○
　　비자를 ○○ •
　　장학금을 ○○

　　　　　　　　• 등록증

```
주민등록증  은/는
18살부터 받을 수 있습니다.
```

❸　　유효 ○○
　　　비자 ○○ •
　　　시험 ○○

　　　　　　　　• 받다

```
_____ 을/를
_____ 으려면/려면
```

Vst 어/아/여 있다

3. 다음 [보기]에서 알맞은 동사를 골라 그림에 맞게 문장을 완성하십시오. (请从示例中选择适当的动词，依据图片内容完成句子。)

[보기]	놓이다	열리다	닫히다	걸리다	꺼지다	켜지다

①
- 은행 문을 닫습니다.
- 은행 문이 ___닫혀 있습니다___.

②
- 컵을 책상에 놓습니다.
- 컵이 _____

③
- 창문을 엽니다.
- 창문이 _____

④
- 불을 끕니다.
- 불이 _____

⑤
- 텔레비전을 켭니다.
- 텔레비전이 _____

⑥
- 옷을 옷걸이에 겁니다.
- 옷이 _____

4. 다음 [보기]에서 알맞은 '-어/아/여 있다'를 사용해서 동사를 골라 쓰십시오. (请从示例中选择正确的动词，并使用 "-어/아/여 있다" 完成句子。)

[보기]	살다	앉다	서다	남다	비다	들다
	붙다	가다	꺼지다	걸리다	열리다	

❶ 교실에 왔을 때 불이 ＿＿꺼져 있었어요＿＿ 였어요/았어요/였어요.

❷ 나는 오늘 늦을 것 같으니까 너 먼저 집에 ＿＿＿＿＿＿ 어/아/여.

❸ 가방에 책이 너무 많이 ＿＿＿＿＿＿ 어서/아서/여서 무거워요.

❹ 우리 집 고양이 다섯 마리 중에서 네 마리는 죽고 한 마리만 ＿＿＿＿＿＿＿
＿＿ 어/아/여.

❺ 백화점에서 일하니까 하루 종일 ＿＿＿＿＿＿ 어서/아서/여서 피곤해요.

❻ 복도에는 '금연'이라는 표시가 ＿＿＿＿＿＿ 어요/아요/여요.

❼ 저는 할 일이 ＿＿＿＿＿＿ 어서/아서/여서 7시 쯤 집에 갈 수 있어요.

❽ 청소는 나 혼자 할 수 있으니까 너는 소파에 ＿＿＿＿＿＿ 어/아/여.

❾ 제 하숙집 옆 방이 ＿＿＿＿＿＿ 는데, 은데/ㄴ데 그 방으로 이사 오세요.

❿ 이 공원은 문이 항상 ＿＿＿＿＿＿ 으니까/니까 언제든지 갈 수 있어요.

5. 연결하고 문장을 바꾸어서 쓰십시오. (请将相关的内容连成句子，并改写。)

① 한국에서 오랫동안 살려면 •   • 여권을 받아야 합니다.

② 운전을 하려면 •   • 외국인 등록증을 받아야 합니다.

③ 해외여행을 하려면 •   • 단어 공부를 많이 해야 합니다.

④ 건강해지려면 •   • 면허증을 받아야 합니다.

⑤ 3급에 가려면 •   • 담배를 끊어야 합니다.

⑥ 한국말을 빨리 배우려면 •   • 시험을 봐야 합니다.

① ＿＿＿＿ 한국에서 오랫동안 살려면 외국인 등록증을 받 ＿＿＿＿ 지 않으면 안됩니다.

② ＿＿＿＿＿＿＿＿＿＿＿＿＿＿＿＿＿＿＿＿＿＿＿ 지 않으면 안됩니다.

③ ＿＿＿＿＿＿＿＿＿＿＿＿＿＿＿＿＿＿＿＿＿＿＿ 지 않으면 안됩니다.

④ ＿＿＿＿＿＿＿＿＿＿＿＿＿＿＿＿＿＿＿＿＿＿＿＿＿＿＿＿＿

⑤ ＿＿＿＿＿＿＿＿＿＿＿＿＿＿＿＿＿＿＿＿＿＿＿＿＿＿＿＿＿

⑥ ＿＿＿＿＿＿＿＿＿＿＿＿＿＿＿＿＿＿＿＿＿＿＿＿＿＿＿＿＿

6. '-지 않으면 안 되다'를 사용해서 질문에 대답하십시오. (请使用 "–지 않으면 안 되다" 回答问题。)

- 뭐든지 잘 먹는 사람
- 종교가 같은 사람
- 재미있는 사람

- 요리를 잘 하는 사람
- 머리가 긴 사람
- 잘 웃는 사람

지선 씨가 결혼하고 싶은 사람은 어때야 합니까?

❶ _____ 뭐든지 잘 먹지 않으면 안 됩니다 _____.

❷ _____

❸ _____

민수 씨가 결혼하고 싶은 사람은 어때야 합니까?

❹ _____

❺ _____

❻ _____

여러분이 결혼하고 싶은 사람은 어때야 합니까? 두 개만 써 보세요.

- _____
- _____

어휘와 문법

1. 다음 [보기]에서 알맞은 단어를 골라 (　　　) 안에 쓰십시오. (请从示例中选出适当的单词填入空格中。)

[보기]	이상	자료	여권	신청서	서류
	올려놓다	처리하다	떨어지다	보험에 들다	알아보다

❶ 미국에 여행 갔을 때 (**여권**)을/를 잃어 버려서 너무 고생했어요.

❷ 배터리, 플라스틱, 스티로폼 등은 (　　　　　)기 힘든 쓰레기입니다.

❸ 남산 도서관에 가면 한국 전통 악기에 대한 (　　　　)이/가 많을 거예요.

❹ 텔레비전에 (　　　　　)이/가 있는 것 같아요. 안 켜져요.

❺ 환율이 (　　　　　)어서/아서/여서 해외 여행 갈 때 돈이 작년보다
덜 들어요.

❻ 운전을 하는 사람은 꼭 (　　　　　)어야/아야/여야 합니다.

❼ 다음 학기가 언제 시작하는지 사무실에 가서 (　　　　　)겠습니다.

❽ 여권을 만들려면 내야 하는 (　　　　　)이/가 많아요.

❾ 가방을 바닥에 놓지 말고 의자 위에 (　　　　　)으세요/세요.

❿ 도서관에서 아르바이트를 하고 싶은 사람은 (　　　　　)을/를
써서 사무실에 내십시오.

2. 관계있는 것을 [보기]에서 골라 쓰십시오. (请从示例中选出相关的内容写在横线上。)

[보기]	열람실	택배	연체료	항공편	현금 자동인출기
	외국인등록증 유효기간	통장	저울	대출하다	
	연장하다	돈을 찾다	신청하다	반납하다	보내다	저금하다

❶ 도서관 　　　: ___**열람실**___, _____, _____, _____

❷ 은행 　　　　: _____, _____, _____, _____

❸ 우체국 　　　: _____, _____, _____, _____

❹ 출입국관리 사무소 　　　: _____, _____, _____,
_____

3. 다음 질문에 대답하십시오. (请回答下列问题。)

❶ 가 : 어제는 무엇에 대해서 이야기했어요?

　　 나 : **음식 쓰레기 처리 문제** 에 대해서 ＿＿＿＿＿＿＿ **이야기했습니다** ＿＿＿＿＿＿＿.

❷ 가 : 지금 도서관에 자리가 있을까요?

　　 나 : 글쎄요. ＿＿＿＿＿＿ 어서/아서/여서 ＿＿＿＿＿＿＿ 을지/ㄹ지 모르겠습니다.

❸ 가 : 중국에 출장 가 있는 동안 어디를 구경하셨어요?

　　 나 : ＿＿＿＿＿＿＿＿＿＿＿ 는 동안 ＿＿＿＿＿＿＿＿＿＿＿＿.

❹ 가 : 한국은 교통비가 싼 편이지요?

　　 나 : 네, ＿＿＿＿＿＿＿ 에 비해서 ＿＿＿＿＿＿＿＿＿＿.

❺ 가 : 민수 씨는 키는 아주 큰데 발은 작은 것 같아요.

　　 나 : 네, ＿＿＿＿＿＿＿ 에 비해서 ＿＿＿＿＿＿＿＿＿＿.

❻ 가 : 주말에는 보통 뭘 하세요?

　　 나 : ＿＿＿＿＿＿＿＿＿ 거나 ＿＿＿＿＿＿＿＿＿＿.

❼ 가 : 그 회사는 월급이 많아서 좋겠습니다.

　　 나 : ＿＿＿＿＿＿ 습/ㅂ니다만 ＿＿＿＿＿＿ 어서/아서/여서 ＿＿＿＿＿＿.

❽ 가 : 이 회사에서 일하려면 꼭 한국어를 배워야 합니까?

　　 나 : 네, ＿＿＿＿＿＿＿＿＿＿＿＿＿＿＿ 지 않으면 안 돼요.

❾ 가 : 김 선생님 책상 위에는 무엇이 놓여 있습니까?

　　 나 : ＿＿＿＿＿＿＿＿＿＿＿＿＿＿＿＿＿＿＿.

❿ 가 : 아침에 교실에 들어 왔을 때 불이 켜져 있었어요?

　　 나 : ＿＿＿＿＿＿＿＿＿＿＿＿＿＿＿＿＿＿＿.

4. 아래 문형 중 맞는 것을 골라 쓰십시오. (请选择适当的句型填空。)

> AVst 고 있다
>
> AVst 어/아/여 있다

❶ 아기는 지금 옆 방에서 _____**자고 있습니다**_____.(자다)

❷ 교실에 들어가니까 학생들은 모두 의자에 _____.(앉다)

❸ 청바지를 _____ 는, 은/ㄴ 사람은 제 동생이에요.(입다)

❹ 쉬는 시간에 학생들은 여기 저기에서 이야기를 _____.(하다)

❺ 방에 아무도 없는데 불이 _____.(켜지다)

❻ 우리 언니는 3년 전부터 영국에서 _____.(살다)

❼ 창문이 꽉 _____ 어서/아서/여서 열 수가 없어요.(닫히다)

❽ 고향 친구가 지금 한국에 _____.(오다)

❾ 지선 씨 가방 안에는 책들이 _____.(들다)

❿ 냉장고가 _____.(비다) 먹을 것 좀 사 와야겠어요.

듣기 연습   🔊 MP3: 06

5. 대화를 듣고 질문에 답하십시오. (请听对话，回答问题。)

1) 우체국에서 할 수 있는 일이 **아닌 것**을 고르십시오. (以下哪件**不是**在邮局里做的事 情？) (   )

❶ 휴대폰 요금 내기   ❷ 보험 들기   ❸ 편지 보내기   ❹ 환전하기

2) 왜 우체국이 더 복잡해졌습니까? 쓰십시오. (邮局为什么更拥挤了？请写在横线上。)

_____

3) 맞으면 ○표, 틀리면 ×표 하십시오. (正确的画○，错误的画×。)

❶ 택배로 보내는 것이 우체국에 직접 가서 보내는 것보다 비싸다.   (   )

❷ 여자는 택배로 물건을 보낸 일이 없다.   (   )

❸ 소포를 보내려면 우체국에 가지 않으면 안 된다.   (   )

6. 다음 글을 읽고 질문에 답하십시오. (请阅读下列文章，回答问题。)

> 서울에는 시청, 도서관, 박물관 등등 여러 공공기관이 있습니다. 이 중에서 도서관에 대해서 알아보겠습니다. 도서관은 여러 종류가 있는데, 서대문구에는 서대문 도서관이 있습니다. 서대문 도서관에서는 무료로 책을 빌려 줍니다. 2주일 동안 빌릴 수 있는데, 책을 좀 더 보고 싶으면 일주일 연장할 수 있습니다. 반납기일이 늦어도 연체료는 내지 않지만 늦은 만큼 책을 빌릴 수 없습니다. 그러니까 일주일 늦으면 일주일 동안 책을 빌릴 수 없습니다. 또 도서관에는 여러 가지 프로그램도 있습니다. 아이들에게 영어를 가르쳐 주거나 무료로 영화를 보여 줍니다. 그래서 주말에는 가족이 함께 도서관에 가서 시간을 보내기도 합니다.

1) 이 도서관에서 어떤 것을 합니까? 세 가지를 쓰십시오. (这家图书馆都做什么事情? 请写三件事情。)

❶ _____**책을 빌려 준다**_____.

❷ _____

❸ _____

2) 맞으면 ○표, 틀리면 ×표 하십시오. (正确的画○，错误的画×。)

❶ 책은 무료로 대출할 수 있다.　　　　　　　　　(　　　)

❷ 책은 3주일까지 빌릴 수 있다.　　　　　　　　　(　　　)

❸ 책을 늦게 반납하면 연체료를 내야 한다.　　　　(　　　)

말하기 연습

7. 다음 [보기1]과 [보기2]의 단어를 사용해서 대화를 만드십시오. (请使用示例1和示例2中的单词编对话。)

	[보기 1]	[보기 2]
도서관	열람실, 학생증, 자료	대출하다, 반납하다, 찾다
은행	현금, 수표, 여권, 환율, 통장	환전하다, 만들다, 찾다
우체국	편지, 소포, 저울, 항공편, 배편	부치다, 적다, 올려 놓다
출입국관리 사무소	비자, 유효기간, 외국인등록증	연장하다, 만들다

[은행]

손님 : 달러를 좀 바꾸려고 하는데요.

직원 : 얼마나 환전하실 거예요?

손님 : 오백 달러요.

직원 : 여기에 이름과 여권번호를 적으세요.

손님 : 이것만 쓰면 돼요?

직원 : 네, 돈은 현금으로 드릴까요?

손님 : 네, 현금으로 주세요.

[우체국]

손님 : 이 소포를 부치려고 하는데요.

직원 : 여기 올려 놓으세요. 어디로 보내실 겁니까?

손님 : 북경이요.

직원 : 항공편으로 보내실 거예요?

손님 : 네, 항공편으로 해 주세요.

직원 : 여기에 보내시는 분의 주소와 전화번호도 적으세요.

손님 : 이렇게 하면 돼요?

직원 : 네, 만 사천 원입니다.

8. 배운 문법을 사용하여 친구에게 질문하고 대답하십시오. (请使用学到的语法和朋友进行 问答。)

질문	대답
1) ○○씨는 편지 쓰는 것을 좋아해요? (-습니다만)	
2) 지난 번에 부모님한테서 받은 편지는 무엇에 대한 이야기였어요?	
3) 이 소포를 오늘 보내면 크리스마스 때까지 도착할까요? (-을지 모르겠다)	
4) 소포를 보낼 때 보내는 사람 주소를 써야 합니까? (-지 않으면 안 되다)	
5) 우체국에 가면 책상에 무엇이 놓여 있습니까?	
6) 우체국에서는 어떤 일을 합니까? (-거나)	
7) ○○씨는 우체국에서 순서를 기다리는 동안 무엇을 해요?	
8) 우체국에서 일하는 사람들이 친절해요? (에 비해서)	

쉼터 3- 재미있는 말놀이 (休息一下 3——有趣的语言游戏)

1. 끝말 잇기 (惊龙。)

[보기]

| 의자 | 자주 | 주문 | 문방구 | 구경 | 경치 | 치약 | 약국 |

| 수영 | | | | | | | |

| | 장소 | | | | | | |

| | | 책상 | | | | | |

2. 연상게임 (联想游戏。)

앞의 단어를 보고 생각나는 단어를 쓰십시오. (写出看到前面单词时想到的单词。)

[보기]

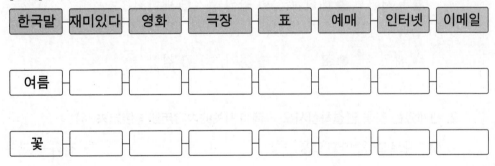

| 한국말 | 재미있다 | 영화 | 극장 | 표 | 예매 | 인터넷 | 이메일 |

| 여름 | | | | | | | |

| 꽃 | | | | | | | |

제7과 전화

7과 1항

어휘

1. 다음 단어와 같이 쓸 수 **없는** 것을 고르십시오. (请选出**不能**和下列单词一起使用的单词。)

1) _____ 전화 (❸)

   ❶ 국제   ❷ 시외   ❸ 고향   ❹ 휴대

2) _____ 초대권 ( )

   ❶ 영화   ❷ 결혼식   ❸ 음악회   ❹ 연극

3) _____ 매표소 ( )

   ❶ 지하철   ❷ 극장   ❸ 호텔   ❹ 박물관

4) 국립 _____ ( )

   ❶ 도서관   ❷ 대학교   ❸ 공원   ❹ 백화점

5) 연극 _____ ( )

   ❶ 배우   ❷ 표   ❸ 경기   ❹ 감상

2. 관계있는 것을 연결하십시오. (请将相关的内容用线连接起来。)

❶ "따르르릉, 따르르릉…" •   • 전화를 잘못 걸다

❷ "그럼, 또 전화할게요." •   • 통화 중이다

❸ "은영아, 전화 받아라. •   • 전화가 오다
   친구한테서 전화 왔다."

❹ "여보세요. 연세대학교 •   • 전화를 바꿔 주다
   어학당입니다."

❺ "뚜, 뚜, 뚜, 뚜…" •   • 전화를 끊다

❻ "아닌데요, 몇 번에 거셨어요?" •   • 전화를 받다

Avst 을래요/ㄹ래요?

3. 다음 그림을 보고 문장을 만드십시오. (请看图造句。)

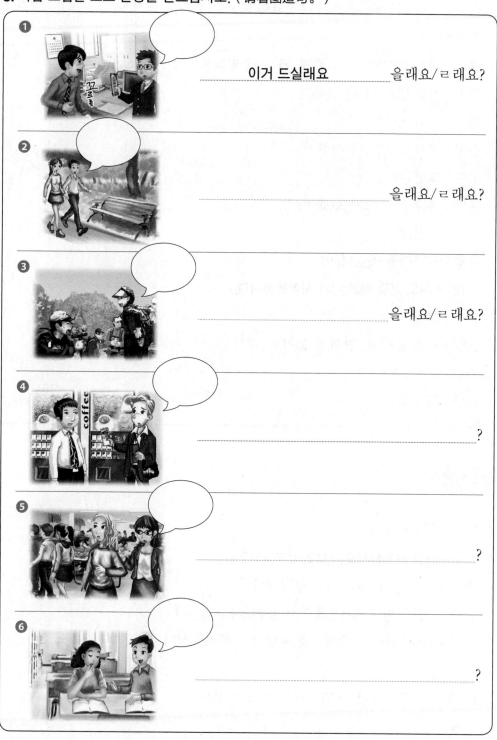

❶ _____이거 드실래요_____ 을래요/ㄹ래요?

❷ _____ 을래요/ㄹ래요?

❸ _____ 을래요/ㄹ래요?

❹ _____ ?

❺ _____ ?

❻ _____ ?

4. '–을래요/ㄹ래요?'를 사용해서 다음 대화를 완성하십시오. (请使用 "–을래요/ㄹ래요?" 完成下列对话。)

(민수 씨가 약속시간보다 1시간이나 늦게 와서 은영 씨는 화가 많이 났습니다.)

민수 : 정말 미안해. 갑자기 부장님이 회의를 하자고 해서….

은영 : ….

민수 : 내가 맛있는 거 사 줄게. ❶ ___뭐 먹을래___ ?

은영 : 지금 별로 배 안 고파.

민수 : 그럼, ❷ _____ ?

은영 : 벌써 두 잔이나 마셨어.

민수 : 그럼, ❸ _____ ?

은영 : 지금 가면 표가 있겠어?

민수 : 그럼, ❹ _____ ?

은영 : 시끄러운 곳은 싫어

(민수 씨도 점점 화가 나기 시작했습니다.)

민수 : 그럼, ❺ _____ ?

은영 : 잘 모르겠어. 말하기 싫어.

민수 : 그럼, ❻ _____ ?

은영 : 뭐라고?

간접인용[1]

AVst 자고 하다

5. 다음 문장을 바꾸십시오. (请改写下列句子。)

❶ 민수 : "도서관에 가서 공부합시다."

➜ ___민수 씨가 도서관에 가서 공부하자고 합니다___ .

❷ 마이클 : "쉬는 시간에도 한국말로 이야기합시다."

➜ _____

❸ 아야코 : "교실이 좀 더우니까 창문을 엽시다."

➜ _____

④ 어머니 : "반찬이 없으니까 나가서 먹읍시다."

　→ _____

⑤ 지선 : "길이 막히니까 택시를 타지 맙시다."

　→ _____

⑥ 안드레이 : "비가 올 것 같으니까 나가지 맙시다."

　→ _____

6. 두 사람은 다음 달에 결혼하려고 하는데 생각이 많이 다릅니다. 다음 표를 보고 '-자고 하다'를 사용해서 대화를 완성하십시오. (两个人下个月要结婚，但他们的想法大相径庭。请看下面的表格，使用 "-자고 하다" 完成对话。)

	남자친구	로라
① 집	부모님과 같이	두 사람만
② 신혼여행지	제주도	하와이
③ 결혼반지	금반지	다이아몬드반지
④ 결혼식장	교회	호텔
⑤ 음식	한식	양식
⑥ 드레스	빌린다	산다

지선 : 오늘 기분이 왜 그래요?

로라 : 결혼식 문제 때문에 남자친구하고 자꾸 싸워요.

지선 : 무슨 문제인데요?

로라 : ① **저는 우리 둘이서만 살자고 하는데 남자친구는 부모님과 같이 살자고 해요.**

　　　신혼여행도 ② 저는 _____.

　　　그것만이 아니에요. ③ _____.

지선 : 참, 어렵군요. 결혼식장은 정했어요?

로라 : 그것도 ④ _____.

　　　⑤ 또, _____.

지선 : 지금은 좀 힘들겠지만 웨딩드레스 입을 걸 생각해 보세요. 얼마나 행복해요?

로라 : 그것도 문제예요. ⑥ _____.

지선 : 아이고, 갑자기 저도 결혼하기 싫어지는데요.

어휘

1. 다음 [보기]에서 알맞은 단어를 골라 (   ) 안에 쓰십시오. (请从示例中选出适当的单词填空。)

[보기]	곧	확인하다	밀리다	지나다	물어보다

❶ 조금만 더 기다려 봅시다. (곧   ) 올 거예요.

❷ 이 쿠폰은 날짜가 (   )어서/아서/여서 쓸 수 없어요.

❸ 문제를 다 푼 후에 이름을 썼는지 다시 한 번 (   )어/아/여 보세요.

❹ 주말에는 그 동안 (   )는, 은/ㄴ 빨래를 해야겠다.

❺ 단어의 뜻을 모르면 친구에게 (   )으세요/세요.

2. 다음 [보기]에서 알맞은 단어를 골라 (   ) 안에 쓰십시오. (请从示例中选出适当的单词填空。)

[보기]	음성메시지	문자메시지	지역번호	진동	발신자

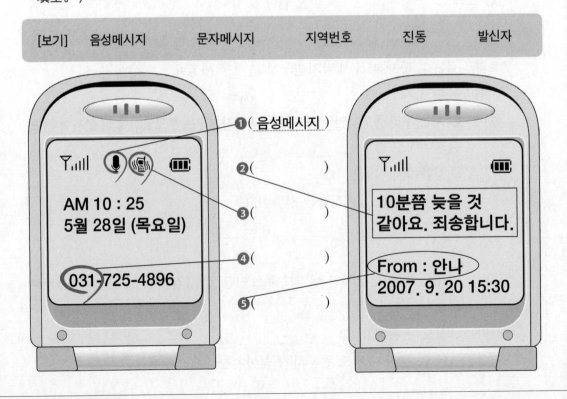

❶ (음성메시지)

❷ (   )

❸ (   )

❹ (   )

❺ (   )

간접인용[2]

3. 다음 문장을 바꾸십시오. (请改写下列句子。)

N 이라고/라고 하다

❶ 이건 3급 교과서입니다. → 이건 3급 교과서라고 합니다.

❷ 여기가 학생회관입니다. → _____

❸ 그 회사에서 만든 게 아닙니다. → _____

❹ 다음 학기부터 기숙사에 살 겁니다. → _____

Dvst 다고 하다

❺ 시험이 끝나서 한가합니다. → 시험이 끝나서 한가하다고 합니다.

❻ 설악산은 가을에 더 아름답습니다. → _____

❼ 이번 주말에는 약속이 없습니다. → _____

❽ 아야코 씨 고향은 별로 춥지 않습니다. → _____

Avst 는다고/ㄴ다고 하다

❾ 맥주보다 소주를 더 좋아합니다. → 맥주보다 소주를 더 좋아한다고 합니다.

❿ 여름에는 삼계탕을 많이 먹습니다. → _____

⓫ 한국 친구 집에서 같이 삽니다. → _____

⓬ 그분은 약속을 잘 지키지 않습니다. → _____

Vst 었다고/았다고/였다고 하다, Vst 겠다고 하다

⓭ 어제는 은영 씨 생일이었습니다. → 어제는 은영 씨 생일이었다고 합니다.

⓮ 민수 씨는 어렸을 때 키가 작았습니다. → _____

⓯ 오늘 아침에는 차가 밀리지 않았습니다. → _____

⓰ 다음부터는 꼭 일찍 오겠습니다. → _____

⑰ 큰 사과는 얼마입니까?　　➔　　　**큰 사과는 얼마냐고 합니다.**

⑱ 어느 분이 김 선생님입니까?　➔

⑲ 무슨 발음이 제일 어렵습니까?　➔

⑳ 빨간 치마를 사는 게 어떻습니까?➔

㉑ 이 음식은 무엇으로 만듭니까?　➔

㉒ 한국에 온 지 얼마나 됐습니까?　➔

㉓ 언제까지 한국에 살겠습니까?　➔

4. 옌리 씨가 로라 씨에게 보낸 문자메시지를 읽고 다음 대화를 완성하십시오. (请读艳丽给劳拉发的短信内容，完成以下对话。)

　　저 옌리예요. 어제 갑자기 고향에서 전화가 왔어요. 할아버지께서 많이 아프신 것 같아요. 고향에 갔다 와야겠어요. 오늘 저녁 비행기로 출발해요. 3일 후에 돌아오니까 시험은 볼 수 있어요. 그런데 시험공부를 못해서 걱정이군요. 선생님께 좀 전해 주세요.

선생님 : 어, 옌리 씨가 학교에 안 왔군요.

로라　 : 선생님, 오늘 아침에 옌리 씨한테서 문자를 받았는데요.

　　　　어제 갑자기 ❶　　　　**고향에서 전화가 왔다고 해요**　　　　.

　　　　그런데 ❷

　　　　그래서 ❸

선생님 : 그래요? 그럼 벌써 고향에 갔어요?

로라　 : 아니요, ❹

선생님 : 시험이 얼마 남지 않았는데 어떡하지요?

로라　 : ❺

　　　　그런데 ❻

선생님 : 옌리 씨는 수업시간에 열심히 했으니까 괜찮겠지요.

5. 관계있는 것을 연결하고 문장을 만드십시오. (请将相关的内容用线连接起来，并造句。)

❶ 살이 많이 쪘어요.　•　　　　　• 이사해요.

❷ 눈이 나빠졌어요.　•　　　　　• 일찍 집에 가요.

❸ 집이 너무 좁아요.　•　　　　　• 다이어트를 해요.

❹ 자꾸 잊어버려요.　•　　　　　• 안경을 써요.

❺ 너무 피곤해요.　•　　　　　• 일요일에도 회사에 가요.

❻ 일이 많이 남았어요.　•　　　　　• 메모해요.

❶ ___살이 많이 쪄서___ ~~어서/아서/여서~~ ___다이어트를 해야겠어요___

~~어야겠어요/아야겠어요/여야겠어요~~.

❷ _____ 어서/아서/여서 _____

어야겠어요/아야겠어요/여야겠어요.

❸ _____ 어서/아서/여서 _____

어야겠어요/아야겠어요/여야겠어요.

❹ _____.

❺ _____.

❻ _____.

6. '-어야겠다/아야겠다/여야겠다'를 사용해서 다음 대화를 완성하십시오. (请使用 "-어야 겠다/아야겠다/여야겠다" 完成下列对话。)

❶ 가 : 지금 가서야 돼요?

　　나 : 네, ＿＿＿＿＿＿할 일이 많아서 먼저 가야겠습니다＿＿＿＿＿＿.

❷ 가 : 내일 휴일인데 뭐 하실 거예요?

　　나 : ＿＿＿＿＿＿＿＿＿＿＿＿＿＿＿＿＿＿＿＿＿＿＿＿＿.

❸ 가 : 어, 벌써 11시예요? 시간이 참 빠르네요.

　　나 : ＿＿＿＿＿＿＿＿＿＿＿＿＿＿＿＿＿＿＿＿＿＿＿＿＿.

❹ 가 : 버스를 갈아타고 다니는 게 힘들지 않아요?

　　나 : 네, ＿＿＿＿＿＿＿＿＿＿＿＿＿＿＿＿＿＿＿＿＿＿＿.

❺ 가 : 담배 때문에 목이 아픈 거 아닐까요?

　　나 : 네, ＿＿＿＿＿＿＿＿＿＿＿＿＿＿＿＿＿＿＿＿＿＿＿.

❻ 가 : 자동차가 또 고장났어요?

　　나 : 네, ＿＿＿＿＿＿＿＿＿＿＿＿＿＿＿＿＿＿＿＿＿＿＿.

어휘

1. 맞지 않는 것을 고르십시오. (请选出错误的一项。)

1) 급한 (**❸**)입니까?

    ❶ 일   ❷ 전화   ❸ 비   ❹ 성격

2) (   )을/를 지켜요.

    ❶ 약속   ❷ 시간   ❸ 순서   ❹ 숙제

3) 깜빡 (   )었어요/았어요/였어요.

    ❶ 잠이 들다   ❷ 잊어버리다   ❸ 하다   ❹ 놀라다

4) (   )이/가 생겼어요.

    ❶ 친구   ❷ 화   ❸ 일   ❹ 돈

5) (   )을/를 사용하세요.

    ❶ 젓가락   ❷ 세탁기   ❸ 지하철   ❹ 까만색 볼펜

2. 관계있는 단어를 골라서 연결하고 문장을 완성하십시오. (请选出相关的单词用线连接起来，并完成句子。)

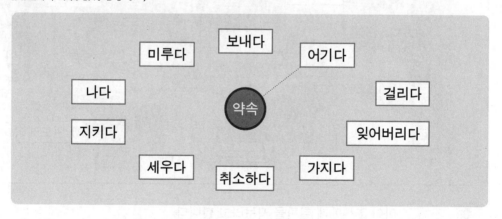

❶ 엄마가 자꾸 **약속을 어겨서** ~~어서/아서/여서~~ 이번엔 아빠한테 부탁할 거야.

❷ 요즘 너무 바빠서 _____ 을/ㄹ 때가 가끔 있어요.

❸ _____ 을/ㄹ 수 없을 때는 꼭 먼저 연락하세요.

❹ 오늘 만날 수 없으면 다음 주로 _____ 을까요/ㄹ까요?

❺ 갑자기 _____ 으면/면 어떡해요? 다른 일도 있었는데….

간접인용[3]

AVst 으라고/라고 하다

3. 다음 문장을 바꾸십시오. (请改写下列句子。)

❶ 수업중이니까 조용히 하십시오.   → 수업중이니까 조용히 하라고 합니다.

❷ 연세대학교 앞에서 내리십시오.   → _____

❸ 바람이 많이 부니까 창문을 닫으십시오. → _____

❹ 코트를 옷걸이에 거십시오.   → _____

❺ 여기에서는 사진을 찍지 마십시오.   → _____

❻ 술을 마시고 운전하지 마십시오.   → _____

4. 수업을 시작하려고 합니다. 선생님이 학생들에게 무슨 말을 할까요? (就要上课了，老师会对学生们说什么？)

❶ _____ 아야코 씨에게 칠판을 지우라고 합니다 _____ .

❷ _____ .

❸ _____ .

❹ _____ .

❺ _____ .

❻ _____ .

5. 다음 문장을 완성하십시오. (请完成下列句子。)

❶ 그 가게는 손님이 없어요. 그래서 ____문을 닫____ 게 되었어요. (문을 닫다)

❷ 시험을 잘 봤어요. 그래서 _____ 게 되었어요. (장학금을 받다)

❸ 연세대학교 사진 동아리에 들어갔어요. 그래서 _____ 게 되었어요.
(친구들을 많이 사귀다)

❹ 언어교환을 시작했어요. 그래서 _____.(한국말을 잘 하다)

❺ 친구가 어학당을 소개해 주었어요. 그래서 _____.
(여기에서 공부하다)

❻ 한국 드라마와 영화를 좋아해요. 그래서 _____.
(한국말을 배우다)

6. 다음을 읽고 '-게 되다'를 사용해서 문장을 완성하십시오. (请阅读下列文章，并使用 "-게 되다" 完成句子。)

> (민수 씨가 방송국 라디오 프로그램에 보낸 편지입니다.)
>
> 안녕하세요. 저는 서울 신촌에 사는 김민수라고 합니다.
>
> 저는 대학교를 졸업하고 교수님의 소개로 지금 다니는 회사에 취직했습니다. 거기에서 지금의 여자친구를 만났습니다. 바로 옆 자리에서 같이 일하면서 친해졌지요. 그런데 1년 전 쯤에 회사에서 홍콩으로 가라고 해서 여자친구와 잠시 헤어졌습니다. 하지만 우리는 계속 전화와 메신저로 연락을 했고 저는 1년 후에 다시 서울로 돌아왔습니다.
>
> 우리는 서로의 부모님께 인사를 드리고 다음 달에 결혼합니다. 더 기쁜 일은 결혼하면 우리 두 사람 모두 뉴욕으로 가서 일합니다. 축하해 주세요!

❶ 대학교 졸업 후에 ____교수님의 소개로 취직하게 되었습니다____.

❷ 여자친구를 _____.

❸ 제가 홍콩으로 가서 _____.

❹ 1년 후에 _____.

❺ 다음 달에 _____.

❻ 결혼하면 _____.

어휘

1. 다음 [보기]에서 알맞은 단어를 골라 (   ) 안에 쓰십시오. (请从示例中选出适当的单词填空。)

[보기]	서비스센터	고장나다	통화하다	전하다	돌아오다

❶ 부모님과 (**통화할**) 을/ㄹ 때 고향생각이 많이 나요.

❷ (   )는, 은/ㄴ 자동차 때문에 길이 더 막혔어요.

❸ 수업이 끝나고 집에 (   )으면/면 컴퓨터부터 켭니다.

❹ 민수 씨를 만나면 이 공책 좀 (   )어/아/여 주세요.

❺ 인터넷으로 예약하고 (   )에 가면 기다리지 않아서 좋아요.

2. 다음 [보기]에서 설명에 맞는 단어를 골라 쓰십시오. (请从示例中选出与说明相符的单词。)

[보기]	별표	우물정자	통화료	녹음하다	누르다

❶ 한자 井의 모양과 비슷해서 이렇게 부릅니다. ─────(**우물정자**)

❷ 전화번호, 비밀번호, 벨, 카메라 셔터 ─────(   )

❸ 다시 들을 수 있게 목소리나 음악을 저장합니다. ─────(   )

❹ 전화를 사용하고 내는 돈 ─────(   )

❺ 중요한 단어나 문법 앞에 이 표시를 하세요. ─────(   )

간접인용[4]

3. 다음 문장을 바꾸십시오. (请改写下列句子。)

AVst 어/아/여 달라고 하다 ▶

❶ 수저 좀 주세요. ➡ 수저 좀 달라고 합니다.

❷ 용돈 좀 주세요. ➡

❸ 통화중이니까 잠깐만 기다려 주세요. ➡

❹ 하얀색 모자 좀 보여 주세요. ➡

❺ 다시 한 번 설명해 주세요. ➡

AVst 어/아/여 주라고 하다 ▶

❻ 우는 아이에게 사탕을 주세요. ➡ **우는 아이에게 사탕을 주라고 합니다.**

❼ 선생님께 꽃을 드리세요. ➡

❽ 여자친구에게 향수를 사 주세요. ➡

❾ 아야코 씨에게 시청에 가는 길을 가르쳐 주세요.

➡

❿ 안드레이 씨에게 교과서를 좀 보여 주세요.

➡

4. 다음을 읽고 '−달라고 하다, −주라고 하다'를 사용해서 문장을 만드십시오. (请阅读 以下内容，使用 "−달라고 하다, −주라고 하다" 造句。)

❶ 남은 회의 자료가 있으면 한 장 주세요. 그리고 출장 때문에 참석 못 한 김 민수씨한테도 한 장 주세요.

남은 회의자료가 있으면 한 장 달라고 합니다.

그리고 출장 때문에 참석 못 한 김 민수씨한테도 한 장 주라고 합니다.

❷ 아직 시험이 안 끝났으니까 조용히 해 주세요. 그리고 다 한 사람은 시험지를 담임 선생님께 주세요.

---

❸ 지난번에 설악산에 가서 찍은 사진 좀 보여 주세요. 그리고 고향에 계신 부모님께도 보내 드리세요.

---

❹ 옷이 너무 작으니까 새 옷 좀 사 주세요. 그리고 작은 옷은 동생한테 주세요.

---

❺ 이번 동창회에 몇 명 오는 지 좀 알려 주세요. 그리고 친구들에게 장소를 다시 한 번 설명해 주세요.

---

❻ 냉장고에 있는 아이스크림 한 개만 줘. 그리고 민수한테도 하나 줘.

---

5. 두 문장을 연결하십시오. (请将两个句子连接起来。)

❶ 수업이 끝납니다. / 영화를 보러 갑시다.

➔ ___**수업이 끝나**___ 는 대로 ___**영화를 보러 갑시다**___ .

❷ 아버지께서 들어오십니다. / 저녁을 먹읍시다.

➔ _____ 는 대로 _____ .

❸ 초대장을 다 만듭니다. / 저한테 보여 주세요.

➔ _____ 는 대로 _____ .

❹ 책을 다 읽습니다. / 꼭 빌려 주세요.

➔ _____ .

❺ 편지를 받습니다. / 답장을 하겠습니다.

➔ _____ .

❻ 대학교를 졸업합니다. / 취직하겠습니다.

➔ _____ .

6. '-는 대로'를 사용해서 이야기를 완성하십시오. (请使用 "-는 대로" 完成句子。)

❶ 오늘 시험을 봤습니다. 그래서 어제는 시험공부 때문에 2시간밖에 자지 못했습니다. _____**집에 도착하**_____ 는 대로 _____**잠을 자겠습니다**_____.

❷ 사랑하는 사람이 있지만 아직 학생이어서 결혼할 수 없습니다.

_____ 는 대로 결혼하겠습니다.

❸ 취직시험을 봤는데 아직 연락이 없습니다. 어머니가 너무 걱정하십니다.

_____ 는 대로 집에 전화해야겠습니다.

❹ 오늘 은영 씨와 첫 데이트를 하는 날입니다. 이제 퇴근시간이 10분 남았습니다.

_____.

❺ 요즘 일이 많아서 지난 주에 빌린 DVD를 아직 보지 못했습니다.

_____.

❻ 꼭 갖고 싶은 디지털 카메라가 있는데, 이번에 회사에서 연말 보너스를 준다고 합니다. _____.

어휘와 문법

1. 다음 [보기]에서 알맞은 단어를 골라 (　　) 안에 쓰십시오. (请从示例中选出适当的单词填空。)

[보기]	초대권	음성메시지	매표소	깜빡	곧
	지나다	밀리다	물어보다	확인하다	통화하다

　　며칠 전에 같은 반 친구 로라 씨한테서 ❶ (**음성메시지**)이/가 왔다. ❷ (　　　　　　)어/아/여 보니까 친구가 연극 ❸ (　　　　　　)을/를 3장 주었는데 같이 갈 수 있냐는 내용이었다. 그리고 엔리 씨에게도 올 수 있는지 ❹ (　　　　)어/아/여 달라고 했다. 나는 ❺ (　　　　　　) 로라 씨에게 전화를 걸어서 고맙다고 말하고 토요일에 ❻ (　　　　) 앞에서 만나기로 했다.

　　그런데 그날 오랜만에 고향친구와 ❼ (　　　)다가 약속을 ❽ (　　　)잊어버렸다. 서둘러서 집을 나왔지만 주말이어서 차가 많이 ❾ (　　　)었고/았고/였고 약속시간은 벌써 ❿ (　　　　　　)어/아/여 있었다. 미안해서 로라 씨에게 뭐라고 말해야 할 지 모르겠다.

2. 순서를 바꿔서 설명에 맞는 단어로 완성하십시오. (请更改顺序，写出与说明相符的单词。)

❶ 다시 들을 수 있게 목소리나 음악을 저장하다 : **음다녹하** ➡ 녹 음 하 다

❷ 극장이나 박물관 같은 곳에서 표를 파는 곳 : **표소매** ➡ ＿＿ ＿＿ ＿＿

❸ 약속을 지킬 수 없어서 없었던 일로 하다 : **취다하소** ➡ ＿＿ ＿＿ ＿＿ ＿＿

❹ 다른 사람과 전화를 하고 있어서 "뚜뚜" 소리가 나다 : **화중통** ➡ ＿＿ ＿＿ ＿＿

❺ 하고 싶은 이야기를 글로 전화에 남기는 것 :

　　자시문메지 ➡ ＿＿ ＿＿ ＿＿ ＿＿ ＿＿

❻ 전화를 건 사람 : **신자발** ➡ ＿＿ ＿＿ ＿＿

❼ 가지고 다니면서 걸고 받을 수 있는 전화 : **전휴화대** ➡ ＿＿ ＿＿ ＿＿ ＿＿

❽ 자주 거는 전화번호를 간단한 숫자로 저장해 놓은 것 :

　　오축번단 ➡ ＿＿ ＿＿ ＿＿ ＿＿

3. 다음 [보기]에서 알맞은 문장을 골라 대화를 완성하십시오. (请从示例中选出正确的句子完成对话。)

[보기]	누구시라고 할까요?	몇 번에 거셨습니까?	그런 사람 없는데요.
	잘 안 들려요.	전화 바꿨습니다.	전하실 말씀 있으세요?

❶ 가 : 거기 김 선생님 댁이지요?

　　나 : 맞는데요. <u>　누구시라고 할까요?　</u>

　　가 : 어학당 학생 안드레이라고 하는데요.

❷ 가 : 김 선생님은 지금 회의 중이세요.

　　나 : 알겠습니다.

　　가 : _____

　　나 : 아닙니다. 다시 전화 드리겠습니다.

❸ 가 : 김 민수 씨 계세요?

　　나 : 네? _____

　　가 : 김 민수 씨 댁 아니에요?

❹ 가 : 김민수 씨 좀 바꿔 주세요. (잠시 후)

　　나 : _____

　　가 : 민수 씨, 저 지선인데요. 지금 통화 괜찮으세요?

❺ 가 : 거기 연세여행사지요?

　　나 : 아닌데요. _____

　　가 : 2123-3468번 아니에요?

❻ 가 : 박지선 씨 계세요?

　　나 : 네? 여보세요? 크게 말씀하세요. _____

　　가 : 박지선 씨 좀 부탁합니다.

4. 다음 대화를 읽고 간접인용문으로 바꾸십시오. (请读下列对话，将相应的句子改写 为间接引用句。)

안나 : 여보세요? 지선아, 나 안나야.

      ❶ 토요일에 아야코하고 등산을 가려고 하는데 같이 가지 않겠니?

지선 : 그래, ❷ 좋아. ❸ 어디로 갈 거야?

안나 : ❹ 관악산에 가기로 했어.

지선 : 알았어. 그런데 뭘 준비해야 해?

안나 : ❺ 운동화와 편한 옷만 입고 오면 돼.

      그리고 ❻ 간단하게 점심을 준비해 가지고 와.

      그럼, ❼ 아침 8시에 신촌 지하철역에서 만나자.

      그리고 ❽ 다른 일이 생기면 연락해 줘.

어머니 : 누구 전화니?

지선   : 안나예요.

     안나가 ❶ 토요일에 아야코하고 등산을 가려고 하는데 같이 가지 않 겠냐

     고 해요.

어머니 : 그래? 뭐라고 했니?

지선   : ❷ _____. 그리고 ❸ _____.

어머니 : 안나가 뭐라고 하니?

지선   : ❹ _____.

어머니 : 뭘 준비해 가야 하니?

지선   : ❺ _____.

     그리고 ❻ _____.

어머니 : 아침 일찍 나가야겠구나.

지선   : ❼ _____.

     그리고 ❽ _____.

5. 다음 대화를 완성하십시오. (请完成下列对话。)

❶ 가 : 민수 씨, 오늘 시간 있으면 ___같이 저녁 먹을래요___ 을래요/ㄹ래요?

　나 : 어떡하지요? 선약이 있는데….

❷ 가 : 취직하기가 점점 힘들어지는 것 같아요.

　나 : 맞아요. _____ 어야겠어요/아야겠어요/여야겠어요.

❸ 가 : 피터 씨를 아시는군요. 어떻게 아세요?

　나 : _____ 게 되었어요.

❹ 가 : 아저씨, 이 구두 좀 빨리 고쳐 주세요. 좀 급해요.

　나 : 네, _____ 는 대로 _____ 을게요/ㄹ게요.

❺ 가 : 전 아직 할 일이 남았는데 _____ 을래요/ㄹ래요?

　나 : 네, 그럴게요.

듣기 연습　　🔊 MP3: 07

6. 대화를 듣고 질문에 답하십시오. (请听对话，回答问题。)

1) 여자는 왜 전화를 잘못 걸었습니까? (女人为什么会打错电话？) (　　　)

❶ 전화번호를 잘못 눌러서

❷ 한국말을 잘 못해서

❸ 전화번호를 잘못 알아서

❹ 지역번호를 안 눌러서

2) 연세여행사 전화번호는 몇 번입니까? 쓰십시오. (延世旅行社的电话号码是多少？ 请写在下面。)

3) 들은 내용과 같으면 ○표, 다르면 ✕표 하십시오. (与听到的内容相符，画○; 否则画✕。)

❶ 전화번호 안내에서는 전화번호를 두 번 말해 준다. (　　　)

❷ 여자는 제주도에 2박 3일로 갈 계획이다. (　　　)

❸ 여자는 금요일 오전에 출발해서 일요일 오후에 돌아올 것이다. (　　　)

7. 다음을 읽고 질문에 답하십시오. (请阅读下列文章，回答问题。)

한국에 온 지 6개월이 되었는데 아직 한국말로 전화하기가 어렵다. 얼굴을 보지 않고 듣기만 하니까 그런 것 같다. 얼마 전에 친구 민수가 핸드폰을 받지 않아서 집으로 전화를 걸었는데 민수 어머니께서 전화를 받으셨다. 어머니께서는 ❶ 민수가 집에 없는데 전할 말이 있냐고 하셨다. 나는 급한 일이 생겨서 ❷ 약속 날짜를 미루고 싶어서 전화했다고 했다. 어머니께서는 ❸ 그럼 민수가 들어오는 대로 전화하라고 하겠다고 하셨는데 나는 "네, 알겠습니다. 조금 이따가 다시 전화하겠습니다." 라고 대답했다. 어머니께서는 다시 "민수가 언제 들어올 지 잘 모르니까 민수한테 전화하라고 할게." 라고 하셨다. 나는 그 때 내가 잘못 알아들었다는 걸 알고 너무 부끄러웠다.

1) 다음 대화를 완성하십시오. (请完成以下对话。)

나　　　　　 : 안녕하세요? 저 마이클인데요. 민수 좀 바꿔 주세요.

민수 어머니 : ❶ _____ .

나　　　　　 : 급한 일이 생겨서 ❷ _____ .

민수 어머니 : ❸ _____ .

2) 맞으면 ○표, 틀리면 ×표 하십시오. (正确的画○，错误的画×。)

❶ 민수는 휴대 전화가 없기 때문에 집으로 전화를 했다.　　　　 (　　　)

❷ 민수는 집에 들어오는 대로 마이클에게 전화를 할 것 같다.　 (　　　)

❸ 나는 약속을 다른 날로 바꾸려고 민수에게 전화를 했다.　　 (　　　)

❹ 나는 민수 어머니가 전화를 받으셔서 부끄러웠다.　　　　　 (　　　)

8. 여러분은 어떤 말을 많이 듣고 많이 합니까? 또 어떤 말을 듣고 싶습니까? 여러분과 친구들의 대답 중에서 가장 많은 대답 3가지를 말해 보십시오. (你常听和常说的话是什么？想听的话又是什么？ 说说在你与朋友的回答中，出现最多的3个答案是什么。）

1) 남자(여자) 친구에게 듣고 싶은 말 3가지 (想听男（女）朋友说的三句话。）

❶   제가 이 세상에서 제일 예쁘다는 말을 듣고 싶어요   .

❷   .

❸   .

2) 어렸을 때 부모님한테서 듣기 싫었던 말 3가지 (小时候不喜欢父母说的三句话。）

❶   텔레비전 그만 보고 숙제하라는 말을 듣기 싫었어요   .

❷   .

❸   .

3) 선생님이 학생들에게 많이 하는 말 3가지 (老师对学生说得最多的三句话。）

❶   .

❷   .

❸   .

4) 한국 사람들이 많이 하는 질문 3가지 (韩国人问得最多的三个问题。）

❶   .

❷   .

❸   .

9. 배운 문법을 사용하여 친구에게 질문하고 대답하십시오. (请使用学到的语法和朋友进行问答。)

질문	대답
1) 한국 친구가 있어요? 그 한국 친구들 어떻게 알게 되었어요?	
2) 보통 그 친구는 _____ 씨에게 어디에서 만나자고 해요?	
3) _____ 씨가 늦게 가면 뭐라고 해요?	
4) 만나면 보통 뭘 하고 싶다고 해요?	
5) _____ 씨가 한국말로 말하면 뭐라고 해요?	
6) 저한테 콘서트 초대권이 있는데 같이 갈래요?	
7) 그 한국 친구도 같이 갈 수 있나요? (-어야겠다)	
8) 그럼 저한테 언제 알려주실 수 있어요? (-는 대로)	

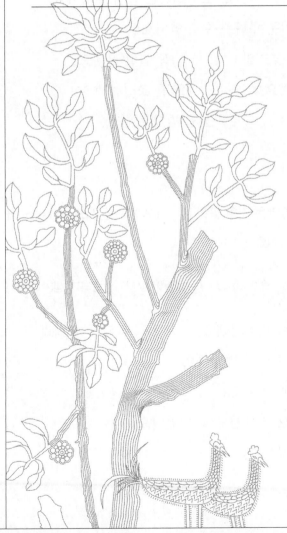

8과 1항

어휘

1. 다음 [보기]에서 알맞은 단어를 골라 ( ) 안에 쓰십시오. (请从示例中选出适当的单词填空。)

[보기]	식중독	해물	이틀	진찰	심하다

❶ 제 고향은 바다 근처여서 (해물)으로/로 만든 음식이 많아요.

❷ 농담이 ( )으면/면 기분이 나쁠 수도 있어요.

❸ 택배로 보내면 빠르면 하루, 늦으면 ( )쯤 걸릴 거예요.

❹ 여름에는 음식이 상하기 쉬워요. ( )을/를 조심하세요.

❺ 약만 먹지 말고 병원에 가서 ( )을/를 받아 보세요.

2. 어떻게 될까요? 다음 [보기]에서 알맞은 것을 골라 ( ) 안에 쓰십시오. (会出现什么情况? 请从示例中选出适当的单词填空。)

[보기]	소화가 안 되다	토하다	속이 쓰리다	배탈이 나다	변비가 생기다

❶ 버스를 오래 타서 어지럽고 속이 이상해요.　　→ (**토하다**)

❷ 날씨가 더워서 찬 음식을 너무 많이 먹었어요.　→ ( )

❸ 시간이 없어서 점심을 급하게 먹었어요.　　　→ ( )

❹ 어젯밤에 술을 많이 마시고 오늘 아침도 못 먹었어요. → ( )

❺ 채소와 과일을 하나도 먹지 않아요.　　　　　→ ( )

동사

3. 틀린 것을 고르십시오. (请选出错误的一项。)

1) 긋다 : (**❸**) ❶ 그어서 ❷ 그으니까 ❸ 그겠습니다 ❹ 그으면

2) 낫다 : ( ) ❶ 나습니다 ❷ 나았어요 ❸ 나으면 ❹ 나은

3) 잇다 : ( ) ❶ 이는군요 ❷ 잇기 전에 ❸ 이어서 ❹ 잇습니다

4) 웃다 : ( ) ❶ 웃고 싶다 ❷ 우세요 ❸ 웃으니까 ❹ 웃는

5) 짓다 : ( ) ❶ 짓습니다 ❷ 지었어요 ❸ 짓으면 ❹ 짓는데요

6) 붓다 : ( ) ❶ 부은 후에 ❷ 붓으세요 ❸ 붓고 ❹ 부으면

4. 다음 [보기]에서 알맞은 동사를 골라 문장을 완성하십시오. (请从示例中选出适当的动词完成句子。)

[보기]	낫다	짓다	붓다	젓다	벗다	긋다

❶ 더운 나라에서는 나무로 집을 _____**짓**_____ 고 에스키모는 얼음으로 집을 **지어요** ~~어요/아요/여요~~.

❷ 볼펜으로 선을 _____으면/면 지울 수 없으니까 _____기 전에 잘 생각하세요.

❸ 계속 그렇게 일하면 잘 안 _____으니까/니까 빨리 _____고 싶으면 하루 쯤 쉬세요.

❹ 우리 고향에서는 신발을 _____지 않고 집에 들어가는데 한국에서는 _____어야/아야/여야 해요.

❺ 아침에 일어나니까 얼굴이 _____었어요/았어요/였어요. 밤에 라면을 먹고 자면 얼굴이 _____는다고/ㄴ다고 해요.

❻ 여기 찻숟가락이 있으니까 포크로 _____지 말로 이것으로 _____으세요/세요.

N 에다가

5. 관계있는 단어를 연결하고 문장을 완성하십시오. (请将相关的单词用线连接起来，并完成句子。)

빵   우편번호   뽀뽀
설렁탕   편지봉투
버터   볼   휴지
케이크   소금
초   쓰레기통

❶ 설렁탕 에다가 소금 을/를 넣어서 드세요.
❷ ＿＿＿＿ 에다가 ＿＿＿＿ 을/를 꼭 써야 합니다.
❸ ＿＿＿＿ 에다가 ＿＿＿＿ 을/를 발라서 먹어요.
❹ ＿＿＿＿ 에다가 ＿＿＿＿ 을/를 했어요.
❺ ＿＿＿＿ 에다가 ＿＿＿＿ 을/를 꽂았어요.
❻ ＿＿＿＿ 에다가 ＿＿＿＿ 을/를 버리세요.

6. 다음 [보기]에서 알맞은 단어를 골라 '에다가'를 사용해서 대화를 완성하십시오. (请从示例中选择适当的单词，使用"에다가"完成对话。)

[보기]   콜라병   손바닥   목   거실   팔   그릇

❶ 가 : 요즘은 MP3가 작아져서 가방 안에 있어도 찾기가 힘든 것 같아요.
　 나 : 그럼, ＿＿＿＿목에다가 걸고 다니세요＿＿＿＿.

❷ 가 : 전화번호를 적을 메모지가 없어요.
　 나 : 그럼, ＿＿＿＿＿＿＿＿＿＿＿＿＿＿.

❸ 가 : 꽃병이 없는데 어디에다가 꽂을까요?
　 나 : ＿＿＿＿＿＿＿＿＿＿＿＿＿＿＿＿.

❹ 가 : 엉덩이에 주사를 맞기 싫은데요.
　 나 : 그럼, ＿＿＿＿＿＿＿＿＿＿＿＿＿＿.

❺ 가 : 부엌이 작아서 김치 냉장고를 사도 놓을 자리가 없겠어요.
　 나 : 그럼, ＿＿＿＿＿＿＿＿＿＿＿＿＿＿.

❻ 가 : 너무 많아서 다 못 먹겠는데요.
　 나 : 그럼, ＿＿＿＿＿＿＿＿＿＿＿＿＿＿.

어휘

1. 다음 [보기]에서 알맞은 단어를 골라 (   ) 안에 쓰십시오. (请从示例中选出适当的
单词填空。)

[보기]	증세	몸살	푹	점점	과로하다

❶ 이사 같은 힘든 일을 한 후에는 (**몸살**)이가 나기가 쉽습니다.

❷ 시험 때문에 며칠 잠을 못 잤는데 시험이 끝나서 이제 (   ) 잘 수
있겠어요.

❸ 운동을 처음 시작하면 조금 힘들지만 (   ) 좋아질 거예요.

❹ 한국말로 어디가 어떻게 아픈지 (   )을/를 설명하기가 너무 어려
워요.

❺ 건강하다고 생각하고 자꾸 (   )으면/면 건강이 나빠질 수도 있어요.

2. 감기 증세입니다. 관계있는 것을 연결하고 조사를 넣어서 쓰십시오. (以下是感冒的
症状。请将相关的内容用线连接起来，加上适当的助词写在横线上。)

❶ 열 •⸱⸱⸱⸱⸱⸱⸱⸱⸱⸱⸱⸱ • 하다 ➡ _____

❷ 몸 • ⸱⸱⸱⸱⸱⸱⸱⸱⸱⸱• 나다 ➡ _____ 열이 나다 _____

❸ 기침 • •떨리다 ➡ _____

❹ 코 • • 쉬다 ➡ _____

❺ 목 • • 막히다 ➡ _____

AVst 는, DVst 은/ㄴ, AVst 은/ㄴ 데다가

3. 다음 두 문장을 연결하십시오. (请将两个句子连接起来。)

❶ 그 가게는 비싸요. / 서비스도 나빠요.

➡ ……그 가게는 비싼……는, 은/ㄴ 데다가 ……서비스도 나빠요……….

❷ 출근 시간입니다. / 사고도 났습니다.

➡ ……………………는, 은/ㄴ 데다가 ………………….

❸ 민수 씨는 성격이 좋아요. / 공부도 잘 해요.

➡ ……………………는, 은/ㄴ 데다가 ………………….

❹ 그 집 케이크는 맛있어요. / 모양도 예뻐요.

➡ ……………………는, 은/ㄴ 데다가 ………………….

❺ 한국말을 잘 합니다. / 영어도 잘 합니다.

➡ …………………………………………………….

❻ 바람이 불어요. / 비도 와요.

➡ …………………………………………………….

❼ 지각을 했어요. / 숙제도 안 가지고 왔어요.

➡ …………………………………………………….

❽ 감기에 걸렸어요. / 배탈도 났어요.

➡ …………………………………………………….

4. 아래의 3가지 문제에 대해서 두 사람은 생각이 다릅니다. (对于下列三个问题，两个人的想法不同。)

　　[보기]에서 알맞은 것을 골라 –는, 은/ㄴ 데다가 를 사용해서 문장을 만드십시오. (情从示例中选择适当的内容，并使用 “–는, 은/ㄴ 데다가” 完成句子。)

[보기]

담배 피우기	시장에서 물건사기	도시에서 살기
스트레스가 풀리다	값이 싸다	공기가 나쁘다
건강이 나빠지다	주차장이 없다	쇼핑하기가 편하다
돈이 들다	값을 깎을 수 있다	교통이 복잡하다
멋있어 보이다	환불하기가 어렵다	병원, 학교가 많다

좋다	나쁘다
❶ 담배를 피우면 **멋있어 보이는 데다가** **스트레스도 풀려요** .	❷ 담배를 피우면 ＿＿＿＿＿＿＿ ＿＿＿＿＿＿＿ .
❸ 시장에서 물건을 사면 ＿＿＿＿＿ ＿＿＿＿＿＿＿＿＿＿＿＿ .	❹ 시장은 ＿＿＿＿＿＿＿＿＿＿ ＿＿＿＿＿＿＿＿＿＿＿＿ .
❺ 도시는 ＿＿＿＿＿＿＿＿＿＿ ＿＿＿＿＿＿＿＿＿＿＿＿ .	❻ 도시는 ＿＿＿＿＿＿＿＿＿＿ ＿＿＿＿＿＿＿＿＿＿＿＿ .

YONSEI KOREAN 2 WORKBOOK

5. 다음 그림을 보고 문장을 만드십시오. (请看图造句。)

① Hi 안녕

<u>영어로 말하</u> 지 말고 **한국말로 하세요**
~~으세요/세요.~~

② _____ 지 말고
_____ 으세요/세요.

③ _____ 지 말고
_____ 을까요/ㄹ까요?

④ _____
_____ 을까요/ㄹ까요?

⑤ _____
_____ 으세요/세요.

⑥ _____
_____ 읍시다/ㅂ시다.

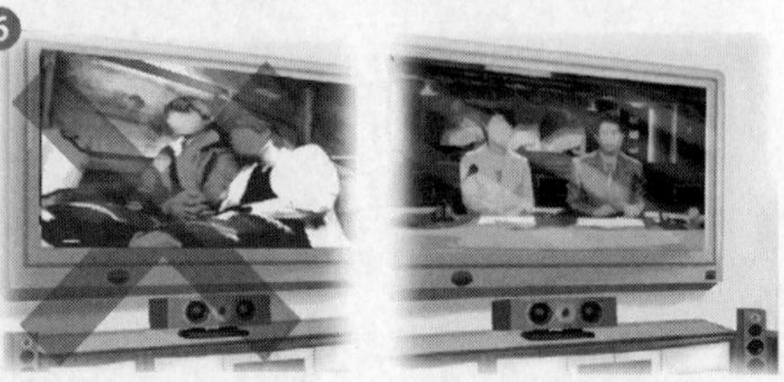

4. '-지 말고'를 사용해서 다음 대화를 완성하십시오. (请使用 "-지 말고" 完成以下
제[??].)

지선　　　: 운동을 시작한 지 한 달이 되었는데 살이 빠지지 않아요.

트레이너 : 어떤 음식을 좋아하시죠?

지선　　　: 고기 종류는 다 좋아해요. 특히 삼겹살이요.

트레이너 : ❶ <u>고기를 드시지 말고 채소를 많이 드세요</u>　　　　　.

　　　　　그리고, ❷ _____.

지선　　　: 물이요? 저는 커피를 안 마시면 아무 일도 못해요.

트레이너 : 그리고, ❸ _____.

지선　　　: 우리 회사 사무실은 10층인데 어떻게 걸어서 올라가요?

　　　　　아침도 굶고 오는데요.

트레이너 : ❹ _____.

지선　　　: 저는 굶어야 살이 빠진다고 생각했어요.

트레이너 : 운동은 어떤 운동을 하고 계세요?

지선　　　: 러닝 머신위에서 1시간 동안 뛰어요.

트레이너 : ❺ _____.

지선　　　: 아, 빨리 걷는 게 더 좋군요. 그런데 운동하면 배가 고파져서

　　　　　또 먹게 돼요. 저는 배가 고프면 잠이 안 와요.

트레이너 : 그럼, ❻ _____.

지선　　　: 오늘은 자기 전에 따뜻한 차를 한 잔 마셔야겠군요.

　　　　　여러 가지로 도와 주셔서 감사합니다.

어휘

1. 다음 [보기]에서 알맞은 단어를 골라 (   ) 안에 쓰십시오. (请从示例中选出适当的单词填空。)

[보기]	약사	처방전	콧물	종합	나다

❶ 의사 선생님께서 알레르기 때문에(**콧물**)이/가 나는 거라고 합니다.

❷ 감기약은 의사의 (   )이/가 없어도 살 수 있어요.

❸ 세브란스 병원은 여러 가지 병을 모두 진찰할 수 있는 (   )병원입니다.

❹ 그런 슬픈 영화를 보면 눈물이 (   )어요/아요/여요.

❺ 제 어렸을 때 꿈은 하얀 가운을 입은 (   )이/가 되는 거였어요.

2. 다음 [보기]에서 알맞은 단어를 골라 (   ) 안에 쓰십시오. (请从示例中选出适当的单词填空。)

[보기]	영양제	소화제	수면제	소독약	진통제

❶ 축구를 하다가 넘어졌는데 피가 나요. (**소독약**) 좀 주세요.

❷ 음식을 너무 급하게 먹은 것 같아요. 속이 답답해서 (   )을/를 먹어야 겠어요.

❸ 이번 어머니 생신 선물로 (   )을/를 사 드릴까 해요. 많이 힘들어 하시 는 것 같아서요.

❹ 너무 잠이 안 오면 (   )을/를 드세요. 그렇지만 너무 많이, 자주 드시 는 것은 좋지 않아요.

❺ 이가 너무 아프면 우선 (   )을/를 좀 드시고 내일 병원에 꼭 가 보세요.

N 을/를 위해서

3. 다음 [보기]에서 알맞은 단어를 골라 문장을 완성하십시오. (请从示例中选出适当的单词完成句子。)

[보기]	건강	나라	가족	남편	미래	학생들

❶ __가족__ (을)/를 위해서 열심히 일을 합니다.

❷ _____ 을/를 위해서 담배를 끊었어요.

❸ 군인들은 _____ 을/를 위해서 싸웁니다.

❹ _____ 생일날 아침에 미역국을 끓였어요.

❺ _____ 1층에 컴퓨터실을 만들 계획입니다.

❻ _____ 열심히 돈을 모으고 있습니다.

AVst 기 위해서

4. 관계있는 것을 연결하고 문장을 만드십시오. (请将相关的内容用线连接起来，并造句。)

❶ 좋은 대학에 들어갑니다. •   • 노래방에 갔습니다.

❷ 스트레스를 풉니다. •   • 열심히 운동을 하고 있습니다.

❸ 건강해집니다. •   • 밤늦게까지 공부합니다.

❹ 좋은 자리를 잡습니다. •   • 3시간 전에 왔습니다.

❺ 한국말을 잘 합니다. •   • 여행을 합니다.

❻ 여러 가지 경험을 합니다. •   • 한국친구와 말하기 연습을 합니다.

❶ __좋은 대학에 들어가__ 기 위해서 __밤늦게까지 공부합니다__ .

❷ _____ 기 위해서 _____ .

❸ _____ 기 위해서 _____ .

❹ _____ .

❺ _____ .

❻ _____ .

5. '-기 위해서'를 사용해서 다음 대화를 완성하십시오. (请使用"-기 위해서"完成下列 对话。)

❶ 가 : 왜 유학을 가기로 하셨나요?

　나 : ___좀 더 배우기 위해서 유학을 가기로 했습니다___.

❷ 가 : 자동차가 있는데 왜 걸어 다니세요?

　　　나 : ＿＿＿＿＿＿＿＿＿＿＿＿＿＿＿＿.

❸ 가 : 왜 어려운 뉴스를 듣고 있어요?

　　　나 : ＿＿＿＿＿＿＿＿＿＿＿＿＿＿＿＿.

❹ 가 : 밤 늦게까지 학교 도서관에 불이 켜져 있군요.

　　　나 : ＿＿＿＿＿＿＿＿＿＿＿＿＿＿＿＿.

❺ 가 : 피곤한데 아르바이트를 해야 돼요?

　　　나 : 네, ＿＿＿＿＿＿＿＿＿＿＿＿＿＿.

❻ 가 : 9시밖에 안 됐는데 벌써 주무세요?

　　　나 : ＿＿＿＿＿＿＿＿＿＿＿＿＿＿＿＿.

아무

6. 다음 문장을 완성하십시오. (请完成下列句子。)

❶ 아무 ___때___ 이나/나 오세요. 예약하지 않아도 돼요. (시간)

❷ 걱정하지 마세요. 30분만 배우면 아무 ＿＿＿＿＿ 이나/나 할 수 있는 일이에요. (사람)

❸ 다 잘 보이니까 아무 ＿＿＿＿＿ 이나/나 앉으세요. (장소)

❹ 저한테는 필요 없는 물건들이니까 아무 ＿＿＿＿＿ 이나/나 가지세요. (물건)

❺ 중요한 모임이 아니니까 아무 ＿＿＿＿＿ 이나/나 입어도 돼요. (옷)

❻ 시간이 없으니까 아무 ＿＿＿＿＿ 이나/나 빨리 먹읍시다. (음식)

7. '아무'를 사용해서 다음 질문에 대답하십시오. (请使用 "아무" 回答下列问题。)

① 가 : 아는 노래가 별로 없는데 무슨 노래를 부르지요?

　　나 : ＿＿＿＿＿＿＿＿＿ 아무 노래나 부르세요 ＿＿＿＿＿＿＿＿＿.

② 가 : 드릴 말씀이 있는데 언제 전화하면 돼요?

　　나 : ＿＿＿＿＿＿＿＿＿＿＿＿＿＿＿＿＿＿＿＿＿＿＿＿.

③ 가 : 어디 가서 차 한 잔 마실까요? 아는 데 있으세요?

　　나 : 아니요, ＿＿＿＿＿＿＿＿＿＿＿＿＿＿＿＿＿＿＿＿.

④ 가 : 저도 그 볼펜 사고 싶은데 어디에서 살 수 있어요?

　　나 : ＿＿＿＿＿＿＿＿＿＿＿＿＿＿＿＿＿＿＿＿＿＿＿＿.

⑤ 가 : 국립 도서관에는 어떤 사람들이 들어 갈 수 있어요?

　　나 : ＿＿＿＿＿＿＿＿＿＿＿＿＿＿＿＿＿＿＿＿＿＿＿＿.

⑥ 가 : 어떤 자리로 드릴까요?

　　나 : ＿＿＿＿＿＿＿＿＿＿＿＿＿＿＿＿＿＿＿＿＿＿＿＿.

어휘

1. 다음 [보기]에서 알맞은 단어를 골라 (   ) 에 쓰십시오. (请从示例中选出适当的单词填空。)

[보기]	진료	소화	환자	환절기	이용하다

❶ 천천히 먹어야 (소화   )이/가 잘 됩니다.

❷ 이 엘리베이터는 직원용입니다.

　　다른 엘리베이터를 (   )으십시오/십시오.

❸ 휴일에도 (   )을/를 하는 병원이 많았으면 좋겠어요.

❹ (   )에 감기에 걸리는 사람이 많으니까 조심하세요.

❺ (   )들을 위해서 병원에서는 조용히 해야 합니다.

2. 다음 [보기]에서 알맞은 단어를 골라 (   ) 안에 쓰십시오. (请从示例中选出适当的单词填空。)

[보기]	치료	건강보험	진단서	입원하다	수술하다

어젯밤부터 열이 많이 나고 머리가 아팠다. 아침에는 배도 아프고 설사까지 해서 병원에 갔는데 의사선생님께서 식중독이니까 며칠 병원에

❶(입원해서)어서/아서/여서 ❷(   )을/를 받아야 한다고 하셨다. 그런데 학교를 오래 결석하면 학교에 ❸(   )을/를 내야 하고, 또 나는 ❹(   )이/가 없기 때문에 돈도 많이 들 것 같아서 약만 받아 가지고 집에 돌아왔다. 지금까지는 큰 병이 있어서 ❺(   )어야/아야/여야 하는 사람들만 병원에 입원하는 거라고 생각했었는데… 항상 건강을 조심해야겠다.

일마나 AVst 는지, DVst 은지/ㄴ지 모르다

3. 다음 문장을 바꾸십시오. (请改写下列句子。)

❶ 그 분이 아주 미인입니다.

➜ ___그 분이 얼마나 미인인지___ 는지, 은지/ㄴ지 몰라요.

❷ 우리 사장님은 아주 부자입니다.

➜ _____ 는지, 은지/ㄴ지 몰라요.

❸ 출퇴근 시간에는 교통이 아주 복잡해요.

➜ _____ 는지, 은지/ㄴ지 몰라요.

❹ 우리 고향은 겨울에 아주 춥습니다.

➜ _____ 는지, 은지/ㄴ지 몰라요.

❺ 학교가 우리 집에서 아주 멀어요.

➜ _____.

❻ 아야코 씨는 피아노를 아주 잘 쳐요.

➜ _____.

❼ 아이가 한 살인데 아주 잘 걸어요.

➜ _____.

❽ 로라 씨는 샌드위치를 아주 맛있게 만들어요.

➜ _____.

❾ 어젯밤에 눈이 아주 많이 왔어요.

➜ _____.

❿ 요즘 물건 값이 아주 많이 올랐습니다.

➜ _____.

4. 다음 글을 읽고 '얼마나 -는지, 은지/ㄴ지 모르다'를 사용해서 대화를 완성하십시오.

（请阅读文章，使用"얼마나 -는지, 은지/ㄴ지 모르다"完成对话。）

> 저는 어렸을 때부터 정말 의사가 되고 싶었습니다. 그래서 아주 열심히 공부했습니다. 모두 의사를 부러워하지만 의사는 아주 힘든 직업입니다. 요즘에 아픈 사람들이 아주 많아졌고 의사는 환자들을 위해서 열심히 일해야 하니까요. 하지만 저는 우리 세상에 꼭 필요한 의사가 되어서 아주 기쁩니다.

은영 : 민수 씨는 어렸을 때 꿈이 뭐였어요?

민수 : 저는 어렸을 때부터 ❶ <u>얼마나 의사가 되고 싶었는지 몰라요</u>.

　　　　그래서 ❷ <u>　　　　　　　　　　　　　　　　　　　</u>.

은영 : 그랬군요. 이제 의사가 됐으니까 아주 편하시겠어요.

민수 : 아니에요. 지금부터 시작이에요.

　　　❸ <u>　　　　　　　　　　　　　　　　　　　　　　　</u>.

은영 : 아니, 왜요?

민수 : 요즘에 아픈 사람들이 ❹ <u>　　　　　　　　　　　　</u>.

　　　　그래서 의사들은 환자들을 위해서 ❺ <u>　　　　　　　</u>

　　　<u>　　　　　　　　　　　　　　　　　　　　　　　　　</u>.

은영 : 맞아요. 의사는 우리 세상에 꼭 필요한 직업이에요.

민수 : 그래서 저는 의사가 된 것이 ❻ <u>　　　　　　　　　</u>.

5. 다음 문장을 바꾸십시오. (请改写下列句子。)

❶ 민수 씨는 교포입니다.

➡ _____민수 씨는 교포인가_____ 나, 은가/ㄴ가 봐요.

❷ 저분은 어학당 학생이 아닙니다.

➡ _____ 나, 은가/ㄴ가 봐요.

❸ 이번 시험이 어렵습니다

➡ _____ 나, 은가/ㄴ가 봐요.

❹ 그 영화가 재미있습니다.

➡ _____ 나, 은가/ㄴ가 봐요.

❺ 옌리 씨는 친척집에 살아요.

➡ _____.

❻ 아야코 씨는 날마다 아침을 안 먹습니다.

➡ _____.

❼ 앞에서 교통사고가 났어요.

➡ _____.

❽ 민수 씨가 술을 많이 마셨습니다.

➡ _____.

❾ 선생님은 오늘 모임에 안 오실 거예요.

➡ _____.

❿ 여기에 주차장을 만들 거예요.

➡ _____.

6. 다음 그림은 로라 씨와 아야코 씨가 같이 사는 방입니다. '-나, 은가/ㄴ가 보다'를 사용해서 문장을 만드십시오. (此图是劳拉和绫子一起居住的房间。请使用 "-나, 은가/ㄴ가 보다" 造句。)

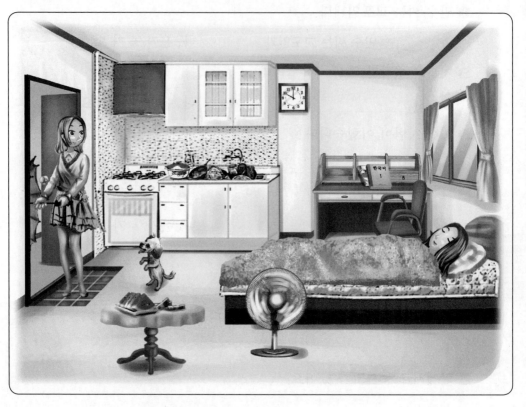

①　　　　　　　　　　　여름인가 봐요　　　　　　　　　　　　　　　　.

②　　　　　　　　　　　　　　　　　　　　　　　　　　　　　　　　　.

③　　　　　　　　　　　　　　　　　　　　　　　　　　　　　　　　　.

④　　　　　　　　　　　　　　　　　　　　　　　　　　　　　　　　　.

⑤　　　　　　　　　　　　　　　　　　　　　　　　　　　　　　　　　.

⑥　　　　　　　　　　　　　　　　　　　　　　　　　　　　　　　　　.

어휘와 문법

1. 다음 [보기]에서 알맞은 단어를 골라 (　　　) 안에 쓰십시오. (请从示例中选出适当的单词填空。)

[보기]　해물　과로　이틀　환절기　환자　종합　점점　폭　심하다　떨리다

❶ 방학 숙제 다 했니? 방학이 (　이틀　)밖에 안 남았는데….

❷ (　　　　　)에게는 소화가 잘 되는 죽 같은 음식이 좋아요.

❸ 스트레스가 (　　　　　)어서/아서/여서 병원을 찾는 사람들이 많습니다.

❹ 아이들에게는 여러 가지 비타민, 칼슘 등이 들어있는 (　　　　) 영양제가 좋아요.

❺ 겨울이 되면 밤이 (　　　　) 길어집니다.

❻ 떡볶이에 (　　　　)을/를 넣어서 먹으면 참 맛있어요.

❼ 나이가 많으신 분들과 어린 아이들은 (　　　　　)에 건강을 더 조심해야 합니다.

❽ 요즘 컴퓨터 게임에 (　　　　) 빠져서 아무 것도 안 해요.

❾ 시험 볼 때 너무 (　　　　)어서/아서/여서 쉬운 질문인데 대답을 못했어요.

❿ (　　　　)으로/로 죽는 사람도 있다고 해요. 쉬면서 하세요.

2. 다음 [보기]에서 관계있는 단어를 골라서 쓰고 문장을 완성하십시오. (请从示例中选出相关的单词写在横线上，完成句子。)

[보기]　소독약　수술　영양제　열　퇴원　수면제　연고　배탈

＿＿＿수술＿＿＿, ＿＿＿＿＿＿＿＿＿		하다
＿＿＿＿＿＿＿＿＿, ＿＿＿＿＿＿＿＿＿		바르다
＿＿＿＿＿＿＿＿＿, ＿＿＿＿＿＿＿＿＿		나다
＿＿＿＿＿＿＿＿＿, ＿＿＿＿＿＿＿＿＿		먹다

❶ 요즘은 예뻐지려고 **수술을 하는** 는, 은/ㄴ 사람이 많아요.

❷ 여드름이 났을 때 손으로 만지지 말고 _____으세요/세요.

❸ 건강한 사람도 _____는, 은/ㄴ 게 좋다고 해요.

❹ 아이가 _____었을/았을/였을 때는 배를 따뜻하게 해 주세요.

❺ 이제 _____어도/아도/여도 되겠습니다. 집에 가서도 약은 계속 드세요.

❻ 먼저 상처를 깨끗이 물로 닦은 후에 _____으십시오/십시오.

❼ 잠이 안 올 때는 _____는, 은/ㄴ 것 보다 따뜻한 차를 마시거나 가벼운 운동을 하는 것이 더 좋습니다.

❽ 해열제는 _____을/ㄹ 때 먹는 약입니다.

3. 다음 대화를 완성하십시오. (请完成下列对话。)

❶ 가 : 그 사람이 뭘 좋아하는지 물어볼까요?

　　나 : ___**물어 보**___지 말고 ___**우리가 결정합시다**___.

❷ 가 : 휴대 전화를 잃어버렸어요?

　　나 : 잃어버린 게 아니고 _____에다가 _____.

❸ 가 : 왜 이렇게 늦게 왔어요?

　　나 : _____는, 은/ㄴ 데다가 _____.

❹ 가 : '노약자석'이 뭐예요?

　　나 : _____을/를 위해서 _____.

❺ 가 : 전공도 아닌데 왜 이렇게 영어를 열심히 공부하세요?

　　나 : _____기 위해서 _____.

❻ 가 : 내일 몇 시 쯤 집으로 놀러 갈까요?

　　나 : 아무 ＿＿＿＿＿＿＿ 이나/나 ＿＿＿＿＿＿＿＿＿＿＿＿＿＿＿＿.

❼ 가 : 장학금을 받게 되어서 좋으시겠어요.

　　나 : 네, 얼마나 ＿＿＿＿＿＿＿＿＿＿＿＿＿＿ 는지, 은지/ㄴ지 몰라요.

❽ 가 : 두 사람이 하루 종일 말을 안 하네요.

　　나 : ＿＿＿＿＿＿＿＿＿＿＿＿＿＿＿＿ 나, 은가/ㄴ가 봐요.

4. 맞으면 ○표, 틀리면 ×표 하십시오. (正确的画○，错误的画×。)

❶ 집을 사기 위해서 돈을 모았습니다. 　　　　　　　　(　○　)

❷ 시험공부를 하기 때문에 도서관에 갑니다. 　　　　　(　　)

❸ 사랑하는 여자와 결혼하기 때문에 한국에 왔습니다. 　(　　)

❹ 친구를 만나기 위해서 부산에 갑니다. 　　　　　　　(　　)

❺ 열심히 공부했기 때문에 시험을 잘 볼 거예요. 　　　　(　　)

❻ 용돈을 벌기 때문에 아르바이트를 시작했습니다. 　　(　　)

❼ 살을 빼기 위해서 아침에 운동을 합니다. 　　　　　　(　　)

❽ 친구가 3시 비행기로 오기 때문에 빨리 공항에 가야 해요. 　(　　)

5. 밑줄친 부분을 바르게 고치십시오. (请改正划线部分。)

❶ 이 건물을 다 <u>짓으려면</u> 2년쯤 더 걸릴 거라고 합니다.
지으려면

❷ 다리가 아프니까 저기 <u>벤치에다가</u> 잠깐 앉읍시다.

❸ 이 옷은 <u>편하는 데다가</u> 디자인도 예뻐요.

❹ 민수 씨가 요즘 많이 <u>바쁘나 봐요</u>.

❺ 이번 주말에 <u>아무 영화를</u> 봅시다.

❻ DVD를 <u>사지 않고</u> 가게에서 빌립시다.

❼ 점심을 늦게 <u>먹었는 데다가</u> 과자도 먹어서 저녁을 먹고 싶지 않네요.

❽ 영화가 재미있어서 얼마나 <u>웃은지</u> 몰라요.

6. 대화를 듣고 질문에 답하십시오. (请听对话，回答问题。)

1) 환자가 하는 일들을 순서대로 번호를 써 보십시오. (请对患者做的事情进行排序。)

❶ 진찰을 받습니다.　　　　　　　　　　　(　　　　　)

❷ 보험카드를 보여 줍니다.　　　　　　　　(　　　　　)

❸ 처방전을 받습니다.　　　　　　　　　　(　　　　　)

❹ 주사를 맞습니다.　　　　　　　　　　　(　　　　　)

2) 의사 선생님이 말한 환자의 증상은 어떻습니까? (医生所说的患者的症状是怎样的?)

_____는, 은/ㄴ 데다가 _____.

3) 맞으면 ○표, 틀리면 ×표 하십시오. (正确的画○，错误的画×。)

❶ 진료가 끝나면 병원에서 약을 줍니다.　　　　　　　　(　　　　)

❷ 병원에 온 적이 있는 사람은 보험카드를 보여 주지 않아도 됩니다.

　　　　　　　　　　　　　　　　　　　　　　　(　　　　)

❸ 약은 3일 동안 먹어야 합니다.　　　　　　　　　　　(　　　　)

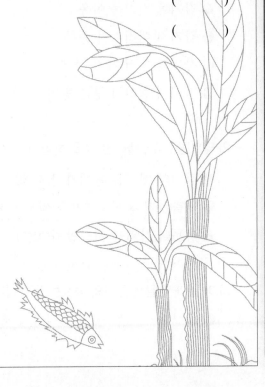

7. 다음 글을 읽고 질문에 대답하십시오. (请阅读文章，回答问题。)

> 날씨가 추워지면 우리는 감기 조심하라는 이야기를 많이 하고 많이 듣습니다. 그러면 감기는 겨울에만 걸리는 걸까요? 그럼 아프리카 같은 더운 곳에 사는 사람들은 감기에 안 걸리나요? 아닙니다. 감기는 바이러스 때문에 걸리니까 날씨와는 관계가 없습니다. 몸이 약해지거나 너무 과로해서 피곤하면 우리 몸이 바이러스와 싸울 힘이 없어져서 감기에 걸립니다.
>
> 감기에 걸리면 보통 기침을 하고 목이 붓고 코가 막힙니다. 열이 많이 나면 머리가 심하게 아프고 몸이 떨리기도 하지요. 감기에 걸려서 병원에 가면 주사를 맞거나 약을 처방해 주지만 감기에는 특별한 치료방법이 없으니까 감기에 걸리지 않게 조심해야 합니다.
>
> 감기에 걸리지 않기 위해서는 운동을 열심히 하고 비타민 C가 많은 과일과 채소를 많이 먹는 것이 좋습니다. 또 외출했다가 돌아오면 꼭 비누로 손, 발을 깨끗하게 씻어야 합니다.

1) 윗 글에서 이야기하지 **않은 것**은 무엇입니까? (上文中**未提及**的是哪一项？) (　　　)

❶ 감기에 걸리는 이유

❷ 감기 바이러스의 종류

❸ 감기의 여러 가지 증세

❹ 감기에 걸리지 않는 방법

2) 맞으면 ○표, 틀리면 ×표 하십시오. (正确的画○，错误的画×。)

❶ 감기와 계절은 관계가 별로 없다. 　　　　　　　　(　　　)

❷ 외출하기 전에 손, 발을 씻고 나가는 것이 좋다. 　(　　　)

❸ 아무나 감기를 치료할 수 있다. 　　　　　　　　(　　　)

3) 이 글에서 말한 감기의 증세는 무엇입니까? (文中提到的感冒症状是什么？) (　　　)

❶ 토한다　　　❷ 속이 쓰리다　　　❸ 배탈이 난다　　　❹ 두통이 있다

8. 적당한 단어를 골라서 [보기]와 같이 대화를 만드십시오. (请选择适当的单词，参照
示例编对话。)

(1)	(2)	(3)	(4)
머리가 아프다 속이 쓰리다 소화가 안 되다 열이 나다 항상 피곤하다 기침을 하다 잠이 안 오다	수면제 영양제 두통약 감기약 소화제 진통제	하루 세 번 식후 30분 4시간마다 자기 전에 한 번 하루 두 번 아침, 저녁 하루 세 번 식전 1시간	물을 많이 마시다 과로하지 말다 매운 음식을 먹지 말다 말을 많이 하지 말다 일찍 자다 가벼운 운동을 하다 천천히 먹다

[보기]

약사 : 어서 오세요. 어디가 안 좋으세요?

은영 : ❶ 머리가 너무 아파서 아무 것도 못하겠어요.

약사 : 언제부터 아프셨어요?

은영 : 어젯밤부터 그랬는데 점점 심해지는 것 같아요.

약사 : 그럼 ❷ 두통약을 좀 드릴게요. ❸ 하루 세 번 식사 후에 드세요.

　　　그리고 ❹ 가벼운 운동을 해 보세요. 좀 나아질 거예요.

은영 : 알겠습니다. 고맙습니다.

9. 배운 문법을 사용하여 친구에게 질문하고 대답하십시오. (请使用学到的语法和朋友进行问答。)

질문	대답
1) 감기에 걸려서 학교에 못 왔다고 들었는데 많이 아프셨어요? (얼마나 -는지 모르다)	
2) 어디가 어떻게 아프셨는데요? (-는 데다가)	
3) 약을 드셨어요? 감기약은 어디에서 살 수 있어요? (아무)	
4) 약사가 약을 지어 주었나요?	
5) 약을 먹으니까 빨리 나은 것 같아요?	
6) 저도 감기에 잘 걸리는데 건강해지기 위해서 어떤 운동을 하면 좋을까요?	
7) 그 운동은 배우기 어렵지 않아요? (아무)	
8) 그런데 운동할 시간이 없는 게 문제예요. (-나 보다)	

● [힌트]를 보고 아래 애국가에서 단어를 찾으십시오. (请根据提示，从下面的《爱国歌》中找单词。)

동 해 물 과 백 두 산 이 마 르 고 닳 도 록
하 느 님 이 ⓑ 우 하 사 우 ⓡ 나 라 만 세
무 궁 화 삼 천 리 화 려 강 산
대 한 사 람 대 한 으 로 길 이 보 전 하 세

[힌트]

1) 곡식 중의 하나, ○○밥 　　　 : ⓑⓡ

2) 1004 　　　 : ○○

3) 물○○, 군○○, 찐○○ 　　　 : ○○

4) 집을 바꾸다 　　　 : ○○

5) 몇 살이에요? 　　　 : ○○

6) 10원, 50원, 100원, 500원 : ○○

7) 물 근처에 사는 입이 큰 동물 : ○○

8) 비가 올 때 쓴다. 　　　 : ○○

9) 후지산은 무슨 산입니까? : ○○

10) 길, 고속○○ 　　　 : ○○

11) 빨간색 과일 　　　 : ○○

12) 생선, 오징어, 조개 　　　 : ○○○

13) 고려대학교를 짧게 　　　 : ○○○

14) 서해에 있는 섬 이름 　　　 : ○○○

● 단어를 더 찾아보세요. (请找出更多的单词。)

9과 1항

어휘

1. 다음 [보기]에서 알맞은 단어를 골라 (   ) 안에 쓰십시오. (请从示例中选出适当的单词填空。)

| [보기] | 동해 | 일출 | 장면 | 해외 | 기억에 남다 |

❶ 그 영화는 국내보다 (해외)에서 더 유명해요.

❷ 한국생활을 하는 동안 가장 (   )는, 은/ㄴ 일 하나만 말씀해 주세요.

❸ (   )은/는 서해보다 더 깊습니다.

❹ 그 영화에서 주인공이 죽는 마지막 (   )이/가 제일 슬펐어요.

❺ (   )을/를 보려면 일찍 일어나야 해요.

2. 관계있는 것을 연결하십시오. (请将相关的内容用线连接起来。)

❶ 배낭 여행 •　　　　• 결혼한 후에 부부가 가는 여행

❷ 신혼 여행 •　　　　• 학교에서 같은 학년 친구들이 모두 함께 가는 여행

❸ 국내 여행 •　　　　• 여러 명이 모여서 관광 안내원과 함께 가는 여행

❹ 수학 여행 •　　　　• 돈을 아주 조금만 쓰면서 하는 여행

❺ 단체 관광 •　　　　• 외국으로 가지 않고 자기 나라 안에서 하는 여행

N 밖에

3. 다음 문장을 바꾸어 쓰십시오. (请改写下列句子。)

❶ 하루에 네 시간만 자요.

➡ _____하루에 네 시간_____ 밖에 _____안 자요_____ .

❷ 그 사람은 소고기만 먹어요.

➡ _____ 밖에 _____ .

❸ 한국에서는 한국말만 씁니다.

➡ _____ 밖에 _____ .

❹ 그 사람은 그 노래만 불러요.

➡ _____ .

❺ 그 사람은 아들만 있어요.

➡ _____ .

❻ 그 사람의 이름만 알아요.

➡ _____ .

4. '밖에'를 사용해서 다음 대화를 완성하십시오. (请使用 "밖에" 完成以下对话。)

가 : 한국에 산 지 얼마나 되셨어요?

나 : ❶ _____두 달밖에 안 되었어요_____.

가 : 그런데, 한국말을 아주 잘 하시는군요. 한국 친구가 많은가 봐요.

나 : 아니요, ❷ _____.

가 : 그럼 한국말을 오래 배우셨나 봐요.

나 : 아니요, ❸ _____. 그렇지만 할아버지가

한국 사람이에요.

가 : 아, 그래요? 그럼 아버지도 한국말을 잘 하세요?

나 : 아니요, ❹ _____.

가 : 한국에 친척이 많이 살고 계세요?

나 : 아니요, ❺ _____.

가 : 그 분을 자주 만나요?

나 : 아니요, ❻ _____.

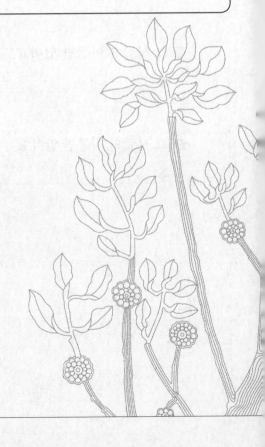

5. 다음 문장을 바꾸십시오. (请改写下列句子)

❶ 친구를 만난 식당입니다. (중간 시험이 끝난 후에)

➜ <u>   **중간 시험이 끝난 후에 친구를 만났던**   </u> ~~었던/았던~~/였던 식당입니다.

❷ 민수 씨가 부른 노래입니다. (지선 씨 생일 파티 때)

➜ <u>   </u> 었던/았던/였던 <u>   </u> .

❸ 어머니가 입으신 웨딩드레스입니다. (30년 전에)

➜ <u>   </u> 었던/았던/였던 <u>   </u> .

❹ 수학여행을 가서 찍은 사진입니다. (고등학교 2학년 때)

➜ <u>   </u> .

❺ 친구한테 빌려 준 책을 받았어요. (친구가 놀러 왔을 때)

➜ <u>   </u> .

❻ 제가 가르친 학생들이 생각납니다. (처음 선생님이 되었을 때)

➜ <u>   </u> .

6. 지선 씨는 옛날에 100kg이었는데 다이어트를 해서 60kg이 되었습니다. 다음은 지선 씨의 다이어트 전과 후입니다. '-었던/았던/였던'을 사용해서 문장을 완성하십시오. (智善以前是100公斤，减肥之后变成了60公斤。以下是智善减肥前后的对比。请使用 "-었던/았던/였던" 完成句子。)

[다이어트 전]　　　　　　　　　　[다이어트 후]

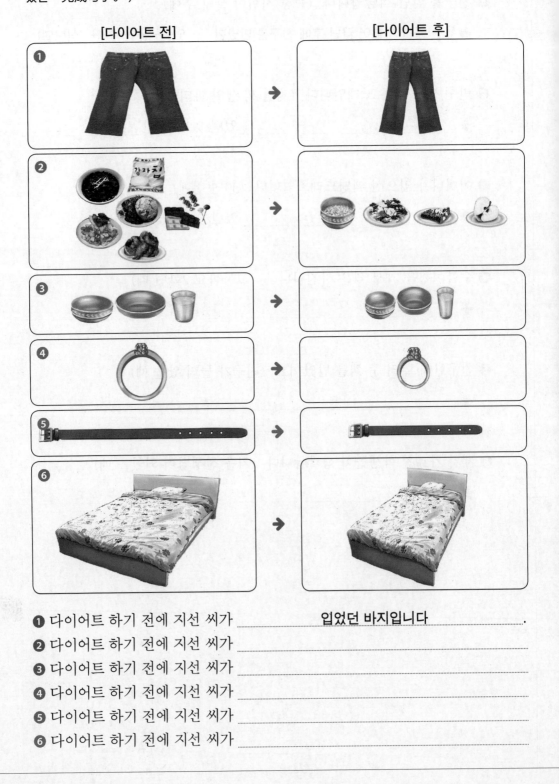

❶ 다이어트 하기 전에 지선 씨가 _____ <u>입었던 바지입니다</u> _____.
❷ 다이어트 하기 전에 지선 씨가 _____
❸ 다이어트 하기 전에 지선 씨가 _____
❹ 다이어트 하기 전에 지선 씨가 _____
❺ 다이어트 하기 전에 지선 씨가 _____
❻ 다이어트 하기 전에 지선 씨가 _____

어휘

1. 다음 [보기]에서 알맞은 단어를 골라 (   ) 안에 쓰십시오. (请从示例中选出适当的单词填空。)

[보기]	연휴	수도	볼거리	숙박 시설	역사적

❶ 수학 여행은 (**역사적인**)는, 은/ㄴ 도시로 많이 가요.

❷ 한국의 (   )은/는 서울입니다.

❸ 이번 설날 (   )은/는 사흘 밖에 안 돼서 고향에 못 갔어요.

❹ 남대문 시장에 가면 먹을거리도 많고 (   )도 많아요.

❺ 제주도에는 호텔이나 콘도미니엄, 펜션 같은 (   )이/가 많습니다.

2. 다음 [보기]에서 알맞은 단어를 골라 쓰십시오. (请从示例中选出适当的单词填入表格中。)

[보기]	교통편	여행 경비	여행자 보험	⋯⋯박⋯⋯일	여행 안내서

여행지	제주도
❶ 여행 경비	한 사람에 300,000원
여행 기간	❷ 3⋯⋯ 4⋯⋯
❸ ⋯⋯⋯⋯⋯⋯	대한항공
❹ ⋯⋯⋯⋯⋯⋯	가입
자세한 것은 ❺ ⋯⋯⋯⋯⋯⋯ 을/를 보십시오.	

3. 관계있는 것을 연결하고 쓰십시오. (请将相关的内容用线连接起来，并写在横线上。)

❶ 자동차 •
❷ 영국 •
❸ 친구 •
❹ 건물 •
❺ 한국 •
❻ 50페이지 •

• 2층 ➡ _____의_____
• 바퀴 ➡ _자동차__의__바퀴_
• 가방 ➡ _____의_____
• 여왕 ➡ _____
• 셋째 줄 ➡ _____
• 김치 ➡ _____

4. 다음 그림을 보고 '의'를 사용해서 쓰십시오. (请使用"의"将图中的内容写在横线上。)

❶ _한국의 서울_

❷ _____

❸ _____

❹ _____

❺ _____

❻ _____

5. 다음 그림을 보고 문장을 만드십시오. (请看图造句.)

지선 씨가 친구 전화를 받고 갑자기 나갔습니다

❶   지선 씨가 마시   던   커피입니다   .

❷ _____

❸ _____

민수 씨가 초등학교 때 반 친구에 대해서 쓴 글입니다

이 친구는 우리 동네에 삽니다.

그래서 **❹** <u>날마다 학교에 같이 갑니다.</u> 수업

이 끝나면 이 친구와 **❺** <u>같이 운동장에서 축</u>

<u>구를 합니다.</u>

이 친구는 수학 공부를 아주 잘 해서 **❻**<u>시</u>

<u>험 때마다 어려운 문제를 가르쳐 줍니다.</u> 저는

이 친구가 정말 좋습니다.

❹ _____ 친구입니다.

❺ _____ 친구입니다.

❻ _____ 친구입니다.

YONSEI KOREAN 2 WORKBOOK

6. 다음 문형 중에서 맞는 것을 골라 문장을 완성하십시오. (请选择正确的句型完成句子。)

> Vst 던
> Vst 었던/았던/였던

❶ 이건 제가 조금 전에 __마시던__ 커피예요. 저 커피를 드세요. (마시다)

❷ 지난번에 _____ 식당으로 갑시다. (가다)

❸ _____ 일은 끝내고 가야 합니다. (하다)

❹ 그 가게에서 _____ 옷이 바로 이거예요. (사다)

❺ 여기 _____ 책 못 보셨어요? (있다)

❻ 오늘 아침 버스에 같이 _____ 사람이 동생이지요? (타다)

❼ 아침에 학교에 올 때 _____ 곳이 어디예요? (들르다)

❽ 1주일 전에 _____ 편지가 다시 돌아왔어요. (보내다)

❾ 이건 어머니께서 결혼하실 때 _____ 옷이에요. (입다)

❿ 옛날에 _____ 사람을 어제 우연히 길에서 만났어요. (헤어지다)

⓫ _____ 공책을 계속 쓰세요. (쓰다)

⓬ 지난주에 사고가 _____ 장소가 여기지요? (나다)

⓭ _____ 사람과 헤어졌어요. (사귀다)

어휘

1. 다음 [보기]에서 알맞은 단어를 골라 (   ) 안에 쓰십시오. (请从示例中选出适当的单词填空。)

[보기]	특실	전망	성함	묵다	원하다

❶ 우리 병원의 (**특실**)에는 환자 가족을 위한 침대가 따로 있습니다.

❷ 실례지만 (   )이/가 어떻게 되십니까?

❸ 이번 유럽 여행에서는 좋은 호텔에서 (   )었어요/았어요/였어요.

❹ 나는 네가 (   )는, 은/ㄴ 것은 뭐든지 해 줄 수 있어.

❺ 이 아파트는 한강도 보이고 (   )이/가 참 좋은데요.

2. 맞는 것을 골라 번호를 쓰십시오. (请选择正确的内容，并写下其序号。)

1) 한 달에 핸드폰 (❶)을/를 얼마나 씁니까?

   ❶ 요금   ❷ 가격   ❸ 값

2) 영화표를 인터넷으로 산 후에 극장에 가서 (   )을/를 말하면 표를 받을 수 있어요.

   ❶ 전화번호   ❷ 우편번호   ❸ 예약번호

3) 자동차를 주차장이 아닌 곳에 세울 때에는 (   )을/를 남겨야 합니다.

   ❶ 메시지   ❷ 연락처   ❸ 주소

4) (   )은/는 무엇으로 하시겠습니까?

   ❶ 카드   ❷ 현금   ❸ 결제

5) 백화점 카드를 사용하시면 5% (   ) 받으실 수 있습니다.

   ❶ 할인   ❷ 세일   ❸ 절약

3. 다음은 로라 씨의 한 달 생활입니다. '만에'를 사용해서 문장을 쓰십시오. (以下是劳拉一个月的生活安排。请使用"만에"造句。)

일	월	화	수	목	금	토
				1 ❶ 남자친구가 내일 일주일 동안 출장 가서 데이트 했다.	2	3
4	5	6	7	8 ❶ 남자친구를 만났다.	9 ❷ 빨래를 했다.	10
11 ❻ 청소를 했다.	12	13	14 ❺ 고향에 전화했다.	15 ❷ 밀린 빨래를 했다.	16 ❸ 어제 음식을 잘못 먹어서 배탈이 났다. 하루종일 아무것도 못 먹었다.	17 ❹ 배가 많이 아파서 병원에 입원했다.
18	19 ❸ 배가 많이 좋아졌다. 음식을 먹기 시작했다.	20 ❹ 병원에서 집으로 돌아왔다.	21	22	23	24 ❺ 고향에 전화했다.
25 ❻ 청소를 했다.	26	27	28	29	30	

❶ _____1주일_____ 만에 _____남자친구를 만났다_____ .

❷ _____ 만에 _____ .

❸ _____ 만에 _____ .

❹ _____ .

❺ _____ .

❻ _____ .

4. 다음 이야기를 '만에'를 사용해서 바꾸어 쓰십시오. (请使用 "만에" 改写下列文章。)

> 김지선 씨는 ❶ 1998년에 대학에 입학해서 2001년에 졸업했다, 3년밖에 걸리지 않았다. 대학을 졸업하고 대학원에 가서 ❷ 5년 후에 박사학위를 받았다. 그 후에 회사에 들어갔다. 지선 씨는 회사에서 빨리 승진을 해서, ❸ 회사에 들어간 지 4년 되었을 때 부장이 되었다. 부장이 된 후에 지선 씨는 결혼을 했다. ❹ 결혼하고 3년 후에 아이를 낳았다. 그리고 돈도 열심히 모아서 ❺ 결혼한 지 5년 되었을 때 큰 집을 샀다. 그 후 회사 생활을 잘 하다가, ❻ 회사에 들어간 지 20년 되었을 때 회사를 그만두었다.

김지선 씨는 ❶ _____ 3년 만에 대학을 졸업했다 _____.

대학을 졸업하고 대학원에 가서 ❷ _____.

그 후에 회사에 들어갔다. 지선 씨는 회사에서 빨리 승진을 해서,

❸ _____. 부장이 된 후에 지선 씨는 결혼을 했다.

❹ _____. 그리고 돈도 열심히 모아서

❺ _____. 그 후 회사생활을 잘 하고,

❻ _____.

YONSEI KOREAN 2 WORKBOOK

N 만큼

5. 다음 [보기]에서 알맞은 단어를 골라 (   ) 안에 쓰십시오. (请从示例中选出适当的单词填空。)

| [보기] | 어른 | 여자 | 아버지 | 하늘 | 고기 | 귤 |

❶ 아들이 _____아버지_____ 만큼 키가 컸어요.

❷ 요즘 채소가 _____ 만큼 비싸요.

❸ 그 아이가 _____ 만큼 많이 먹어요.

❹ 감자에는 _____ 비타민 C가 많아요.

❺ 나는 너를 _____ 사랑해.

❻ 그 남자는 _____ 피부가 좋아요.

6. 다음 문장을 바꾸십시오. (请改写下列句子。)

❶ 마라톤은 아주 힘든 운동이에요.

➜ ____마라톤____ 만큼 __힘든__ 는, 은/ㄴ ____운동____ 은/는 없어요.

❷ 양견 씨는 노래를 아주 잘 불러요.

➜ _____ 만큼 _____ 는, 은/ㄴ _____ 은/는 없어요.

❸ 이집트는 정말 더워요.

➜ _____ 만큼 _____ 는, 은/ㄴ _____ 은/는 없어요.

❹ 마이클 씨는 스파게티를 아주 맛있게 만들어요.

➜ _____ .

❺ 제주도는 정말 경치가 아름다워요.

➜ _____ .

❻ 개는 사람과 아주 친해요.

➜ _____ .

어휘

1. 다음 [보기]에서 알맞은 단어를 골라 (   ) 안에 쓰십시오. (请从示例中选出适当的单词填空。)

[보기]　　시대　　　　　바닷가　　　　　로마　　　　　빼 놓다　　　　　추천하다

❶ 이탈리아의 수도는 (　로마　)입니다.

❷ 외국 학생들에게 괜찮은 영화 좀 (　　　　)어/아/여 주세요.

❸ 여행 가방을 쌀 때 수영복을 (　　　　)고 안 쌌어요.

❹ 돈이 많으면 (　　　　) 근처에 있는 집을 하나 더 사고 싶어요.

❺ 한글은 조선(　　　　)의 세종대왕이 만들었습니다.

2. 다음 [보기]에서 설명에 맞는 단어를 골라 쓰십시오. (请从示例中选出与说明相符的单词，并写在横线上。)

[보기]　　호수　　　　　폭포　　　　　강　　　　　해변　　　　　온천

❶ 높은 곳에서 아래로 떨어지는 물　　:　　　　폭포

❷ 흐르지 않고 모여 있는 물　　　　　:　　　　　　　　

❸ 땅속에서 나오는 따뜻한 물　　　　:　　　　　　　　

❹ 바다로 흘러가는 물　　　　　　　:　　　　　　　　

❺ 바닷가　　　　　　　　　　　　　:　　　　　　　　

Vst 더군요

3. 다음 그림을 보고 질문에 대답하십시오. (请看图回答问题。)

가 : 백화점에 사람이 많았어요?

나 : _____네, 사람이 많더군요_____.

가 : 어제 본 영화 어땠어요?

나 : _____더군요.

가 : 부산에 갈 때 길이 많이 막혔어요?

나 : _____더군요.

가 : 집에 가니까 마이클 씨가 무엇을 하고 있었어요?

나 : _____

가 : 민수 씨 집 찾기가 어려웠어요?

나 : _____

가 : 학생들이 어디로 갔어요?

나 : _____

4. 다음 이야기의 밑줄 친 부분을 '–더군요'로 바꿀 수 있으면 바꾸고, 바꿀 수 없으면 ×표 하십시오. (下文中画线部分，如果可以改为"–더군요"，则将其改写，并填在 (　　) 中；如果不能，则在 (　　) 中画×。)

오늘은 친구와 같이 설악산에 ❶왔어요. 친구 차로 갔는데 아침 일찍 출
(X)

발해서 길은 별로 ❷막히지 않았어요. 우리는 설악산에 12시 쯤 ❸도착했
(막히지 않더군요.)　　　　　　　　　　　　(　　　)

어요. 친구 혼자 운전을 했기 때문에 친구가 좀 ❹피곤해 보였어요. 그래서
　　　　　　　　　　　　　　　　　　　(　　　)

등산은 내일 하기로 ❺했어요. 우선 호텔에다가 가방을 놓은 후에 점심을
　　　　　　(　　　)

❻먹었어요. 비빔밥을 먹었는데 여러 가지 채소가 많이 들어 있어서 참
(　　　)

❼맛있었어요. 밥을 먹고 호텔 근처에 있는 큰 온천 수영장에 갔는데 친구
(　　　)

가 수영을 아주 ❽잘 했어요. 우리는 거기서 세 시간 쯤 ❾놀았어요. 수영을
　　　　　(　　　)　　　　　　　　　　　(　　　)

하다가 추우면 따뜻한 물에 들어가 있으면 되니까 ❿좋았어요.
　　　　　　　　　　　　　　　　　　(　　　)

5. 다음 질문의 답을 고르고 문장을 만드십시오. (请选出下列问题的答案，并完成句子。)

❶ 마이클 씨는 왜 시험 점수가 좋을까요?

| ✓ 머리가 좋기 때문에 | ☐ 한국친구가 많기 때문에 | ☐ 선생님이 잘 가르치기 때문에 |

마이클 씨는 머리가 좋아서   ~~어서/아서/여서~~ 그런지   시험 점수가 좋아요 .

❷ 왜 이렇게 길이 막힐까요?

| ☐ 토요일이기 때문에 | ☐ 방학이 끝났기 때문에 | ☐ 비가 오기 때문에 |

_____ 어서/아서/여서 그런지 _____ .

❸ 이 아파트가 왜 다른 아파트보다 비쌀까요?

| ☐ 전망이 좋기 때문에 | ☐ 교통이 편리하기 때문에 | ☐ 새 아파트이기 때문에 |

_____ 어서/아서/여서 그런지 _____ .

❹ 요즘 양견 씨가 왜 그렇게 피곤해 보일까요?

| ☐ 스트레스가 많기 때문에 | ☐ 술을 많이 마시기 때문에 | ☐ 일이 많기 때문에 |

_____ .

❺ 그 식당에는 왜 그렇게 사람이 많을까요?

| ☐ 음식값이 싸기 때문에 | ☐ 학교에서 가깝기 때문에 | ☐ 아주머니가 친절하기 때문에 |

_____ .

❻ 마이클 씨는 왜 여행을 같이 안 갔을까요?

| ☐ 바쁘기 때문에 | ☐ 돈이 없기 때문에 | ☐ 몸이 안 좋기 때문에 |

_____ .

6. 다음 그림을 보고 '-어서/아서/여서 그런지'를 사용해서 대화를 완성하십시오.

（请看图，并使用"-어서/아서/여서 그런지"完成对话。）

❶

이 약을 먹으면 졸립니다.

가 : 왜 자꾸 하품을 해? 졸려?

나 : _____ 감기약을 먹어서 그런지 졸려 _____.

❷

담배를 많이 피우면 죽습니다.

가 : 요즘 몸이 안 좋아지신 것 같아요.

나 : _____

❸

오랫동안 모니터를 보면 눈이 나빠집니다.

가 : 어머, 안경을 끼셨군요. 눈이 나빠졌어요?

나 : _____

❹

100g=600kcal

가 : 너 요즘 살이 좀 찐 것 같아.

나 : _____

❺

많이 마시면 잠을 못 잘 수 있습니다.

가 : 어제 잘 못 주무셨나 봐요. 피곤해 보여요.

나 : _____

❻

비타민 C를 먹으면 피곤이 풀립니다.

가 : 요즘 피부도 좋아지신 것 같고 건강해 보여요.

나 : _____

어휘와 문법

1. 다음 [보기]에서 알맞은 단어를 골라 (　　) 안에 쓰십시오. (请从示例中选出适当的单词填空。)

[보기]	시대	장면	일출	연휴	수도
	숙박 시설	전망	묵다	기억에 남다	추천하다

❶ 이번 여행에서 (**기억에 남는**)는, 은/ㄴ 일은 바다에서 낚시 한 거예요.

❷ 새해 첫날 (　　　)을/를 보려고 산에 올라가는 사람이 많아요.

❸ 보통 그 나라에서 제일 큰 도시가 (　　　)입니다.

❹ 제주도는 한국에서 유명한 관광지이기 때문에 좋은 (　　　　)이/가 많습니다.

❺ 한국에 왔을 때 하숙집이 없어서 호텔에 일주일 동안 (　　　)었어요/았어요/였어요.

❻ 호텔의 높은 층은 (　　　)이/가 좋아서 좀 비쌉니다.

❼ 삼국(　　　)에는 고구려, 백제, 신라 이렇게 세 나라가 있었습니다.

❽ 이번 추석은 화요일이어서 5일 동안 (　　　)입니다.

❾ 이 드라마에서 가장 멋있었던 (　　　)을/를 하나 골라 주십시오.

❿ 장학생으로 누구를 (　　　)겠습니까?

2. 다음 [보기]에서 알맞은 단어를 골라 (　　) 안에 쓰십시오. (请从示例中选出适当的单词填空。)

[보기]	박 일	요금	결제	여행 경비	예약 번호	교통편	
	신혼 여행	국내 여행	수학 여행	배낭 여행	온천	해변	폭포

　　친한 친구와 함께 7월 10일부터 8월 5일까지 ❶(**26박 27일**) 동안 유럽으로 ❷(　　　　)을/를 갔다가 왔습니다. ❸(　　　　)은/는 기차를 이용했고 잠도 기차에서 많이 잤습니다. 그래서 ❹(　　　　)을/를 많이 쓰지 않았습니다. 유럽 여러 나라를 구경했는데 스페인에서는 바다에도 갔습니다.

수영도 하고 ❺(　　　)에서 낮잠도 잤습니다.

나중에 결혼하면 ❻(　　　)으로/로 한 번 더 가 보고 싶습니다.

3. 다음 대화를 완성하십시오. (请完成下列对话。)

❶ 가 : 학교에서 집까지 시간이 많이 걸려요?

　　나 : ＿＿＿＿＿20분＿＿＿＿ 밖에 ＿＿＿＿안 걸려요.＿＿＿＿

❷ 가 : 이거 새로 산 책이에요?

　　나 : 아니요, ＿＿＿＿＿＿＿＿＿ 던 ＿＿＿＿＿＿＿＿＿＿＿＿＿ .

❸ 가 : 어제 공부 많이 했어요?

　　나 : 아니요, ＿＿＿＿＿＿＿ 밖에 ＿＿＿＿＿＿＿＿＿＿＿＿ .

❹ 가 : 지선 씨를 얼마 만에 만나셨어요?

　　나 : ＿＿＿＿＿＿＿＿＿ 만에 ＿＿＿＿＿＿＿＿＿＿＿＿＿＿＿ .

❺ 가 : 마이클 씨는 정말 열심히 공부해요.

　　나 : 네, ＿＿＿＿＿＿＿ 만큼 ＿＿＿＿＿＿ 는, 은/ㄴ ＿＿＿＿＿＿ 도 없어요.

❻ 가 : 지선 씨가 소개해 준 사람 어땠어요?

　　나 : ＿＿＿＿＿＿＿＿＿＿＿＿＿＿＿＿＿＿ 더군요.

❼ 가 : 한국의 대통령은 누구예요?

　　나 : ＿＿＿＿＿＿＿＿＿ 의 ＿＿＿＿＿＿＿＿＿＿＿＿＿＿＿ .

❽ 가 : 민수 씨, 오늘 왜 그렇게 피곤해 보여요?

　　나 : ＿＿＿＿＿＿＿＿＿ 어서/아서/여서 그런지 ＿＿＿＿＿＿＿＿ .

❾ 가 : 저쪽에 있는 사람을 어디서 본 것 같은데요.

　　나 : ＿＿＿＿＿＿＿＿＿ 었던/았던/였던 ＿＿＿＿＿＿＿＿＿ .

❿ 가 : 옆 반 학생들이 뭐 하고 있었어요?

　　나 : ＿＿＿＿＿＿＿＿＿＿＿＿＿＿＿＿＿＿ 더군요.

4. 맞는 것에 ○표 하십시오. (请在正确的句子后画○。)

❶ 한국에 3년 만에 왔어요.　　　　　　　　　　　(　　　)

　 한국에 3년 만에 살았어요.　　　　　　　　　　(　　　)

❷ 아까 왔던 사람이 누구예요?　　　　　　　　　(　　　)

　 아까 오던 사람이 누구예요?　　　　　　　　　(　　　)

❸ 먹었던 밥 다 먹고 놀아라.　　　　　　　　　　(　　　)

　 먹던 밥 다 먹고 놀아라.　　　　　　　　　　　(　　　)

❹ 제가 민수 씨보다 술을 많이 마시더군요.　　　(　　　)

　 민수 씨가 저보다 술을 많이 마시더군요.　　　(　　　)

❺ 교실이 더워서 에어컨을 켰어요.　　　　　　　(　　　)

　 교실이 더워서 그런지 에어컨을 켰어요.　　　(　　　)

듣기 연습　　🔊 MP3: 09

5. 이야기를 듣고 어떻게 바뀌었는지 쓰십시오. (请听录音，写下有了怎样的改变。)

버스	색깔이 바뀌었다.
	❶
하숙집	노래방과 PC방으로 바뀌었다.
연세대학교 정문 앞	❷
연세대학교	도서관 옆에 좋은 농구장이 생겼다.
	❸
세브란스 병원	병원이 커졌다.
	❹
어학당	요리 실습실이 생겼다.
	❺

6. 다음을 읽고 질문에 답하십시오. (请阅读文章，回答问题。)

> 저는 고등학교 3학년 겨울 방학 때 친구 두 명과 같이 설악산에 갔습니다. 고등학교 3학년 겨울 방학이었으니까 18살 때입니다. 설악산에는 가족들과 간 적도 있고 학교에서 수학 여행으로 간 적도 있었습니다. 그렇지만 친구들하고만 간 것은 처음이었습니다. 그 때는 우리가 버스를 타는 곳, 버스 요금, 등산할 때 걸리는 시간 같은 것을 모두 직접 알아봐야 했습니다. 그리고 올라갈 때 필요한 물건들도 우리가 준비해야 했습니다. ㉠**이런 것**들을 해 본 적이 없었기 때문에 힘들었지만 우리는 어른이 된 것 같았습니다. 18살 때 친구들하고만 그런 여행을 한 것은 저에게 정말 좋은 추억입니다. 그래서 그 여행은 가장 기억에 많이 남는 여행입니다.

1) 이 여행이 왜 기억에 많이 남습니까? (这次旅行为什么使人印象深刻?) (   )

　❶ 고등학교 3학년 겨울 방학에 갔기 때문에

　❷ 여행을 할 때 어른이 된 것 같았기 때문에

　❸ 처음으로 친구들하고만 갔기 때문에

2) '㉠이런 것'은 무엇을 말합니까? **아닌 것**을 고르십시오. ("㉠이런 것" 指的是什么? 选出与上文**不符**的一项。) (   )

　❶ 버스 타는 곳, 버스 요금 같은 것을 알아보는 것

　❷ 설악산을 등산 하는 것

　❸ 등산할 때 필요한 것을 준비하는 것

3) 맞으면 ○표, 틀리면 ×표 하십시오. (正确的画○，错误的画×。)

　❶ 이 사람은 고등학교 3학년 때 설악산에 처음 갔다.　(   )

　❷ 이 여행에서 등산을 했다.　(   )

　❸ 설악산으로 수학여행을 가는 학교도 있다.　(   )

7. 다음 단어를 사용해서 여행사 직원과 손님의 대화를 [보기]와 같이 만드십시오. (请使用下列单词，参考示例编写出旅行社职员与顾客之间的对话。)

여행 종류	수학 여행, 배낭 여행, 신혼 여행, 해외 여행, 국내 여행
숙박 시설	호텔, 여관, 콘도, 펜션, 민박
교통편	비행기, 기차, 고속버스, …
일정	1박 2일, 2박 3일, …

[보기]

손님 : <u>수학 여행</u> 에 대해서 좀 여쭤 보려고 하는데요.

직원 : 네, 여행지는 어디로 하고 싶으십니까?

손님 : 어디가 좋을까요?

직원 : <u>수학 여행지</u> 로는 <u>경주</u> 만큼 좋은 곳이 없습니다.

　　　 그런데 언제 가실 겁니까?

손님 : <u>10월</u> 에 갈 생각입니다.

직원 : 여행은 며칠 동안 하실 겁니까?

손님 : <u>2</u> 박 <u>3</u> 일 동안 갈 거예요.

직원 : 몇 분이 가십니까?

손님 : <u>100</u> 명이요. 그런데 숙박은 어디서 하나요?

직원 : <u>콘도</u> 에 묵습니다.

손님 : 교통편은 무엇을 이용합니까?

직원 : <u>버스</u> 로 갑니다.

손님 : 여행경비는 얼마나 듭니까?

직원 : 한 사람에 <u>10만</u> 원입니다.

손님 : 네, 알겠습니다. 제가 다시 연락드리겠습니다.

8. 배운 문법을 사용해서 친구에게 질문하고 대답하십시오. (请使用学到的语法和朋友进行问答。)

질문	대답
1) ○○씨, 왜 그렇게 피곤해 보여요? (-어서 그런지)	
2) ○○씨는 여행을 자주 하세요? (밖에)	
3) 우리반 학생 중에서 누가 여행을 많이 해요? (만큼)	
4) 지금까지 여행했던 나라 중에서 어느 나라가 제일 좋았어요?	
5) 그 나라의 수도는 어디예요?	
6) 경치는 어땠어요? (-더군요)	
7) 여행 갔다가 얼마 만에 돌아왔어요?	
8) 여행을 할 때 자주 먹던 음식은 뭐예요?	

집안일

10과 1항

어휘

1. 다음 [보기]에서 알맞은 단어를 골라 (   ) 안에 쓰십시오. (请从示例中选出适当的单词填空。)

[보기]	원룸	보증금	전세	시설	월세

❶ 집이 먼 직장인들은 회사 근처 (원룸   )에 많이 산다고 해요.

❷ 집을 빌릴 때 주인에게 내는 (   )은/는 이사 갈 때 다시 돌려 받을 수 있어요.

❸ 같은 동네에 있어도 (   )이/가 좋으면 하숙비가 비쌉니다.

❹ (   )은/는 매달 돈을 내지 않고 한 번에 냈다가 이사 갈 때 그 돈을 다시 돌려 받는 방법입니다.

❺ 방이나 집을 빌리면 매달 (   )을/를 내야 합니다.

2. 다음 [보기]에서 알맞은 단어를 골라 대화를 완성하십시오. (请从示例中选出适当的单词完成对话。)

[보기]	부동산 소개소	소개비	계약	이사하다	구경하다

가 : ❶ (이사할   )을/ㄹ 집은 구했니?

나 : 응, 어제 한국 친구와 같이 ❷ (   )에 갔는데, 학교 근처에 새로 지은 원룸이 있다고 해서 ❸ (   )으러/러 갔었어.

가 : 보니까 어때? 마음에 들어?

나 : 응, 깨끗하고 월세도 별로 비싸지 않아서 바로 ❹ (   )을/를 했어.

가 : 잘 됐다.

나 : 그런데 ❺ (   )을/를 얼마나 줘야 할 지 모르겠어.

가 : 집값에 따라서 달라. 인터넷으로 한번 찾아 봐.

접속사

3. 다음 [보기]에서 알맞은 접속사를 골라 두 문장으로 만드십시오. (请从示例中选出适当的接续词将下列句子改写为两个句子。)

[보기]	그렇지만	그런데	그래도	그러니까	그래서	그리고

❶ 요리책을 보고 만들었는데 별로 맛이 없어요.

  ➜ 요리책을 보고 만들었어요. ___그런데___ 별로 맛이 없어요.

❷ 날씨가 흐리니까 우산을 가지고 가세요.

  ➜ 날씨가 흐려요. _____ 우산을 가지고 가세요.

❸ 열심히 일을 해도 돈을 모으기가 힘듭니다.

  ➜ 열심히 일을 합니다. _____ 돈을 모으기가 힘듭니다.

❹ 아르바이트를 하기 싫지만 돈 때문에 해야 해요.

  ➜ 아르바이트를 하기 싫어요. _____ 돈 때문에 해야 해요.

❺ 지하철역이 가까워서 다른 하숙집보다 조금 비싸요.

  ➜ 지하철역이 가까워요. _____ 다른 하숙집보다 조금 비싸요.

❻ 우리 고향은 경치가 아름답고 녹차가 유명합니다.

  ➜ 우리 고향은 경치가 아름답습니다. _____ 녹차가 유명합니다.

4. 알맞은 접속사를 고르십시오. (请选择正确的接续词。)

❶ 그 분은 요리하기를 좋아합니다. (그리고, 그래서, 그렇지만) 설거지는 싫어합니다.

❷ 김 선생님은 잘 가르치십니다. (그리고, 그래도, 그런데) 성격도 좋으십니다.

❸ 요즘은 방학이에요. (그래도, 그래서, 그런데) 학교에 학생들이 별로 많지 않아요.

❹ 주말에는 교통이 복잡해요. (그리고, 그래서, 그러니까) 좀 일찍 출발합시다.

❺ 내일 비가 올 것 같아요. (그래도, 그래서, 그리고) 약속을 했으니까 가야 해요.

❻ 아야코 씨는 이번 시험을 아주 잘 봤어요. (그러니까, 그런데, 그리고) 왜 장학금을 못 받았을까요?

5. 주어진 동사를 사용해서 문장을 만들고 대답을 써 보십시오. (请使用给出的动词造句，并写出答案。)

❶ 먹다 : <u>먹으면</u> 으면/면 <u>먹을수록</u> 을수록/ㄹ수록 먹고 싶어지는 것 : **초코 케이크**

❷ 보다 : _____ 으면/면 _____ 을수록/ㄹ수록 갖고 싶은 것 : _____

❸ 듣다 : _____ 으면/면 _____ 을수록/ㄹ수록 기분 좋아지는 말 : _____

❹ 많다 : _____ 좋은 것 : _____

❺ 크다 : _____ 좋은 것 : _____

❻ 시간이 가다 : _____ 생각나는 사람 : _____

6. 다음은 수수께끼입니다. [보기]의 동사를 사용하여 질문을 만드십시오. (下面是谜语。请使用示例中的动词提出问题。)

[보기]	시간이 지나다	깎다	치다	닦다	맞다	먹다

❶ <u>시간이 지나면</u> 으면/면 <u>지날수록</u> 을수록/ㄹ수록 짧아지는 것은?

❷ _____ 으면/면 _____ 을수록/ㄹ수록 많아지는 것은?

❸ _____ 으면/면 _____ 을수록/ㄹ수록 길어지는 것은?

❹ _____ 더러워지는 것은?

❺ 잘 도는 것은?

❻ 기분 좋은 것은?

어휘

1. 다음 [보기]에서 알맞은 단어를 골라 (   ) 안에 쓰십시오. (请从示例中选出适当的单词填空。)

[보기]	포장이사	거의	엄살 부리다	참다	낫다

❶ 너무 바빠서 (**거의**) 한 달 동안 친구들을 못 만났습니다.

❷ 화장실에 가고 싶었지만 수업시간이 5분밖에 안 남아서 (   ) 었다/았다/였다.

❸ 외국어를 배우려면 그 나라에 직접 가서 배우는 게 더 (   ) 어요/아요/여요.

❹ (   )을/를 하면 조금 비싸지만 정리까지 해 주니까 아주 좋아요.

❺ 등산한 지 10분밖에 안 됐는데 벌써 힘드세요? (   )지 말고 빨리 올라갑시다.

2. 다음 단어와 같이 쓸 수 <u>없는</u> 것을 고르십시오. (请选出不能与下列单词一起使用的一项。)

1) (❹)_____ 을/를 싸다   ❶ 짐   ❷ 책가방   ❸ 도시락   ❹ 편지

2) (   )_____ 을/를 옮기다   ❶ 자리   ❷ 하숙집   ❸ 나라   ❹ 짐

3) (   )_____ 을/를 정리하다 ❶ 시간   ❷ 교통   ❸ 짐   ❹ 책상

4) (   )_____ 센터   ❶ 이삿짐   ❷ 서비스   ❸ 옷   ❹ 스포츠

5) (   )_____ 비용   ❶ 여행   ❷ 하숙   ❸ 결혼   ❹ 이사

AVst 는, DVst 은/ㄴ, AVst 은/ㄴ, Vst 을/ㄹ 줄 알다

3. 여러분 생각과 다릅니다. 다음 문장을 바꾸십시오. (实际情况和你想的不一样。请改写下列句子。)

❶ 일본 사람이라고 생각했는데 한국 사람이었어요.

➔ _____일본 사람인_____ 는, 은/ㄴ, 을/ㄹ 줄 알았어요.

❷ 어학당 선생님이 아니라고 생각했는데 어학당 선생님이세요.

➔ _____ 는, 은/ㄴ, 을/ㄹ 줄 알았어요.

❸ 한국말 배우기가 어려울 거라고 생각했는데 생각보다 쉬운데요.

➔ _____ 는, 은/ㄴ, 을/ㄹ 줄 알았어요.

❹ 학교가 멀다고 생각했는데 이 정도는 걸어서 다녀도 괜찮겠는데요.

➔ _____ 는, 은/ㄴ, 을/ㄹ 줄 알았어요.

❺ 그 영화가 재미없다고 생각했는데 보니까 재미있군요.

➔ _____ 는, 은/ㄴ, 을/ㄹ 줄 알았어요.

❻ 민수 씨가 술을 잘 마실 거라고 생각했는데 한 잔 마시고 얼굴이 빨개졌어요.

➔ _____ 는, 은/ㄴ, 을/ㄹ 줄 알았어요.

❼ 로라 씨가 기숙사에 산다고 생각했는데 아야코 씨하고 같은 하숙집에 살고 있다고 해요.

➔ _____ 는, 은/ㄴ, 을/ㄹ 줄 알았어요.

❽ 김 선생님이 결혼하셨다고 생각했는데 다음 주에 결혼하신다고 해요.

➔ _____ 는, 은/ㄴ, 을/ㄹ 줄 알았어요.

❾ 수업이 끝났다고 생각하고 교실 문을 열었는데 수업 중이었어요.

➔ _____ 는, 은/ㄴ, 을/ㄹ 줄 알았어요.

4. 여러분 반 선생님과 친구들을 처음 봤을 때 어떻게 생각했나요? 그런데 지금은 어떻게 달라요? [보기]에서 적당한 것을 골라 문장을 만드십시오. (你和班上的老师、同学第一次见面的时候是怎样想的？现在又有了怎样的变化？请从示例中选择适当的内容完成句子。)

[보기]	중국 사람이다	고향에서 한국말을 배웠다	
	말이 없다	남자(여자)친구가 있다	
	무섭다	어학당에 처음 왔다	교포이다
	회사원이다	공부를 열심히 하다	결혼했다

❶ 저는 아야코 씨가 <u>중국 사람인 줄 알았어요</u>.

❷ 저는 선생님이 _____.

❸ 저는 _____ 씨가 _____.

❹ 저는 _____ 씨가 _____.

❺ 저는 _____ 씨가 _____.

❻ 저는 _____ 씨가 _____.

5. 관계있는 것을 연결하고 다음 문장을 완성하십시오. (请将相关的内容用线连接起来，并完成下列句子。)

❶ 눈 • • 아름답다 ➔ 설악산 경치가 _____ 처럼 _____.

❷ 호랑이 • • 하얗다 ➔ 피부가 _____**눈**_____ 처럼 _____**하얘요**_____.

❸ 그림 • •예쁘다 ➔ 그 아이는 _____ 처럼 _____.

❹ 바다 • • 맑다 ➔ 그 여자 눈은 _____.

❺ 인형 • • 넓다 ➔ 우리 아버지 마음은 _____.

❻ 호수 • • 무섭다 ➔ 우리 반 선생님은 _____.

6. 다음 문장을 완성하십시오. (请完成下列句子。)

❶ _____**베컴처럼**_____ 축구를 잘 하는 사람이 부러워요.

❷ _____ 돈이 많았으면 좋겠어요.

❸ _____ 친절하고 재미있는 사람이 좋아요.

❹ 친한 사람처럼 _____.

❺ 모르는 사람처럼 _____.

❻ 화가 난 사람처럼 _____.

어휘

1. 다음 [보기]에서 알맞은 단어를 골라 (　　　) 안에 쓰십시오. (请从示例中选出适当的
单词填空。)

| [보기] | 걸레 | 룸메이트 | 상자 | 재활용 | 깔끔하다 |

❶ 재미있는 (　**룸메이트**　) 을/를 만나서 기숙사 생활이 아주 즐거워요.

❷ 오래 쓴 수건이나 티셔츠는 버리지 말고 (　　　　　)으로/로 사용하면
좋아요.

❸ 아이들이 빈 병과 캔을 (　　　　　)해서 멋진 로봇을 만들었어요.

❹ 우리 어머니는 너무 (　　　　　)는, 은/ㄴ 성격이어서 집안을 항상 깨끗
하게 정리하세요.

❺ 자주 입지 않는 옷은 (　　　　　)에 넣어 놓았습니다.

2. 관계있는 것을 연결하십시오. (请将相关的内容用线连接起来。)

❶ 집들이가 끝나고 친구들이 돌아갔어요.　　•　　• 청소기를 돌리다

❷ 카펫에 먼지가 많아요.　　•　　• 빨래를 하다

❸ 친구가 여행가면서 강아지를 저에게　　•　　• 설거지를 하다
　부탁했어요.

❹ 축구를 하다가 넘어져서 옷이 더러워　　•　　• 화분에 물을 주다
　졌어요.

❺ 여행을 갔다 와서 보니까 화분이 말랐어요. •　　• 강아지를 돌보다

N 덕분에

3. 다음 [보기]에서 알맞은 것을 골라 문장을 완성하십시오. (请从示例中选出适当的内容完成句子。)

[보기]   세종대왕   경찰관   의사 선생님   한 · 일 월드컵   인터넷   한국 친구

❶ _____의사 선생님_____ 덕분에 어머니 병이 빨리 나으셨어요.

❷ _____ 덕분에 쉽고 아름다운 한글을 쓰게 됐어요.

❸ _____ 덕분에 한국생활이 외롭지 않습니다.

❹ _____ 잃어버린 아이를 찾았습니다.

❺ _____ 집에 앉아서 쇼핑을 할 수 있습니다.

❻ _____ 두 나라 사이가 더 가까워졌어요.

4. 다음 글을 읽고 '덕분에'를 사용해서 문장을 완성하십시오. (请阅读文章, 并使用 "덕분에" 完成句子。)

지금까지 살면서 참 많은 사람들의 도움을 받았습니다. 우선, 부모님께 감사드려요. 돈 걱정 없이 공부할 수 있게 도와 주셨으니까요. 교수님께도 감사드려요. 좋은 회사를 소개해 주서서 제가 일하고 싶었던 회사에 취직할 수 있었습니다. 지금 가장 생각나는 분은 사장님이에요. 제가 한국말을 배우면서 일할 수 있게 한국으로 보내 주신 분이에요.

한국에 와서도 참 좋은 사람들을 많이 만났습니다. 한국에 먼저 와 있던 회사 선배가 좋은 하숙집을 찾아 주었고, 하숙집 아주머니가 음식을 잘 만드시기 때문에 여러 가지 한국음식을 먹어 볼 수 있었습니다. 가장 잊을 수 없는 분은 어학당 선생님이에요. 한국말을 잘 가르쳐 주서서 제가 이렇게 한국말로 감사의 글을 쓸 수 있게 되었으니까요.

❶ _____**부모님 덕분에**_____ 돈 걱정 없이 공부할 수 있었습니다.

❷ _____ 일하고 싶었던 회사에 취직했습니다.

❸ _____ 한국에 올 수 있었습니다.

❹ _____.

❺ _____.

❻ _____.

AVst 으면서/면서

5. 관계있는 것을 연결하고 문장을 만드십시오. (请将相关的内容用线连接起来, 并造句。)

❶ 텔레비전을 봤어요.　　•　　• 단어를 외워요.

❷ 웃어요.　　　　　　　•　　• 아르바이트도 해요.

❸ 지하철을 타고 와요.　•　　• 저녁을 먹었어요.

❹ 어릴 때 사진을 봤어요. •　　• 인사하세요.

❺ 학교에 다녀요.　　　　•　　• 노래를 불러요.

❻ 피아노를 쳐요.　　　　•　　• 초등학교 때 친구 생각을 했어요.

❶ ____**텔레비전을 보면서**____ 으면서/면서 ____**저녁을 먹었어요**____.

❷ _____ 으면서/면서 _____.

❸ _____ 으면서/면서 _____.

❹ _____.

❺ _____.

❻ _____.

6. 관계있는 것을 골라서 같이 하면 좋은 일, 같이 하면 안 되는 일을 써 보십시오. (请选择相关的内容，写下可以一起做的事情和不能一起做的事情。)

[같이 하면 좋은 일]	
테이프를 듣다	음악을 듣다
영화를 보다	따라하다
운전하다	팝콘을 먹다

[같이 하면 안 되는 일]	
수업을 듣다	담배를 피우다
시험을 보다	껌을 씹다
길을 걷다	옆 사람과 이야기하다

[같이 하면 좋은 일]

❶ ＿＿＿영화를 보면서＿＿＿ 으면서/면서 ＿＿＿팝콘을 먹으면＿＿＿ 으면/면 좋아요.

❷ ＿＿＿＿＿＿＿＿＿＿＿＿＿＿＿＿＿＿＿＿＿＿＿＿＿＿＿＿＿＿.

❸ ＿＿＿＿＿＿＿＿＿＿＿＿＿＿＿＿＿＿＿＿＿＿＿＿＿＿＿＿＿＿.

[같이 하면 안 되는 일]

❹ ＿＿＿＿＿＿＿＿＿＿＿＿ 으면서/면서 ＿＿＿＿＿＿＿＿＿＿＿＿ 으면/면 안 돼요.

❺ ＿＿＿＿＿＿＿＿＿＿＿＿＿＿＿＿＿＿＿＿＿＿＿＿＿＿＿＿＿＿.

❻ ＿＿＿＿＿＿＿＿＿＿＿＿＿＿＿＿＿＿＿＿＿＿＿＿＿＿＿＿＿＿.

어휘

1. 다음 [보기]에서 알맞은 단어를 골라 (   ) 안에 쓰십시오. (请从示例中选出适当的
单词填空。)

[보기]	얼룩	정장	스카프	빠지다	빼다

❶ 친구 결혼식이 있어서 (**정장**   )을/를 한 벌 사야겠어요.

❷ 스트레스 때문인지 요즘 머리카락이 많이 (   )어요/아요/여요.

❸ 포도를 먹다가 생긴 (   )은/는 깨끗하게 지우기가 힘들어요.

❹ 자주 입던 옷인데 (   )을/를 하니까 분위기가 아주 달라졌어요.

❺ 굶지 말고 운동으로 살을 (   )는, 은/ㄴ 게 좋아요.

2. 다음 [보기]에서 알맞은 단어를 골라 (   ) 안에 쓰십시오. (请从示例中选出适当的
单词填空。)

[보기]	말리다	짜다	널다	다림질하다	세탁하다

❶ (   )   ❷ (   )   ❸ (**널다**   )

❹ (   )   ❺ (   )

AVst 어지다/아지다/여지다[2]

3. 다음 문장을 바꾸십시오. (请改写下列句子。)

❶ 전화를 끊었어요.

→ _____전화_____ 이/가 _____끊어졌어요_____ ~~어졌어요/아졌어요/여졌어요~~.

❷ 컵을 깼어요.

→ _____ 이/가 _____ 어졌어요/아졌어요/여졌어요.

❸ 불을 껐어요.

→ _____ 이/가 _____ 어졌어요/아졌어요/여졌어요.

❹ 살을 뺏어요.

→ _____.

❺ 감자를 삶았어요.

→ _____.

❻ 글씨를 지웠어요.

→ _____.

4. 둘 중에서 맞는 것을 골라 ○표 하십시오. (请选出正确的一项，用○标出。)

스티브 씨는 한국에 온 지 두 달 됐는데, 한국말 공부가 너무 힘들어서 살이 3kg ❶(뺐습니다, 빠졌습니다). 오늘도 도서관에 가서 숙제를 하려고 공책을 ❷(폈습니다, 펴졌습니다).

그런데 숙제를 하다가 글씨를 잘못 ❸(써서, 써져서) 새로 산 지우개로 ❹(지웠는데, 지워졌는데) 잘 ❺(지우지, 지워지지) 않아서 좀 짜증이 났습니다. 그래서 커피 한 잔을 뽑아 가지고 자리로 돌아왔습니다. 그런데 숙제를 하다가 커피 잔을 떨어뜨려서 커피가 모두 ❻(쏟았습니다, 쏟아졌습니다). 기분이 나빠진 스티브 씨는 바닥을 닦은 후에 도서관에서 나왔습니다. 다른 건물의 불들은 모두 ❼(껐고, 꺼졌고) 비도 오고 있었습니다. 가방에서 우산을 꺼냈는데 우산이 ❽(찢은, 찢어진) 데다가 잘 ❾(펴지, 펴지지) 않았습니다. 스티브 씨는 할 수 없이 하숙집까지 뛰어 갔습니다. 참 힘든 하루였습니다.

Vst 을/ㄹ 테니까

5. 관계있는 것을 연결시키고 문장을 만드십시오. (请将相关的内容用线连接起来, 并造句。)

❶ 값을 깎아 드리겠습니다.   •   • 먼저 드세요.

❷ 제가 한잔 사겠습니다.   •   • 불고기를 만드는 게 어때요?

❸ 수업이 끝나는 대로 가겠습니다. •   • 다음에 또 오세요.

❹ 그분은 매운 음식을 잘 못 드시 •

  겠습니다.   • 퇴근 후에 만납시다.

❺ 배가 고프시겠습니다.   •   • 다른 길로 갑시다.

❻ 그 길은 복잡하겠습니다.   •   • 잠깐만 기다려 주십시오.

❶   **값을 깎아 드릴**   을/ㄹ 테니까   **다음에 또 오세요**   .

❷   을/ㄹ 테니까   .

❸   을/ㄹ 테니까   .

❹   .

❺   .

❻   .

6. 할 일을 나누고 다음과 같이 대화를 만드십시오. (请对要做的事情进行分工，并参照示例完成对话。)

[영화 보기]

표 예매하기	팝콘하고 콜라 사기

민수　　: ❶ 제가 표를 예매할 을/ㄹ 테니까 <u>아야코 씨는 팝콘하고 콜라를 사세요</u>　.

아야코 : ❷ 아니에요. 민수 씨는 바쁠 을/ㄹ 테니까 <u>제가 예매를 하겠습니다</u>　.

[소풍 가기]

김밥 만들기	음료수 사오기

로라　　: ❶ 제가 ＿＿＿＿＿＿ 을/ㄹ 테니까 ＿＿＿＿＿＿＿＿.

지선　　: ❷ 아니에요. ＿＿＿＿ 을/ㄹ 테니까 ＿＿＿＿＿＿＿＿.

[동창회 준비하기]

장소 알아보기	친구들에게 연락하기

스티브 : ❶ 제가 ＿＿＿＿＿＿ 을/ㄹ 테니까 ＿＿＿＿＿＿＿＿.

피터　　: ❷ 아니에요. ＿＿＿＿ 을/ㄹ 테니까 ＿＿＿＿＿＿＿＿.

[청소하기]

쓰레기 버리기	청소기 돌리기

은영　　: ❶ 내가 ＿＿＿＿＿＿ 을/ㄹ 테니까 ＿＿＿＿＿＿＿＿.

따냐　　: ❷ 아니야. ＿＿＿＿ 을/ㄹ 테니까 ＿＿＿＿＿＿＿＿.

어휘와 문법

1. 다음 [보기]에서 알맞은 단어를 골라 (   ) 안에 쓰십시오. (请从示例中选出适当的
单词填空。)

[보기]	전세	보증금	시설	재활용	얼룩
	걸레	상자	참다	깔끔하다	엄살 부리다

❶ 요즘은 청소기에 (걸레)이/가 붙어 있어서 참 편해요.

❷ 이 (   )은/는 버리지 마세요. 여기에 CD를 정리하면 좋겠어요.

❸ 너무 (   )는, 은/ㄴ 친구와 사는 것도 좀 피곤한 일입니다.

❹ (   )이/가 적으면 월세가 그 만큼 비싸집니다.

❺ 쓰던 물건을 버리지 말고 (   )센터에 갖다 주면 좋아요.

❻ 돈을 모아서 집을 살 때까지는 우선 (   )으로/로 살아야 해요.

❼ 별로 아프지 않은 주사예요. (   )지 마세요.

❽ 지하철 안에서 큰 소리로 전화하는 사람들을 보면 화가 나서 (   )
을/ㄹ 수가 없어요.

❾ (   )이/가 생겼을 때는 바로 빼야 더 잘 지워집니다.

❿ 새로 지은 원룸이어서 여러 가지 (   )이/가 잘 되어 있습니다.

2. 다음 설명에 맞는 단어를 찾아 ○표 하고 쓰십시오. (请找出与说明相符的单词，用○标出。)

정	빨	설	거	지	청	계	동
리	장	돌	부	래	소	개	비
하	리	옷	걸	이	기	약	산
다	아	말	옮	사	다	리	차
재	싸	리	림	비	화	분	터
돌	보	다	질	용	탁	표	드

❶ 옷을 걸 수 있게 만든 것 : ___**옷걸이**___

❷ 청소하는 기계 : _____

❸ 어린 아이나 힘없는 노인들을 도와줍니다. : _____

❹ 집을 소개받고 계약이 되면 소개하는 사람에게 주는 돈 : _____

❺ 높은 곳으로 짐을 옮길 때 사용하는 차 : _____

❻ 집을 옮길 때 드는 여러 가지 돈 : _____

❼ 방이나 책상의 물건들을 깨끗하게 자기 자리에 놓습니다. : _____

❽ 식사한 후에 그릇을 깨끗하게 씻습니다. : _____

❾ 세탁한 옷의 물이 없어지게 합니다. : _____

❿ 꽃이나 나무를 기를 수 있는 그릇 : _____

3. 다음 대화를 완성하십시오. (请完成下列对话。)

❶ 가 : 어제 수업이 끝난 후에 어디에 갔었어요?

　나 : 도서관에 갔었어요. ＿＿＿<u>그런데</u>＿＿＿ 빈자리가 없어서 못 앉았어요.

❷ 가 : 그 DVD를 또 봤어요? 벌써 몇 번째예요?

　나 : 그 영화는 ＿＿＿＿＿ 으면/면 ＿＿＿＿＿ 을/ㄹ 수록 ＿＿＿＿＿.

❸ 가 : 언제쯤 저도 ＿＿＿＿＿ 처럼 한국말을 잘 할 수 있을까요?

　나 : 걱정하지 마세요. 지금처럼 열심히 하면 돼요.

❹ 가 : 민수 씨가 회사를 그만두었다고 해요.

　나 : 그래요? ＿＿＿＿＿＿＿＿＿＿ 는, 은/ㄴ, 을/ㄹ 줄 알았어요.

❺ 가 : 이번 주말에 박물관에 갈까요?

　나 : ＿＿＿＿＿＿＿＿＿＿ 을/ㄹ 테니까 내일 수업이 끝나고 갑시다.

❻ 가 : 지선 씨는 어떤 시간이 가장 행복하세요?

　나 : 저는 ＿＿＿＿＿ 으면서/면서 ＿＿＿＿＿ 을/ㄹ 때가 제일 행복해요.

❼ 가 : 감사합니다. ＿＿＿＿＿＿ 덕분에 한국말을 잘 배웠어요.

　나 : 저도 여러분들 덕분에 수업이 너무 재미있었습니다.

❽ 가 : 어떻게 오셨습니까?

　나 : 이 접시 좀 바꿔주세요. 집에 와서 보니까 조금 ＿＿＿＿＿＿＿＿＿

　　　어졌어요/아졌어요/여졌어요.

❾ 가 : 언제쯤 올 거야?

　나 : ＿＿＿＿＿＿＿＿＿＿ 을/ㄹ 테니까 조금만 기다려 줘.

❿ 가 : 죄송합니다. 제가 많이 늦었죠?

　나 : 어머, 김 선생님! 저는 ＿＿＿＿＿＿＿＿ 는, 은/ㄴ, 을/ㄹ 줄 알았어요.

YONSEI KOREAN 2 WORKBOOK

4. 다음 글을 읽고 틀린 것을 찾아 고치십시오. (请读下列文章，找出错误的地方，并改正。)

1) (**❷** → 그런데)

한국에 오기 전에는 한국말 배우기가 ❶ 쉬운 줄 알았다. ❷ 그러니까 ❸ 배우면 배울수록 어려워진다. 나도 빨리 ❹ 선생님처럼 한국말을 잘 했으면 좋겠다.

2) (→)

❶ 공부하면서 아르바이트를 하니까 힘이 들어서 그런지 한국에 와서 ❷ 살이 많이 빼졌다. 어제는 내 걱정을 많이 하는 한국 친구가 ❸ 맛있는 걸 사 줄 테니까 만나자고 했다. ❹ 그 친구 덕분에 오랜만에 좋은 시간을 보냈다.

3) (→)

아야코 씨는 ❶ 천사처럼 착하고 예쁘다. 민수 씨는 그런 ❷ 아야코 씨를 보면서 항상 웃는다. 그래서 나는 민수 씨가 아야코 씨를 ❸ 좋아할 줄 알았다. ❹ 그런데 민수 씨는 여자친구가 있었고 다음 달에 결혼한다고 한다. 민수 씨는 왜 그랬을까?

4) (→)

내일은 한국 친구와 등산을 가기로 한 날이다. 그런데 친구가 ❶ 내일 비가 올 테니까 다음 주에 가자고 한다. ❷ 날씨 덕분에 약속이 취소되어서 ❸ 생각하면 할수록 기분이 안 좋다. 내일은 집에서 ❹ 쉬면서 책이나 읽어야겠다.

5. 다음을 듣고 질문에 답하십시오. (请听录音，回答问题。)

1) 이 광고에서 말한 부동산 소개소에 직접 가서 집을 구할 때 불편한 점이 **아닌 것은** 무엇입니까? (以下哪项**不是**直接去广告中提到的房地产中介公司买房时的不便之处？) (　　　　)

❶ 소개비가 비싸다.

❷ 시간이 걸린다.

❸ 주인을 만나기 힘들다.

❹ 다리가 아프다.

2) 마음에 드는 집을 구하려고 할 때 알아야 하는 것은 무엇입니까? 쓰십시오. (想要买到满意的房子，必须要了解的是什么？请写在下面的横线上。)

　찾는 동네 이름, ❶ ＿＿＿＿＿＿＿, ＿＿＿크기＿＿＿, ❷ ＿＿＿＿＿＿＿

3) 맞으면 ○표, 틀리면 ×표 하십시오. (正确的画○，错误的画×。)

❶ 계약을 한 사람에게는 이사비용을 싸게 해 준다. (　　　　)

❷ 이 광고는 이삿짐센터 광고이다. (　　　　)

❸ 이제는 직접 다니지 않아도 집을 구할 수 있다. (　　　　)

6. 다음 글을 읽고 질문에 대답하십시오. (请阅读文章, 回答问题。)

저는 서울로 유학을 오면서 처음으로 혼자 살게 되었습니다. 처음에는 혼자 사니까 마음이 편하고 집안일도 재미있었어요. 그런데 시간이 가면 갈수록 집 안일이 귀찮아지고 혼자 있으니까 심심할 때가 많았습니다. 그리고 돈도 생각 보다 많이 들더군요. 그래서 친구와 같이 살기로 했습니다.

우리는 이렇게 집안일을 나눴습니다. 빨래는 일주일에 두 번, 수요일과 토요 일에 하는데 내가 수요일, 그 친구가 토요일에 하기로 했습니다. 식사는 저녁만 집에서 먹는데 음식을 만든 사람이 설거지까지 하기로 했어요. 그래야 다른 사 람은 편하게 쉴 수 있고 자기 일을 할 시간이 생기니까요. 월요일, 수요일, 금요 일은 친구가, 화요일, 목요일, 일요일은 제가 해요. 왜 토요일은 없냐고요? 보통 토요일에는 약속이 있어서 밖에서 먹을 때가 많으니까요. 청소는 어떻게 할까 생각했는데 우리 둘 다 성격이 깔끔하니까 따로 정할 필요가 없을 것 같았어요. 화장실 청소만 일주일에 한 번 자기가 편한 시간에 돌아가면서 하기로 했습니 다. 처음에는 서로 불편한 게 있겠지만 점점 익숙해지겠지요.

1) 친구와 같이 살게 된 이유가 <u>아닌 것</u>은 무엇입니까? (以下哪项**不是**和朋友一起住的原 因?) (　　　　)

❶ 심심하다.　❷ 월세가 많이 올랐다.　❸ 집안일이 귀찮다.　❹ 돈이 많이 든다.

2) 두 사람은 어떻게 집안일을 나누었습니까? 요일을 써 보십시오. (两个人如何分工家务 事? 请将星期几写在表格中。)

	나	친구
빨래	❶	❷
요리	❸	❹
설거지	❺	❻

3) 맞으면 ○표, 틀리면 ×표 하십시오. (正确的画○, 错误的画×。)

❶ 나는 하숙을 하다가 친구와 같이 살게 되었다.　　　　　　　　(　　　)
❷ 화장실 청소는 주말에 같이 하기로 했다.　　　　　　　　　　(　　　)
❸ 우리는 모두 깨끗하고 잘 정리되어 있는 것을 좋아한다.　　　(　　　)

7. 나음 광고글 보고 [보기]의 같이 친구와 이야기해 보십시오. (请看下面的广告，参照示例与朋友进行对话。)

	원룸(8평)	하숙집	원룸(12평)
❶	보증금 1,000만 원 월세 45만 원	하숙비 월 40만 원 (아침, 저녁 식사 드림)	보증금 2,000만 원 월세 55만 원
❷	화장실, 샤워시설 있음	화장실, 샤워시설 같이 사용	화장실, 샤워시설 있음
❸	침대, 책상, 텔레비전	침대, 책상	침대, 책상, 텔레비전, 냉장고
❹	마을버스 정류장 걸어서 5분	연세대학교 동문 옆	지하철역 걸어서 10분
❺	인터넷 사용할 수 있음	인터넷 사용 월 2만 원	인터넷 사용할 수 있음

[보기]

아야코 : 안녕하세요? 광고를 보고 집을 보러 왔어요.

주인 : 어서 오세요. 천천히 구경하세요.

아야코 : ❷ 화장실은 저 혼자 사용할 수 있나요?

주인 : 그럼요. 샤워도 아무 때나 할 수 있어요.

아야코 : ❸ 가구나 전자제품은 어떤 게 있어요?

주인 : 침대, 책상, 텔레비전이 있어요.

아야코 : ❹ 교통은 어때요? 저는 연세대학교 학생인데요.

주인 : 5분쯤 걸어가면 마을버스 정류장이 있으니까 거기에서 버스를 타면
　　　　되요.

아야코 : ❶ 월세는 한 달에 얼마예요?

주인 : 보증금 1,000만 원에 월세 45만 원입니다.

아야코 : ❺ 인터넷을 사용하면 돈을 따로 내야 하나요?

주인 : 아니에요. 얼마든지 써도 돼요.

아야코 : 마음에 들어요. 언제 들어올 수 있어요?

주인 : 빠르면 빠를수록 좋아요. 그럼 계약을 할까요?

8. 배운 문법을 사용하여 친구에게 질문하고 대답하십시오. (请使用学到的语法和朋友进行
问答。)

질문	대답
1) 한국에 와서 집을 빨리 구하셨어요? (–덕분에)	
2) 저는 지금 사는 하숙집이 교통이 불편해서 이사하고 싶어요. (–을 테니까)	
3) 왜 집마다 집세가 달라요? (–으면 –을수록)	
4) ＿＿＿＿＿＿ 씨는 어떤 집에서 살고 싶어요? (–처럼)	
5) 그런 집에 살게 되면 꼭 구경시켜 주세요. (–을 테니까)	
6) 그런데 ＿＿＿＿＿＿ 씨는 집안일을 잘 해요? 시간이 지나면 지날수록 하기 싫은 집안일이 뭐예요?	
7) 맞아요. 생각보다 힘들지요? (–는 줄 알다)	
8) 그 일을 재미있게 할 수 있는 방법이 없을까요? (–으면서)	

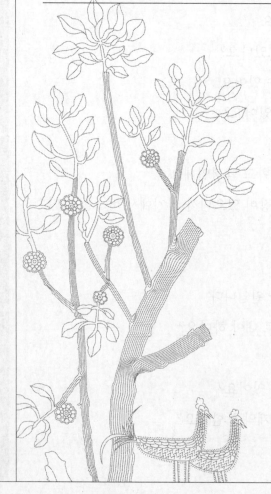

Ⅰ. 다음 [보기]에서 알맞은 난어를 끝나 (   ) 인에 쓰시시오. (请从示例中选出适当
的单词填空。)

[보기]	선약	성함	전망	이틀	장면	볼거리	웬일
	처럼	만큼	의	덕분에	벌써	깜빡	점점	푹

1. 한국에 온 지 (   ) 6개월이 지났습니다.

2. (   )이/가 있어서 이번 모임에 참석할 수 없을 것 같아요.

3. 사진기를 가지고 와야 하는 걸 (   ) 잊어버렸어요.

4. 민수 씨, 오랜만이에요. (   )이에요/예요?

5. 어머니께서 선물을 받으시고 아이(   ) 좋아하셨어요.

6. 여기에 (   )과/와 전화번호를 쓰시고 잠깐만 앉아서 기다리십시오.

7. 빨리 나으려면 잠을 (   ) 주무셔야 합니다.

8. 그 영화에서 가장 기억에 남는 (   )이/가 뭐예요?

9. 호주(   ) 수도는 시드니가 아닙니다.

10. 동아리 선배님 (   ) 학교생활에 빨리 익숙해졌어요.

11. 시험이 (   )밖에 안 남았으니까 열심히 공부해라.

12. 부모님(   ) 아이를 사랑하는 사람은 이 세상에 없을 거예요.

13. 이번 생일에 친구와 같이 (   )이/가 좋은 레스토랑에서 식사를
   했어요.

14. 4월이 되니까 날씨가 (   ) 따뜻해집니다.

15. 시장에 가면 (   )이/가 많아서 백화점보다 시장에 자주 갑니다.

Ⅱ. 알맞은 단어를 고르십시오. (请选出正确的单词。)

1. 일이 많이 _____ 어서/아서/여서 오늘 일찍 퇴근할 수 없을 것 같아요.
   ❶ 막히다   ❷ 밀리다   ❸ 미루다   ❹ 말리다

2. 급한 일이 생겨서 약속을 _____ 어야겠어요/아야겠어요/여야겠어요.
   ❶ 연장하다   ❷ 취소하다   ❸ 참다   ❹ 전하다

3. 블라우스에 얼룩이 생겨서 세탁소에 _____ 었어요/았어요/였어요.
   ❶ 맡기다   ❷ 처리하다   ❸ 계약하다   ❹ 빼다

4. 다음 학기가 언제 시작하는지 사무실에 가서 _____ 으세요/세요.
   ❶ 들르다   ❷ 신청하다   ❸ 돌보다   ❹ 알아보다

5. 학교가 너무 멀어서 하숙집을 _____ 으려고/려고 합니다.
   ❶ 싸다   ❷ 옮기다   ❸ 묵다   ❹ 구입하다

Ⅲ. 어울리지 **않는** 말을 고르십시오. (请选出**不搭配**的语句。)

1. 찾다   (   )   ❶ 자료를 찾다   ❷ 돈을 찾다
                          ❸ 약속을 찾다   ❹ 하숙집을 찾다

2. 예약하다 (   )   ❶ 식당을 예약하다   ❷ 영화표를 예약하다
                          ❸ 호텔을 예약하다   ❹ 결혼식장을 예약하다

3. 심하다   (   )   ❶ 날씨가 심하다   ❷ 감기가 심하다
                          ❸ 얼룩이 심하다   ❹ 변비가 심하다

4. 떨어지다 (   )   ❶ 환율이 떨어지다   ❷ 열이 떨어지다
                          ❸ 잎이 떨어지다   ❹ 환전이 떨어지다

5. 뽑다   (   )   ❶ 번호표를 뽑다   ❷ 모자를 뽑다
                          ❸ 이를 뽑다   ❹ 커피를 뽑다

Ⅳ. 관계있는 단어를 연결하십시오. (请将相关的单词用线连接起来。)

1. 사다리차, 소개비, 포장 •　　　　　　　• 여행

2. 배낭, 신혼, 수학 •　　　　　　　• 유대 신화

3. 입국, 출국, 여권 •　　　　　　　• 이사

4. 우물정자, 진동, 요금 •　　　　　　　• 병원

5. 수술, 입원, 보험 •　　　　　　　• 공항

Ⅴ. [보기]의 문형을 <u>한 번만</u> 사용하여 두 문장을 연결하십시오. (请使用示例中的句型 (只能使用一次) 将两句话连接起来。)

[보기]	−거나	−어서/아서/여서 그런지	−으면/면 −을수록/ㄹ수록
	−는 동안	−는, 은/ㄴ 데다가	−으면서/면서
	−지 말고	−습니다만/ㅂ니다만	−을/ㄹ 테니까 −는 대로

1. 연습을 많이 합니다. / 발음이 좋아집니다.

2. 샤워를 합니다. / 노래를 부릅니다.

3. 친구가 설거지를 해요. / 저는 과일과 차를 준비해요.

4. 올 때까지 기다려요. / 천천히 오세요.

5. 여러 번 메일을 보냈습니다. / 답장이 오지 않습니다.

6. 밥이 없으면 라면을 끓여 먹습니다. / 자장면을 시켜 먹습니다.

7. 지선 씨가 몸이 안 좋아요. / 하루 종일 말을 안 해요.

8. 메시지를 확인해요. / 저한테 전화해 주세요.

9. 늦게까지 공부합니다. / 일찍 자라.

10. 눈이 나빠요. / 뒷자리어서 질 안 보여요.

Ⅵ. 두 문장 중에서 맞는 것에 ○표 하십시오. (请在正确的句子后面画○。)

1. 한국말을 잘 해졌습니다.　　　　　　　　　(　　)

　　한국말을 잘 하게 되었습니다.　　　　　　(　　)

2. 추운데 창문이 열려 있어서 닫았어요.　　　(　　)

　　추운데 창문이 열고 있어서 닫았어요.　　　(　　)

3. 돈을 벌기 때문에 아르바이트를 합니다.　　(　　)

　　돈을 벌기 위해서 아르바이트를 합니다.　　(　　)

4. 어제 가던 그 식당에 가자.　　　　　　　　(　　)

　　어제 갔던 그 식당에 가자.　　　　　　　　(　　)

5. 3년 만에 고향에 갔습니다.　　　　　　　　(　　)

　　3년 동안 고향에 갔습니다.　　　　　　　　(　　)

Ⅶ. 밑줄 친 곳을 고치십시오. (请改正画线部分。)

1. 하루에 5시간밖에 <u>자는데요</u>.

2. 중요한 회의입니다. <u>그래서</u> 늦게 오지 마세요.

3. 세일이어서 그런지 백화점에 사람이 <u>많았더군요</u>.

4. 눈이 많이 <u>왔는</u> 데다가 교통사고도 나서 길이 많이 막혀요.

5. 그 약을 바르니까 빨리 <u>낫았어요</u>.

6. 아이가 계속 울어요. 어디 아프나 봐요.

7. 과일값이 얼마나 많이 오른지 몰라요.

8. 하숙집 음식이 입에 맞지 않아서 살이 빠졌어요.

9. 앉고 싶은 자리에다가 앉아도 괜찮아요.

10. 말을 많이 하지 않고 물을 많이 드세요.

Ⅷ. 다음 문장을 간접인용문으로 바꾸십시오. (请将下列句子改写为间接引用句。)

1. 여기가 2급 교실입니다.　　　　➜ _____

2. 내일부터 연휴입니다.　　　　　➜ _____

3. 이건 한국음식이 아닙니다.　　➜ _____

4. 지하철을 타는 게 더 빠릅니다.　➜ _____

5. 이 식당은 비빔냉면이 맛있습니다. ➜ _____

6. 로라씨는 채소를 많이 먹습니다. ➜ _____

7. 작년에도 날씨가 아주 더웠습니다. ➜ _____

8. 민수 씨가 청소를 도와주겠습니다. ➜ _____

9. 가방을 여기 놓으십시오.　　　➜ _____

10. 약속 시간에 늦지 마십시오.　➜ _____

11. 동전 좀 빌려 주십시오.　　　➜ _____

12. 아이에게 책을 읽어 주십시오.　➜ _____

13. 요즘 어떻게 지내세요?　　　➜ _____

14. 어제 왜 모임에 안 왔어요?　➜ _____

15. 늦었으니까 택시를 타고 갑시다. ➜ _____

IX. 다음 대화를 완성하십시오. (请完成下列对话。)

1. 가 : 민수 씨는 저하고 같은 반 친구예요.

   나 : 그래요? _____ 는, 은/ㄴ, 을/ㄹ 줄 알았어요.

2. 가 : 고향에 가서 어머니가 만들어 주신 음식을 많이 먹었어요?

   나 : 그럼요. 얼마나 _____ 는지, 은지/ㄴ지 몰라요.

3. 가 : 내일 시험 때문에 걱정이 돼서 잠이 안 와.

   나 : _____ 을/ㄹ 테니까 _____.

4. 가 : 선생님이 지난 시간에 무슨 말씀을 하셨어요?

   나 : _____ 에 대해서 _____.

5. 가 : 이번 모임에 사람들이 많이 올까요?

   나 : 글쎄요. _____ 을지/ㄹ지 모르겠습니다.

6. 가 : 남대문 시장 물건이 어때요?

   나 : _____ 에 비해서 _____.

7. 가 : 언제까지 필요한 서류를 내야 하나요?

   나 : _____ 지 않으면 안 됩니다.

8. 가 : 왜 이렇게 밖이 시끄럽지요?

   나 : _____ 나, 은가/ㄴ가 봐요.

9. 가 : 이번 주말에 어디에서 만날까요?

   나 : _____ 던 _____.

10. 가 : 언제 만나서 파티계획을 세울까?

    나 : 아무 _____ 이나/나 _____.

11. 가 : 학생들이 복도에 모여서 뭐 하고 있었어요?

　　나 ; ＿＿＿＿＿＿＿＿＿＿＿＿＿＿＿＿＿＿＿＿ 더군요.

12. 가 : 신촌이 하숙비가 좀 비싼 것 같아요.

　　나 : ＿＿＿＿＿＿＿ 어서/아서/여서 그런지 ＿＿＿＿＿＿＿＿.

13. 가 : ＿＿＿＿＿＿＿＿＿＿＿＿＿＿＿＿ 을래요/ㄹ래요?

　　나 : 네, 좋아요.

14. 가 : 시험이 얼마 안 남았어요.

　　나 : 그래요. ＿＿＿＿＿＿＿＿ 어야겠어요/아야겠어요/여야겠어요.

15. 가 : 왜 이렇게 사람들이 줄을 길게 서 있어요?

　　나 : ＿＿＿＿＿＿ 기 위해서 ＿＿＿＿＿＿＿＿＿＿＿.

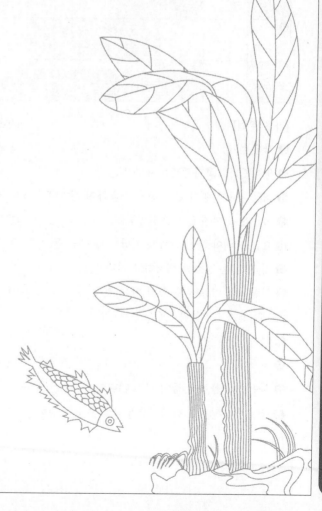

YONSEI KOREAN 2 WORKBOOK

십자말 풀이 2 (填字谜2)

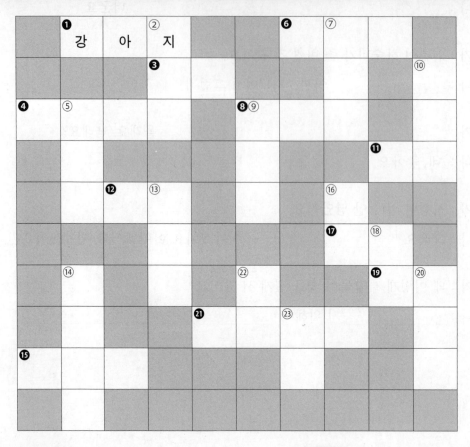

[가로 열쇠]

❶ 작은 개

❸ 열이 ○○, 화가 ○○, 사고가 ○○

❹ 식당이나 비행기 표를 먼저 약속하여 정하다

❻ 아픔을 느끼지 않게 도와주는 약

❽ 요금을 내야 하는 날짜가 지났을 때 내는 돈

⓫ 집, 방같은 장소를 깨끗하게 하다

⓬ 사람들이 이용할 수 있게 만든 것
에어컨 ○○, 샤워 ○○, 주차 ○○

⓯ 약속을 지키지 않다

⓱ 바닷가

⓳ 사람이나 물건이 들어 있지 않다

㉑ 건물 밖에서 들고 다니면서 통화할 수 있는 전화

[세로 열쇠]

② 시간이 흘러 가다
약속시간이 30분

⑤ 약을 파는 가게

⑦ 전화를 사용한 만큼 내는 돈

⑨ 전화번호, 주소, 이메일 등

⑩ 표를 파는 곳

⑬ 식사한 후에 그릇을 깨끗하게 씻다

⑭ 여권, 비자, 신용카드 등을 사용할 수 있는 날짜

⑯ 대한민국의 동쪽 바다

⑱ 화장실에 자주 가지 못하거나 시간이 많이 걸리는 증세

⑳ 다리미로 옷을 깔끔하게 펴는 일

㉒ 역사를 나누어 놓은 것. 신라 ○○, 조선 ○○

㉓ 멀리 있는 경치가 보이는 것

쉼터 5- 주제별 단어 찾기 (休息一下5 ——寻找不同主题的单词)

빈 칸에 들어갈 수 있는 단어를 모두 써 보니시오. (将能够填入空格处的单词全部写出来。)

	음식	동물	스포츠	과일	동작동사	상태동사	?
ㄱ	김밥						
ㄴ							
ㄷ							
ㄹ							
ㅁ							
ㅂ							
ㅅ/ㅆ				사과			
ㅇ							
ㅈ							
ㅊ/ㅉ							
ㅋ/ㄲ							
ㅌ/ㄸ							
ㅍ/ㅃ						빠르다	
ㅎ		하마					
합계							

YONSEI KOREAN 2 WORKBOOK

부록 - 듣기 지문
- 정답

듣기 지문

1과 5항

남자	고향이 어디예요?
여자	제주도예요. 제주도를 아세요?
남자	네, 알아요. 그런데 제주도가 어떤 곳이에요?
여자	서울보다 따뜻하지만 바람이 많이 부는 곳이에요.
	그리고 여러 가지 맛있는 과일이 많아요.
남자	사람들이 제주도로 여행을 많이 가요?
여자	네, 여름에는 바다에서 수영을 할 수 있고 또, 한라산으로 등산도 갈 수 있어요.
	봄과 가을에는 신혼여행도 많이 가요.
남자	그런데, 제주도가 멀어요?
여자	비행기로 한 시간 쯤 걸려요.
남자	배로도 갈 수 있어요?
여자	네, 갈 수 있지만 시간이 많이 걸려요. 그래서 저는 고향에 갈 때는 언제든지 비행기로 가요.

2과 5항

남자	이 식당은 뭐가 맛있어요?
여자	삼계탕이 유명한 집이에요. 먹어 본 적이 있어요?
남자	이름은 들어 봤지만 아직 못 먹어 봤어요.
여자	삼계탕은 한국 사람들이 여름에 많이 먹는데 건강에 아주 좋은 음식이에요. 오늘 한 번 드셔 보세요. 아저씨, 여기 삼계탕 둘이요!
남자	삼계탕은 집에서도 만들 수 있어요?
여자	그럼요. 생각보다 쉬워요. 닭에 인삼, 대추, 마늘, 찹쌀 등을 넣고 끓이기만 하면 돼요. 소금으로 간을 맞추고요.
	(여기 있습니다. 맛있게 드세요.)
남자	어떻게 먹는 거예요? 손으로 먹어도 돼요?
여자	네, 그런데 뜨거우니까 조심하세요. 여기 접시가 있으니까 좀 덜어서 드세요.

3과 5항

사랑의 발렌타인데이!
시간이 없어서 사랑하는 사람을 만날 수 없습니까?
그러면 저희가 사랑을 배달해 드리겠습니다.
사랑의 장미꽃 백송이.
발렌타인데이 특별 세트 10만 원!
초콜릿, 그리고 사랑의 편지도 함께 배달해 드립니다.
5천 원을 더 내시면 사랑의 노래도 불러 드립니다.
주문은 02-333-5252.
꽃사랑

4과 5항

남자   어제 어디 갔었어요? 뭐 좀 물어보려고 전화했는데….
여자   아, 그랬어요? 어제 반 친구들하고 선생님 댁에 갔어요.
남자   선생님 생신이었어요?
여자   아니요. 선생님이 새 아파트로 이사 가셔서 우리를 초대해 주셨어요.
남자   그랬군요. 재미있게 놀았어요?
여자   네, 그런데 제가 선생님 아이하고 이야기를 하는데 아이가 자꾸 저를 보고 웃었어요.
남자   무슨 이야기를 했는데요?
여자   처음에 "이름이 뭐예요?" 하고 물어봤어요. 그 다음에 아이 이름이 '지수'여서 "지수
      씨, 참 예쁘게 생겼군요." 라고 했어요.
남자   하하, 아이에게 존댓말을 쓰니까 아이가 이상해서 웃었군요.

5과 5항

   지하철로 오려면 2호선을 타세요. 아현역에서 내려서 3번 출구로 나오면 마을 버스 정류장
이 보이는데, 거기서 10번 버스를 타세요. 버스를 타고 오다가 세 번째 정류장에서 내리세요.
버스에서 내려서 왼쪽으로 가면 아파트 후문이 있습니다. 아파트 후문으로 들어오면 오른쪽
에 건물이 있습니다. 그 건물 7층 2호가 우리 집입니다.
   학교에서 오려면 170번 버스를 타세요. 버스를 타고 오다가 '행복아파트 앞'에서 내리세요.
버스에서 내리면 횡단보도가 있어요. 그 횡단보도를 건너서 쭉 오면 오른쪽에 아파트 문이 있
습니다.

6과 5항

여자   요즘 우체국에서는 여러 가지 다른 일도 많이 하는 것 같아요.

남자   네, 맞아요. 보험도 들 수 있고 전화요금 같은 것도 낼 수 있어요.
         은행하고 비슷한 일을 해요.

여자   그래서 더 복잡해지고 오래 기다려야 하는 것 같아요.

남자   그렇지만 택배 서비스도 하니까 편하지 않아요?

여자   택배가 뭐예요?

남자   우체국 직원이 집으로 소포를 가지러 와서 그 소포를 내가 보내고 싶은 곳으로 배달해
         주는 거예요.

여자   우체국에 가지 않아도 되니까 진짜 편하겠군요. 그런데 택배로 보내는 것이 우체국에
         가서 소포를 보내는 것보다 비싸요?

남자   아니요, 비슷해요.

7과 5항

여자   여보세요. 거기 연세여행사지요?

남자   네? 아닌데요. 몇 번에 거셨어요?

여자   324-6732번 아니에요?

남자   번호는 맞는데 여기는 여행사가 아니에요.

여자   죄송합니다.

여자   연세여행사가 몇 번이에요?

안내원   연세여행사 말씀이십니까? 네, 안내해 드리겠습니다. 문의하신 번호는 지역번호 02의
         323국의 6732번입니다. 지역번호 02의 삼백이십삼국의 육천칠백삼십이 번입니다.

남자   연세여행사입니다. 뭘 도와 드릴까요?

여자   제주도 여행을 가려고 하는데요. 다음 주 금요일 오전에 출발하는 비행기 표가 있을까요?

남자   금요일 오전 표는 예약이 끝났고 오후 1시 20분 비행기가 제일 빠른 표입니다.

여자   그래요? 할 수 없지요. 그럼 그 시간으로 2장 부탁합니다.

남자   돌아오실 표는요?

여자   일요일 저녁 비행기로 예약해 주세요.

남자   네, 알겠습니다.

8과 5항

간호사 저희 병원에 처음 오셨나요?

환자 네.

간호사 그럼, 보험카드 좀 보여 주세요.

환자 여기 있습니다.

간호사 잠깐만 앉아서 기다리시다가 성함을 부르면 진료실로 들어가세요.

의사 어디가 아프십니까?

환자 머리도 아프고 목도 아파요.

의사 어디 봅시다. 열이 많고 목도 많이 부었군요. 주사를 한 대 맞으시고 이틀 동안 약을 드세요. 그리고 따뜻한 물을 많이 드세요.

환자 네, 알겠습니다.

간호사 이쪽으로 오세요. 진료비는 3,000원입니다. 이 처방전을 가지고 옆 건물 1층에 있는 약국으로 가세요.

9과 5항

20년 만에 한국에 오니까 바뀐 것이 너무 많더군요. 우선 서울의 버스가 달라졌습니다. 색깔도 달라졌고 번호도 모두 바뀌었습니다. 신촌도 제가 살았던 20년 전과는 아주 다르더군요. 제가 살던 하숙집은 노래방과 PC방으로 바뀌었습니다. 연세대학교 정문 앞에 있던 기찻길도 없어졌습니다. 연세대학교도 바뀌었습니다. 도서관 근처에 좋은 농구장도 생겼고, 새로운 건물도 많아졌습니다. 세브란스 병원도 커졌습니다. 세브란스 병원에는 식당도 많이 생겨서 친구들과 점심을 먹으러 병원으로 가도 괜찮을 것 같습니다. 그리고 어학당도 바뀌었습니다. 옛날에는 요리 실습실이 없었는데 생겼습니다. 그리고 3층에 있던 남자 화장실이 없어졌습니다. 5년 쯤 후에 다시 오면 또 여러 가지가 달라져 있을 것 같습니다.

10과 5항

남자 마음에 드는 집 찾기가 쉽지 않으시죠?

여자 네, 여기저기 부동산 소개소를 찾아 다녀야 하니까 다리도 아프고, 시간도 걸리고, 소개비~ 와! 이렇게 비싼 줄 몰랐어요.

남자 이제 여러분의 컴퓨터 앞에서 마음에 드는 집을 골라 보세요. www.ihouse.com 마음에 드는 집이 없으시다고요? 그럼, 찾으시는 동네, 방 수, 크기, 원하는 가격만 올려 주세요. 빠른 시간 안에 찾아 드리겠습니다. 참, 계약을 하신 분들께 이삿짐센터 20% 할인 쿠폰을 드립니다. www.ihouse.com

정답

제 1 과 소개

1과 1항

1. ❷도움 ❸필요해요 ❹무역 ❺부탁하세요

2. ❶증권회사 • • 비행기 표를 팔고 비행기로 물건들을 보냅니다 .
   ❷무역회사 • • 매일 여러 나라의 뉴스를 소개합니다 .
   ❸ 신문사 • • 여러 회사의 증권을 사고 팝니다 .
   ❹ 여행사 • • 여행가고 싶은 사람에게 여러 가지 도움을 줍니다 .
   ❺ 항공사 • • 다른 나라와 물건을 사고 팝니다 .

3. ❷교통이 복잡하기 때문에 ❸늦게 일어나기 때문에 ❹주말이기 때문에 ❺맵지 않기 때문에 ❻열심히 공부했기 때문에 시험을 잘 봤습니다 .

4. ❷일이 많기 때문에 점심을 못 먹었어요 . ❸감기에 걸렸기 때문에 학교에 못 왔습니다 . ❹한국 친구가 많기 때문에 한국말을 잘 하는 것 같아요 . ❺시험을 잘 못 봤기 때문에 그런 것 같습니다 . ❻손님이 오시기 때문에 일찍 가요 .

5. ❷감기 ❸학생들 ❹비 때문에 ❺교통사고 때문에 ❻전화벨 소리 때문에

6. ❷누구든지 ❸어디든지 ❹뭐든지 ❺언제든지

7. ❷맵지 않으면 무슨 음식이든지 좋아요 . ❸시험이 끝나면 언제든지 갈 수 있어요 . ❹한국말을 쓸 수 있으면 어떤 회사든지 괜찮아요 . ❺조용하면 어디든지 좋아요 . ❻학생증이 있으면 누구든지 들어갈 수 있어요 .

다 . ❺한 · 일 월드컵이 열린 지 5 년 됐습니다 . ❻어학당에 다닌 지 5 개월 됐습니다 .

4. ❷가 : 고등학교를 졸업한 지 얼마나 됐어요 ? 나 : 생략 ❸가 : 부모님께 전화한 지 얼마나 됐어요 ? 나 : 생략 ❹가 : 휴대 전화를 산 지 얼마나 됐어요 ? 나 : 생략 ❺가 : 하숙집에 산 지 얼마나 됐어요 ? 나 : 생략 ❻가 : 극장에서 영화를 본 지 얼마나 됐어요 ? 나 : 생략

5. ❶ 저는 매운 음식을 잘 먹어요 . • • 거기는 날씨가 어때요 ?
   ❷여기는 조금 춥습니다 . • • 민수 씨도 같이 가시겠어요 ?
   ❸ 오늘은 시간이 없습니다 . • • 안나 씨도 잘 드세요 ?
   ❹ 저는 기숙사에 살아요 . • • 아야코 씨는 어디에 살아요 ?
   ❺ 친구하고 영화를 볼 거예요 . • • 은영 씨는 뭘 하셨어요 ?
   ❻ 저는 지난 주말에 등산을 했습니다 . • • 내일 오후에 만날까요 ?

   ❷여기는 조금 추운데 거기는 날씨가 어떻습니까 ? ❸오늘은 시간이 없는데 내일 오후에 만날까요 ? ❹저는 기숙사에 사는데 아야코 씨는 어디에 살아요 ? ❺친구하고 영화를 볼 건데 민수 씨도 같이 가시겠어요 ? ❻저는 지난 주말에 등산을 했는데 은영 씨는 뭘 하셨습니까 ?

6. ❷거기는 몇 시예요 ? ❸저는 학교생활이 아주 재미있는데 따냐 씨는 어때요 ? ❹저는 지금 책을 읽고 있었는데 따냐 씨는 뭘 하고 있었어요 ? ❺저는 다음 주부터 시험인데 안나 씨는 언제 시험이에요 ? ❻여행을 하려고 하는데 따냐 씨는 뭘 할 거예요 ?

1과 2항

1. ❷졸업하고 ❸시작할 ❹경영학 ❺전공

2. ❶별 , 하늘 , 과학자 ❷병원 , 환자 , 의사 ❸돈 , 시장 , 은행 ❹방송국 , 뉴스 , 기자 ❺박물관 , 경복궁 , 왕

3. ❷모차르트가 죽은 지 200 년 쯤 됐습니다 . ❸벨이 전화기를 만든 지 130 년 쯤 됐습니다 . ❹부모님께서 결혼하신 지 27 년 됐습

1과 3항

1. ❷사귈 ❸지냈습니까 ? ❹힘듭니다 ❺익숙해져서

2. ❷이모 ❸작은 아버지 ❹고모 ❺조카

3. ❷깨끗해졌어요 ❸좋아졌어요 ❹많아졌어요 ❺나빠졌어요 ❻더워졌어요 .

4. ❶한국말을 잘 하다 • • 조용하다
   ❷창문을 열다 • • 건강하다
   ❸문을 닫다 • • 한국생활이 재미있다
   ❹방학이 끝나다 • • 건강이 나쁘다
   ❺술을 많이 마시다 • • 도서관에 학생들이 많다
   ❻담배를 끊다 • • 시원하다

   ❷창문을 열면 시원해질 거예요 . ❸문을 닫으면 조용해질 거예요 . ❹방학이 끝나면 도서관에 학생들이 많아질 거예요 . ❺술을 많이 마시면 건강이 나빠질 거예요 . ❻담배를 끊으면 건강해질 거예요 .

5. ❷아침에 일찍 일어나려고 일찍 잡니다 . ❸책을 빌리려고 도서관에 갔어요 . ❹새 차를 사려고 돈을 모아요 . ❺음악을 들으려고 MP3 를 샀습니다 . ❻샌드위치를 만들려고 빵을 샀어요 .

6. ❷쇼핑을 하려고 돈을 찾았어요 . ❸해외 여행을 가려고 여권을 만들었어요 . ❹교과서를 넣으려고 큰 가방을 샀어요 . ❺친구들에게 보여 주려고 가지고 왔어요 . ❻모르는 문제를 물어 보려고 전화 했어요 .

| 1 과 4 항 |

1. ❷경치 ❸맑아요 ❹다녀와서 ❺시골
2. ❷도시 ❸섬 ❹유적지 ❺바닷가
3. ❷어려워합니다 ❸재미있어합니다 ❹힘들어합니다 ❺슬퍼합니다 ❻미안해합니다
4. ❷귀여워하는 ❸무서워해서 ❹미안해서 ❺좋아했습니다 ❻기뻤습니다
5. ❷중국말을 잘 하겠군요 . ❸시끄럽겠군요 . ❹태권도를 잘 하겠군요 . ❺돈을 많이 썼겠군요 . ❻맛있는 음식을 많이 먹었겠군요 .
6. ❷고향에 자주 못 가겠군요 . ❸아이스크림을 많이 먹겠군요 . ❹늦게 자겠군요 . ❺학교에 늦었겠군요 . ❻배가 고프겠군요 .

| 1 과 5 항 |

1. ❷익숙하 ❸졸업했어요 ❹시골 ❺부탁할 ❻경치 ❼전공 ❽도움 ❾다녀오세요 ❿지내요
2. 생략
3. ❷뭐든지 잘 먹어요 . ❸무슨 영화든지 괜찮

마 . ❹한국에 온 지 4 개월 되었습니다 . ❺영화가 시작된 지 얼마나 되었어요 ? ❻신구 생일 파티를 하려고 샀어요 . ❼단어와 문법이 어려워졌어요 . ❽재미있어했어요 . ❾한국은 3 월에 학교가 시작되는데 일본은 언제 시작돼요 ? ❿내일 등산을 가려고 하는데 같이 가시겠어요 ?

4. ❶ 가 : 왜 이렇게 길이 복잡해요 ?
   나 : 교통사고 때문에 길이 복잡해요 .
   　　　　　　　　　　　　　　　　(○)
   교통사고이기 때문에 길이 복잡해요 .
   　　　　　　　　　　　　　　　　( )

   ❷ 가 : 영수 씨는 영어를 잘 하는군요 .
   나 : 재미 교포이기 때문에 영어를 잘 해요 .
   　　　　　　　　　　　　　　　　(○)
   재미 교포 때문에 영어를 잘 해요 .
   　　　　　　　　　　　　　　　　( )

   ❸ 가 : 언제 만날까요 ?
   나 : 오늘은 바쁘기 때문에 내일 만납시다 .
   　　　　　　　　　　　　　　　　( )
   오늘은 바쁘니까 내일 만납시다 .
   　　　　　　　　　　　　　　　　(○)

   ❹ 가 : 왜 1 층 식당에 가요 ?
   나 : 김밥을 사기 때문에 식당에 가요 .
   　　　　　　　　　　　　　　　　( )
   김밥을 사려고 식당에 가요 . (○)

   ❺ 가 : 왜 돈을 모아요 ?
   나 : 여행을 가러 돈을 모아요 . ( )
   여행을 가려고 돈을 모아요 . (○)

5. 1) ❸ 2) ❶× ❷○ ❸×
6. 1) ❷ 2)(지하철도 없고 교통도 복잡하지 않은) 작은 도시 3) ❶○ ❷○ ❸×
7. 생략
8. 생략

정 답

제 2 과 한국음식

2과 1항

1. ②반찬 ③설렁탕 ④더세요 ⑤접시

2. 설렁탕 • • 찍다 • • 간장
   만두 • • 비비다 • • 소금
   미역국 • • 넣다 • • 후추
   국수 • • 말다 • • 밥
   크림수프 • • 뿌리다 • • 고추장

3. ②꺼야 합니다. ③담배를 끊어야 합니다.
   ④여권을 만들어야 합니다. ⑤학생증이 있
   어야 합니다. ⑥예매해야 합니다.

4. ②외국어를 잘 해야 합니다. ③노래를 잘 해
   야 합니다. ④유치원 선생님은 아이들을 좋
   아해야 합니다. ⑤모델은 키가 커야 합니
   다. ⑥택시 기사는 길을 잘 알아야 합니다.

5. ②스킨 스쿠버를 해 봤어요. ③바다낚시를
   해 보지 못했어요. ④흑돼지를 먹어 보지 못
   했어요. ⑤말을 타 보지 못했어요. ⑥녹차
   박물관에 가 봤어요.

6. ② 가 : 잡채를 먹어 봤어요?
      나 : 네, 잡채를 먹어 봤어요.
   ③ 가 : '사랑해'를 불러 봤어요?
      나 : 아니요, '사랑해'를 불러 보지 못했어
      요.
   ④ 가 : 김치찌개를 만들어 봤어요?
      나 : 아니요, 김치찌개를 만들어 보지 못
      했어요.
   ⑤ 가 : 한국 대통령을 만나 봤어요?
      나 : 아니요, 한국 대통령을 만나 보지 못
      했어요.
   ⑥ 가 : 골프를 쳐 봤어요?
      나 : 네, 골프를 쳐 봤어요.

2과 2항

1. ②채소 ③유명해요 ④고기 ⑤닭
2. 생략

3. ① 이 사과는 3개에 • • 재미있고 친절하
      천원입니다. 세요.
   ② 저 분은 우리 읽 • • 커피도 맛있고 값
      기 선생님이에요. 도 싸요.
   ③ 제 고향은 삿포로 • • 달고 맛있습니다.
      입니다.
   ④ 저는 그 카페에 • • 단어가 어렵지 않
      자주 가요. 아서 좋습니다.
   ⑤ 이 책은 생일선물 • • 눈이 많이 오고 라
      로 받았습니다. 면이 유명합니다.
   ⑥ 이 가방은 홍콩에 • • 색이 예뻐서 마음
      서 샀어요. 에 들어요.

   ②저 분은 우리 읽기 선생님인데 재미있고
   친절하세요. ③제 고향은 삿포로인데 눈이
   많이 오고 라면이 유명합니다. ④저는 그 카
   페에 자주 가는데 커피도 맛있고 값도 싸요.
   ⑤이 책은 생일 선물로 받았는데 단어가 어
   렵지 않아서 좋습니다. ⑥이 가방은 홍콩에
   서 샀는데 색이 예뻐서 마음에 들어요.

4. 생략

5. ②그림을 잘 그려서 상을 받은 적이 있습니
   다. ③중학교 때 같은 반 여학생을 혼자 좋
   아한 적이 있습니다. ④고등학교 때 친구들
   과 산으로 캠핑을 간 적이 있습니다. ⑤대학
   교 때 도서관에서 아르바이트를 한 적이 있습
   니다. ⑥한국에서 불고기를 만든 적이 있습
   니다.

6. ② 가 : 길을 잃어버린 적이 있습니까?
      나 : 아니요, 길을 잃어버린 적이 없습니
      다.
   ③ 가 : 영어를 가르친 적이 있습니까?
      나 : 네, 영어를 가르친 적이 있습니다.
   ④ 가 : 한국 친구 집에 간 적이 있습니까?
      나 : 아니요, 한국친구 집에 간 적이 없습
      니다.
   ⑤ 가 : 버스를 잘못 탄 적이 있습니까?
      나 : 네, 버스를 잘못 탄 적이 있습니다.
   ⑥ 생략

2과 3항

1. ②맞추는 ③끓여 ④썰면 ⑤우선
2. ②찌다 ③굽다 ④볶다 ⑤튀기다

3. ❷짜게 ❸행복하게 ❹늦게 ❺그게 Ⓤ메니비
게
4. ❷밝게 ❸예쁘게 ❹작게 ❺가볍게 ❻빨갛게
5. ❷신문부터 읽어요. ❸이름부터 써요. ❹이
메일부터 봅니다. ❺물부터 끓이세요. ❻돈
부터 모으세요.

6.

1층	지하	제일 위층

❷ 1층부터 구경합니다.

화장실	방	부엌

❸방부터 청소해요.

경복궁	명동	남대문시장

❹남대문시장부터 모시고 가겠습니다.

색깔	가격	디자인

❺디자인부터 봐요.

이름	나이	직업

❻이름부터 물어봐요.

2과 4항

1. ❷양손 ❸윗사람 ❹예절 ❺내려놓으세요
2. ❷접시 ❸반찬 ❹숟가락 ❺젓가락
3. ❷영어로 이야기해도 돼요? ❸창문을 열어
도 돼요? ❹이거 먹어도 돼요? ❺자리를 바
꿔도 돼요? ❻내일 가지고 와도 돼요?
4. ❷사진을 찍으면 안 돼요. ❸들어오면 안 돼
요. ❹쓰레기를 버리면 안 돼요. ❺손을 대
면 안 돼요. ❻기대면 안 돼요.
5. ❷신발을 신고 들어가면 안 돼요. ❸이 옷
입어 봐도 돼요? ❹미안하지만 먼저 가도 돼
요? ❺내일 내도 돼요? ❻사전을 봐도 돼요?
6. 생략

2과 5항

1. ❷맞췄어요 ❸그릇 ❹유명한 ❺채소 ❻간
❼반찬 ❽양손 ❾우선 ❿윗사람

2.

❷	소금	고기	간장	설탕
❸	반찬	그릇	접시	냄비
❹	비빔밥	잡채	김치찌개	탕수육
❺	덜다	튀기다	삶다	굽다

---

1. ❿마건리를 마셔 보지 못했어요. ❸한국 친
구와 이야기를 많이 해나 해요. Ⓤ메니비·비
서 샀는데 단어도 많고 찾기 편해요. ❺실수
한 적이 있어요. ❻만들어 본 적이 없어요.
❼친구들과 재미있게 놀았습니다. ❽친구들
부터 만나고 싶어요. ❾써도 돼요. ❿늦게
들어가면 안 돼요.
4. ❸ 교실에서 담배를 피워도 안 돼요. (×)
　　　　　　　　　　피우면
❹ 저는 기숙사에 살은 적이 없어요. (×)
　　　　　　　산
❺ 천천히 출발해도 괜찮아요. (○)
❻ 파를 그렇게 크게 썰으면 안 돼요. (×)
　　　　　　　　썰면
❼ 엔리 씨는 중국에서 온 데 영어를 아주 잘
해요. 　　　　　　　왔는데 (×)
❽ 오늘까지 이 일을 끝내야 돼요. (○)
5. 1) ❸ 2) ❷ 3) ❹
4) ❶ (×) ❷ (×) ❸ (○)
6. 1) ❸
2) (❹) (❷) (❺) (❶) (❸)
3) ❶ (×) ❷ (○) ❸ (×)
7. 생략　8. 생략

제 3 과 시장

3과 1항

1. ❷도와드리겠습니다 ❸행사 ❹정장 ❺고르
기가
2. ❶빵, 채소, 생선 ❷지갑, 화장품, 목걸이
❸치마, 바지정장, 블라우스 ❹양복, 와이
셔츠, 넥타이 ❺ 수영복, 등산화, 스키장갑
3. ❷소설책을 살까 합니다. ❸다음 학기에
는 쉴까 합니다. ❹컴퓨터를 한 대 살까 해
요. ❺내일 갈까 해요. ❻내년 3월에 결혼
할까 합니다.
4. ❷잘까 합니다 ❸한 벌 살까 합니다 ❹이탈
리아 음식을 먹을까 합니다 ❺마실까 합니다
❻수영도 할까 합니다

5. ❶영화가 재미있습니다. ❷그 식당 음식이 비쌉니다. ❸그 가수가 노래를 잘 못 부릅니다. ❹그 사람을 압니다. ❺피아노를 배웠습니다. ❻여행을 가서 구경을 잘 했습니다.

• 춤을 잘 춥니다.
• 너무 깁니다.
• 아주 맛있습니다.
• 돈을 많이 썼습니다.
• 친하지 않습니다.
• 잘 치지 못합니다.

❷그 식당 음식이 비싸기는 하지만 아주 맛있습니다. ❸그 가수가 노래를 잘 못 부르기는 하지만 춤을 잘 춥니다. ❹그 사람을 알기는 하지만 친하지 않습니다. ❺피아노를 배우기는 했지만 잘 치지 못합니다. ❻여행을 가서 구경을 잘 하기는 했지만 돈을 많이 썼습니다.

6. ❷일이 힘들기는 하지만 월급이 많아요. ❸듣기는 하지만 잘 이해하지 못 해요. ❹주차장이 있기는 하지만 좁아요. ❺예쁘기는 하지만 노래를 잘 못 불러요. ❻멋있기는 하지만 너무 비싸요.

3 과 2 항

1. ❷치수 ❸어울립니다 ❹갈아입어요 ❺하얘요

2.

3. ❷앉아 보세요 ❸입어 보세요 ❹읽어 보세요 ❺들어 보세요 ❻마셔 보세요

4. ❷물어 볼까요 ❸드셔 보세요 ❹써 보세요 ❺읽어 봐도 ❻들어 보시겠어요

5. ❷비가 오는데 등산을 하지 맙시다. ❸길이 막히는데 지하철을 탈까요? ❹날씨가 더운데 맥주를 마십시다. ❺책 값이 비싼데 도서관에서 빌리세요. ❻다리가 아픈데 택시를

탑시다.

6. ❷옷이 큰데 어떻게 하지요? ❸된장찌개가 짠데 어떻게 하지요? ❹식당에 사람이 많은데 어떻게 할까요? ❺비가 오는데 어떻게 하지요? ❻4 시 표가 없는데 어떻게 할까요?

3 과 3 항

1. ❷계산 ❸봉투 ❹배달해 ❺주문하면

2. ❶냉동식품 ❷유제품 ❸생활용품 ❹주방용품 ❺곡물

• 칫솔, 치약, 비누
• 만두, 피자, 아이스크림
• 쌀, 콩, 보리, 밀
• 우유, 치즈, 요구르트, 버터
• 냄비, 프라이팬

3. ❷금연석으로 주세요. ❸물냉면으로 주세요. ❹커피로 주세요. ❺11 시 표로 주세요. ❻연세호텔로 부탁합니다.

4. ❷1 시로 하겠습니다. ❸한식으로 하겠습니다. ❹맥주로 하겠습니다. ❺해바라기로 하겠습니다. ❻까만색으로 하겠습니다.

5. ❷비가 와도 축구를 할 거예요. ❸큰 서점에 가도 없을 거예요. ❹설명을 들어도 모르겠습니다. ❺지도가 있어도 찾기 어려울 것 같아요. ❻많이 마셔도 안 취해요.

6. ❷비싸도 살 거예요. ❸맛이 없어도 값은 싸요. ❹공부를 열심해 안 해도 시험을 잘 봐요. ❺약을 먹어도 좋아지지 않아요. ❻일찍 자도 늦게 일어나요.

3 과 4 항

1. ❷짜리 ❸마음에 들었지만 ❹광고 ❺바구니

2. ❷향수 ❸넥타이 ❹현금 ❺반지

3. ❶가까이 가 봤습니다. ❷먹어 봤습니다. ❸집에 갔어요. ❹10 분 쯤 걸어갔어요. ❺가방을 들어 봤습니다. ❻30 분쯤 기다렸어요.

• 맛있었습니다.
• 아무도 없었어요.
• 빌딩이 컸습니다.
• 아주 가벼웠습니다.
• 주문한 피자가 왔어요.
• 학교가 보였어요.

❷먹어 보니까 맛있었습니다. ❸집에 가니까 아무도 없었어요. ❹10 분 쯤 걸어가니까 학교가 보였어요. ❺가방을 들어 보니까 아주 가벼웠습니다. ❻30 분쯤 기다리니까 주

문한 피자가 왔어요.

4. ❷우산을 줬어요. ❸은영 씨가 울었어요.
   ❹아주 예뻤어요. ❺받지 않았어요. ❻11
   시 반이었어요.

5. ❷하와이에 갔으면 좋겠어요. ❸고향 친구
   를 봤으면 좋겠어요. ❹마음이 넓은 사람을
   사귀었으면 좋겠어요. ❺노래를 잘 불렀으
   면 좋겠어요. ❻전쟁이 없었으면 좋겠어요.

6. ❷시험이 없었으면 좋겠어요. ❸월급을 많
   이 받았으면 좋겠어요. ❹아이들이 말을 잘
   들었으면 좋겠어요. ❺학생들이 날마다 일
   찍 왔으면 좋겠어요. ❻생략

3과 5항

1. ❷행사 ❸정장 ❹봉투 ❺치수 ❻서명하면
   ❼어울릴 ❽골라서 ❾마음에 들어요 ❿주문
   하면

2.

		②가					⑤꽃	다	발
		전		③주			무		
		제		④물	방	울	무	늬	
❶식	료	품			용			⑩향	
		⑧반		품			❾손	수	건
	❼반	바	지						

3. ❷가깝기는 하지만 하숙비가 비싸요. ❸하
   얀색으로 하겠어요. ❹9월까지 있을까 합
   니다. ❺전화를 해 볼까요? ❻음식이 맛있
   는데 더 드세요. ❼머리가 아파도 시험을 볼
   거예요. ❽많이 먹어도 배가 부르지 않아요.
   ❾교실에 오니까 학생들이 세 명 있었어요.
   ❿여행을 했으면 좋겠어요.

4. ❷가방을 여니까 ┌ 지갑이 없었어요. (○)
                    └ 지갑을 찾았어요. (   )
   ❸전화를 거니까 ┌ 아이가 받았어요. (○)
                    └ 빨리 받으세요. (   )
   ❹피곤한데 ┌ 일찍 집에 갑니다. (   )
              └ 일찍 집에 갑시다. (○)
   ❺바람이 많이 ┌ 춥지 않아요. (○)
     불기는 하지만 └ 비가 와요. (   )

5. 1) ❸ 2) 꽃, 초콜릿, 편지 3) 노래를 불러
   준다.

∩ 1) 추서서묵세트 2) 과일세트 3) ❹ 4) ❶×
   ❷○ ❸○

7. 생략 8. 생략

제 4 과 초대

4과 1항

1. 2) ❸ 3) ❸ 4) ❷ 5) ❹

2. ❷부릅시다 ❸끌까요 ❹터뜨릴게요 ❺자르
   겠습니다

3. ❷고향에서 온 친구야? ❸우리 반 학생이
   아니야. ❹도서관에서 신문을 읽을 거야. ❺
   누구한테 말할 거야? ❻오후에는 비가 오지
   않을 거야. ❽내 동생은 키가 커. ❾은행에
   서 돈을 찾아. ❿오늘은 학교에 가지 않아.
   ⓫어디에서 공부해? ⓬한국에 온 지 얼마나
   됐어? ⓭같이 점심을 먹어. ⓮같이 등산을
   가.

4. ❷친구들과 축구를 해. ❸춥지 않아. ❹다
   섯 시야. ❺친구와 노래방에 갔어. ❻많지
   않아. ❼3시까지 올 거야. ❽많이 하지 않
   았어. ❾커피 한잔 해. ❿그 옷을 살 거야.

5. ❷김밥이나 먹겠습니다.
   □샌드위치   ☑김밥   □라면
   ❸ 단어복습이나 하겠습니다.
   ☑단어복습   □숙제   □발음연습
   ❹비디오나 보겠습니다.
   □TV   ☑비디오   □만화책
   ❺ 주스나 마시겠습니다.
   □커피   □콜라   ☑주스
   ❻ 노래방에나 가겠습니다.
   ☑노래방   □롯데월드   □북한산

6. ❷시험 공부나 할까 해요. ❸고향에나 갈까
   합니다. ❹자장면이나 먹읍시다. ❺책이나
   사 주세요. ❻밖에 나가서 농구나 합시다.

4과 2항

1. ❷동료 ❸따로 ❹결정하지 ❺적어

2. ❷현관 ❸욕실 ❹거실 ❺베란다

3. ❷숙제 좀 도와 줘. ❸담배를 피우지 마. ❹
   요즘 어떻게 지냈어? ❺지선아, 할머니께서

정답

는 어디에 사서 ? ⑥민수야 , 어머니께서 청소하시는 것 좀 도와 드려 . ⑦내가 전화 받을게 . ⑧순두부찌개가 맵구나 . ⑨잘 가 . ⑩잘 잤어 ? ⑪잘 있어 . ⑫많이 먹어 . ⑬급한 일이 생기면 언제든지 말해 .

4.

가 : ❶지선 씨 , 생일날 케이크에 촛불을 몇 개
　　지선아 ,

　　❷꽂으셨어요 ?
　　꽂았어 ?

나 : ❸제 나이를 물어 ❹보시는 거예요 ? ❺저 스
　　내　　　　　　　보는 거야 ?　　　나

　　물일곱 ❻살이에요 .
　　　　　살이야 .

가 : 그럼 촛불도 스물일곱 개 ❼꽂으세요 ?
　　　　　　　　　　　　　　　꽂아 ?

나 : ❽네 . 자기 나이하고 똑같이 ❾하는데요 .
　　응 .　　　　　　　　　　　하는데 .

가 : 나이는 스물일곱 살이지만 생일은 스물여섯
　　번째 ❿아니에요 ? 그럼 아기의 첫 번째 생일
　　　　　아니야 ?
　　아니야 ?

　　에도 초를 두개 ⑪꽂아요 ?
　　　　　　　　　꽂아 ?

나 : ⑫아니요 , 하나만 ⑬꽂아요 . 첫 번째 생일
　　아니 ,　　　　　꽂아 .　　　　　　　 .

　　에만 그렇게 ⑭해요 .
　　　　　　　해 .

가 : 첫 번째 생일에 하나를 꽂으면 스물여섯 번째
　　생일에도 스물여섯 개 꽂는게 ⑮맞지 않아요 ?
　　　　　　　　　　　　　　　맞지 않아 ?

나 : ⑯저도 잘 ⑰몰라요 . 촛불이 많으면 예쁘니
　　나　　　　몰라 .

　　까 많이 꽂는 것 ⑱같아요 .
　　　　　　　　　같아 .

5. ❷제주도에 갈지 설악산에 갈지 결정하지 못했어요 . ❸토요일에 만날지 일요일에 만날지 정합시다 . ❹기차로 갈지 버스로 갈지 이야기 할 거예요 . ❺3 급까지 공부할지 4 급까지 공부할지 생각중이야 . ❻코미디영화가 좋을지 액션영화가 좋을지 모르겠어요 .

6. ❷알람시계를 살지 커피잔을 살지 ❸자장면을 먹을지 짬뽕을 먹을지 ❹맥주를 마실지 소주를 마실지 ❺무역회사에 들어갈지 여

행사에 들어갈지 ❻영국으로 갈지 캐나다로 갈지

4과 3항

1. ❷서두르지 ❸후배 ❹별로 ❺청첩장

2.
피로연 ●　　　　　　　● 교환하다
예물　 ●　　　　　　　● 던지다
축가　 ●　　　　　　　● 내다
부케　 ●　　　　　　　● 하다
축의금 ●　　　　　　　● 부르다

❷예물을 교환합니다 . ❸부케를 던집니다 . ❹축가를 부릅니다 . ❺축의금을 냅니다 .

3. ❷우리 아버지는 의사다 . ❸나는 한국 사람이다 . ❹이것은 내 공책이 아니다 . ❻날마다 숙제가 많다 . ❼오늘은 시간이 없다 . ❽물건 값이 별로 비싸지 않다 . ❿매운 음식도 잘 먹는다 . ⑪옆 반 친구와 같은 하숙집에 산다 . ⑫그 사람을 사랑하지 않는다 . ⑭교통이 복잡하지 않았다 . ⑮부모님이 오셔서 좋겠다 . ⑯영어로 이야기하지 않겠다 . ⑱남자 친구 사진이니 ? ⑲여기가 현대백화점 아니니 ? ⑳그 식당 음식 맛이 어떠니 ? ㉑김치는 어떻게 만드니 ? ㉒아르바이트가 힘들지 않니 ? ㉓어제 누구를 만났니 ? ㉔무슨 노래를 부를 거니 ? ㉖앉아서 말해라 . ㉗추우니까 창문을 닫아라 . ㉘공부할 때 음악을 듣지 마라 .

4. ❷스티브 집에 갔다 . ❸좋아하고 운동도 좋아한다 . ❹주말에 시간이 있으면 학교에서 가끔 같이 테니스를 친다 . ❺늦게 집에 들어왔다 . ❻집에 일찍 와서 숙제도 하고 복습도 해야겠다 .

5. ❷배를 타고 가기로 했어요 . ❸민박을 하기로 했어요 . ❹3 박 4 일 동안 여행하기로 했어요 . ❺로라 씨도 갈 수 있는 지 물어보기로 했어요 . ❻시험 끝나고 만나서 계획을 더 세우기로 했어요 .

6. ❷항상 웃는 얼굴로 일하기로 했어요 . ❸역사소설을 쓰기로 했어요 . ❹좋은 대학교에 입학하기로 했어요 . ❺에베레스트 산에 올라가기로 했어요 . ❻한국말을 배우기로 했어요 .

1. ❷꽃다발 ❸뒤풀이 ❹음악회 ❺기대가 돼서
2. ❷동창회 ❸반상회 ❹환영회 ❺동호회
3. ❷심심한데 DVD 를 빌려 보자 . ❸점심은 간
단하게 먹자 . ❹날씨가 좋으니까 좀 걷자 .
❺배가 부르니까 더 시키지 말자 . ❻비가 올
것 같은데 나가지 말자 .
4. ❷나중에 만나자 . ❸전화해 보자 . ❹선생님
을 초대하자 . ❺그럼 , 같이 공부하자 . ❻그
럼 , 조금 이따가 가자 .
5. ❷김밥을 싸 가지고 놀러 가려고 해요 . ❸사
진을 찍어 가지고 친구들에게 보여 줄 거예
요 . ❹한국말을 배워 가지고 무슨 일을 하고
싶습니까 ? ❺은행에서 돈을 찾아 가지고 하
숙비를 냈어요 . ❻작은 옷을 골라 가지고 동
생에게 주었어요 .
6.

샌드위치	주먹밥	김밥

❷샌드위치를 만들어 가지고 갑시다 .

자장면	피자	치킨

❸피자를 시켜 가지고 먹읍시다 .

액션영화	코미디영화	공포영화

❹코미디영화를 빌려 가지고 봅시다 .

계란	치즈	떡

❺계란을 넣어 가지고 끓여요 .

전자사전	핸드폰	디카

❻돈을 모아 가지고 디카를 사고 싶어요 .

1. ❷별로 ❸서두르지 ❹동료 ❺청첩장 ❻결정
하지 ❼잊지 ❽꼭 ❾기대가 돼 ❿초대하고
2.

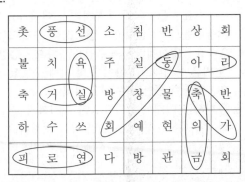

7. ❶ (×) ❸ (×) ❹ (○) ❺ (×) ❻ (○)
4. ❷노래방에나 가자 . ❸이번 학기까지 있을
지 다음 학기까지 있을지 아직 잘 모르겠어 .
❹아침 먹었어 ? ❺선생님께 물어 봐 . ❻다
음 주말에 하기로 했어 . ❼그만 시키자 . ❽
민수 교과서 같은데 . ❾도시락을 싸 가지고
구경 가자 . ❿언제 만날까 ?
5. 1) ___반말___ (을)/ 를 쓰지 않고 ___존댓말___ (을)/
를 썼기 때문입니다 .
2) ❶뭐야 ? ❷지수야 , 참 예쁘게 생겼구나 .
3) ❶ (×) ❷ (○) ❸ (×)
6. 1) ❸
2) ❶집들이 •   • 책
❷결혼식 •   • 금반지
❸생일 •   • 비누
❹돌 •   • 현금
3) ❶ (×) ❷ (○) ❸ (×)

제 5 과 교통

1. ❷갈아탔습니다 ❸번 ❹놀이공원 ❺호선
2. ❷KTX ❸모범택시 ❹시내버스 ❺무궁화호
3. ❷그 학생이 어느 나라 사람인지 알아요 ? ❸
오늘 이 근처에 왜 사람들이 많은지 아세요 ?
❹어느 시장이 물건 값이 싼지 압니다 . ❺경
복궁이 어디에 있는 지 아십니까 ? ❻이 글자
를 어떻게 읽는지 아십니까 ? ❼마이클 씨가
어디에 사는지 모르세요 ? ❽양견 씨가 어디
에서 한국말을 배웠는지 알아요 . ❾아이가
어제 무슨 음식을 먹었는지 모르세요 ? ❿언
제 그 식당이 다시 문을 열지 모르겠습니다 .
4. ❷수업이 몇 시에 끝나는지 알아요 ? ❸그 분
이름이 무엇인지 알아요 ? ❹양견 씨가 어제
무엇을 했는지 아세요 ? ❺연세대학교가 어
디에 있는지 아세요 ? ❻연세대학교 전화번
호가 몇 번인지 아세요 ?
5. ❷100 원 짜리 동전으로 바꿔 주세요 . ❸편
한 옷으로 갈아 입으세요 . ❹어떤 핸드폰으
로 바꿀 거예요 ? ❺어떤 신발로 갈아 신을까
요 ? ❻약속 장소를 이디로 바꿀까요 ?

정 답

6.

[보기 1]	[보기 2]
❶불고기는 소고기로 만들어요 .	지하철로 가는 게 빨라요 .
❷저는 학교에 버스로 와요 .	책상은 나무로 만듭니다 .
❸왼쪽으로 가면 화장실이 있어요 .	4 호선으로 갈아 타세요 .
❹한식은 수저로 먹습니다 .	앞쪽으로 나오세요 .
❺좀 큰 것으로 바꿔 주세요 .	냉면을 가위로 잘라 주세요 .

5 과 2 항

1. ❷한 ❸보통 ❹출퇴근 ❺정도

2.
❶여기는 버스를 타는 곳입니다 .	거스름돈
❷이것은 돈을 내고 남은 돈입니다 .	단말기
❸버스 요금을 낼 때 여기에 카드를 댑니다 .	정류장
❹여기에는 할아버지 , 할머니 , 아이들 , 그리고 몸이 불편한 사람들이 앉습니다 .	노선도
❺버스가 어디에 가는지 그린 지도입니다 .	노약자석

3. ❷해외 여행을 하려면 여권이 있어야 합니다 . ❸교과서를 사려면 1 층으로 가야 합니다 . ❹삼계탕을 만들려면 닭과 인삼을 사야 해요 . ❺학교에 늦지 않으려면 7 시에 일어나야 합니다 . ❻결혼식에 가려면 정장을 입어야 해요 .

4. ❷기차를 타려면 서울역에 가야 해요 . 기차를 타면 밖을 구경할 수 있어요 . ❸건강해지려면 운동을 해야 해요 . 건강해지면 다시 일을 시작할 거예요 . ❹이 일을 다 끝내려면 일주일 쯤 걸립니다 . 이 일을 다 끝내면 여행을 갑시다 . ❺물건을 싸게 사려면 시장에 가야 합니다 . 물건을 싸게 사면 기분이 좋아요 . ❻그 사람 전화 번호를 알려면 사무실에 가야 합니다 . 그 사람 전화 번호를 알면 가르쳐 주세요 .

5. ❷두 시간이나요 ? ❸네 명이나요 ? ❹민수 씨는 한 달에 전화 요금으로 50 만 원을 씁니다 . ❺지선 씨는 일주일에 책을 열 권 정도 읽어요 . ❻리에 씨 집에는 고양이가 다섯 마리 있어요 .

6. ❶두 시간이나 걸렸어요 . ❷3 인분이나 먹었어요 . ❸20 만 원이나 썼어요 . ❹소주를 네 병이나 마셨어요 . ❺하루에 두 갑이나 피워요 . ❻다섯 명이나 안 왔어요 .

5 과 3 항

1. ❷역무원 ❸승강장 ❹내야 ❺요금

2. ❷스크린도어 ❸안전선 ❹행 ❺승객

3.
❶지하식당에 갔습니다 .	껐습니다 .
❷가방을 샀습니다 .	입었습니다 .
❸옷을 벗었습니다 .	왔습니다 .
❹TV 를 켰습니다 .	벗었습니다 .
❺모자를 썼습니다 .	일어섰습니다 .
❻의자에 앉았습니다 .	바꾸었습니다 .

❷가방을 샀다가 바꾸었습니다 . ❸옷을 벗었다가 입었습니다 . ❹TV 를 켰다가 껐습니다 . ❺모자를 썼다가 벗었습니다 . ❻의자에 앉았다가 일어섰습니다 .

4. ❷전자사전을 샀다가 무거워서 바꿨어요 . ❸에어컨을 켰다가 좀 추워서 껐어요 . ❹옷을 입었다가 더워서 벗었어요 . ❺창문을 열었다가 바람이 많이 불어서 닫았어요 . ❻선글라스를 썼다가 잘 안 보여서 벗었어요 .

5. ❷이 분이 고향친구인가요 ? ❸오늘 날씨가 추운가요 ? ❹한국말 공부하기가 어떤가요 ? ❺물어볼 것이 없나요 ? ❻학교에 무엇으로 오나요 ? ❼삼계탕에는 무엇을 넣나요 ? ❽양견 씨를 아시나요 ? ❾어제 몇 시에 주무셨나요 ? ❿방학 동안 무슨 책을 읽었나요 ?

6. ❷회사는 어디에 있나요 ? ❸몇 시까지 출근해야 하나요 ? ❹하루에 몇 시간 일하나요 ? ❺월급은 얼마인가요 ? ❻점심 식사는 주나요 ?

5과 4항

1. ❶약도 ❸사거리 ❹쭉 ❺보여요

2.

❶ 주차금지 · — · 버스전용차로 · — · 횡단보도가 있습니다
❷ 전용 · — · 횡단보도 · — · 걸어서 건널 수 없습니다
❸ 일방통행 · — · 주차금지 · — · 이 길은 버스만 갈 수 있습니다
❹ 보행자 통행금지 · — · 차를 세우면 안됩니다
❺ 횡단금지 · — · 일방통행 · — · 한쪽 방향으로만 갈 수 있습니다

3. ❷회사에 다니다가 그만두었습니다 . ❸학교에 오다가 김밥을 샀습니다 . ❹공부를 하다가 졸려서 커피를 마셨어요 . ❺명동에 살다가 학교가 멀어서 신촌으로 이사했습니다 . ❻산에 올라가다가 다리가 아파서 내려왔습니다 .

4. ❷학교에 오다가 만났어요 . ❸도서관에서 공부하다가 식당에 갔어요 . ❹축구를 하다가 다리를 다쳤어요 . ❺부산에서 살다가 작년에 서울로 이사했어요 . ❻요가를 배우다가 바빠서 그만두었어요 .

5. ❷방이 넓어 보여요 . ❸어려 보여요 . ❹날씬해 보여요 . ❺똑똑해 보여요 . ❻맛있어 보여요 .

6. ❷가까워 보여서 ❸젊어 보여요 ❹바빠 보여서 ❺행복해 보여요 ❻맛있어 보이는데요

5과 5항

1. ❷보입니다 ❸갈아타야 ❹보통 ❺출퇴근 ❻반대 ❼요금 ❽쭉 ❾내려고 ❿정도

개인 (택)	시외 (버)	고속 (버)	역 (지)	모임 (택)
마을 (버)	단말기 (버, 지)	벨 (버)	승강장 (지)	안전선 (지)
환승역 (지)	정류장 (버)	전용차로 (버)	잡다 (택)	역무원 (지)
노선도 (버, 지)	노약자석 (버, 지)			

3. ❷우리 반에서 누가 노래를 제일 잘 부르는지 알아요 ? ❸빨간색으로 바꿔 주세요 . ❹일찍 일어나려면 어떻게 해야 합니까 ? ❺3인분이나요 ? ❻택시에 탔다가 지갑을 안 가지고 와서 내렸어요 . ❼파마를 하니까 귀여워 보여요 . ❽태권도를 배우다가 너무 힘들어서 그만두었어요 . ❾몇 시쯤 집에 돌아오나요 ? ❿오늘 날씨가 어떤가요 ?

4. ❷텔레비전을 켰다가 재미없어서 껐습니다 . ❸너무 더워서 문을 열었다가 비가 와서 닫았습니다 . ❹방 청소를 하다가 옛날 사진을 찾았습니다 . ❺비가 오다가 그쳤습니다 . ❻방학 동안 고향에 갔다가 오겠습니다 . ❼영화를 보다가 너무 슬퍼서 울었습니다 . ❽우유를 냉장고에 넣었다가 꺼냈습니다 .

5. 1) ❸ 2) ❷ 3) ❸ 4) 아현 , 4번 , 횡단보도 , 왼 , 왼

6. ❶역 이름 ❷출구 번호 2) ❷ 3) "연세대학교에 가려면 어느 역에서 내려야 합니까 ?" "연세대학교에 가려면 몇 번 출구로 나가야 합니까 ?"

복습문제 (1과 ~5과)

Ⅰ. 1. 부터 2. 직접 3. 꼭 4. 정도 5. 우선 6. 쭉 7. 짜리 8. 별로 9. 치수 10. 전공 11. 계산 12. 예절 13. 동창 14. 요금 15. 광고

Ⅱ. 1. ❷ 2. ❶ 3. ❹ 4. ❹ 5. ❸

Ⅲ. 1. ❷ 2. ❸ 3. ❷ 4. ❸ 5. ❶

Ⅳ. 1. 언제든지 괜찮아요 . 2. 써도 돼요 . 3. 먹으면 안 돼요 . 4. 사전을 찾아도 없어요 . 5. 냉

장고가 있기는 하지만 너무 작아요 . **6.** 아니요 , 영화가 몇 시에 끝나는지 몰라요 . **7.** 아니요 , 수술을 받은 적이 없어요 . **8.** 피곤하겠군요 . **9.** 여자 친구와 싸웠기 때문이에요 . **10.** 박선생님이 나간 지 한 시간 되었어요 . **11.** 집에서 학교까지 두 시간 걸려요 . **12.** 출퇴근 시간에는 무엇이 제일 **빠른가요** ? **13.** 제주도에 갔으면 좋겠어요 . **14.** 집에 가다가 서점에 들렀어요 . **15.** 옷을 샀다가 너무 커서 바꿨어요 . **16.** 노란색으로 하겠습니다 . **17.** 학생증이 있어야 합니다 . **18.** 40 분이나요 ? **19.** 집에서 할지 식당에서 할지 결정하지 못했어요 . **20.** 열심히 공부하는 학생에게 주기로 합시다 .

V. 1. 잘 어울리는데 입어 보세요 . (○)
잘 어울리는데 입어 봤어요 . ( )

2. 한국 신문을 읽으면 한자를 공부했어요 . ( )

한국 신문을 읽으려면 한자를 공부해야 해요 . (○)

3. 도서관에서 책을 빌려서 왔어요 . ( )
도서관에서 책을 빌려 가지고 왔어요 . (○)

4. 제 농담 때문에 친구가 화가 났어요 . (○)

제 농담이기 때문에 친구가 화가 났어요 . ( )

5. 하숙비를 내러 돈을 찾았어요 . ( )
하숙비를 내려고 돈을 찾았어요 . (○)

VI. 1. 돌아갈지 **2.** 빠른가요 **3.** 귀여워합니다 **4.** 먹다가 **5.** 졸업한 지

VII. ① 어제 집에 가니까 4 시 반이었어요 . **②** 숙제로 문장을 세 개 만들어 가지고 오십시오 . **③** 친구의 우산을 빌렸다가 그 다음 날 학교에서 돌려주었습니다 . **④** 어제 산 가방인데 값도 싸고 모양도 예뻐요 . **⑤** 민수 씨는 술을 조금만 마셔도 취합니다 .

VIII. 1. 지선아 , 오늘 바빠 ? **2.** 어디에 갈 거야 ? **3.** 친구가 많아서 좋겠다 . **4.** 날마다 한국 뉴스를 듣는다 . **5.** 응 , 어제는 술을 많이 마셨어 . **6.** 약속 시간이 4 시 아니야 ? **7.** 진심으로 축하한다 . **8.** 밤늦게 전화하지 마라 . **9.** 다음

주 수요일에 만나자 . **10.** 내 친구다 .

IX. 1. 신문을 읽고 있어 . **2.** 한국 회사에 취직하고 싶어 . **3.** 아니 , 바람이 많이 불지 않아 . **4.** 응 , 네가 운전해라 . **5.** 두 시 비행기를 타려면 열 시에 출발해야 해 . **6.** 응 , 날마다 운동하면 살이 좀 빠질 거야 . **7.** 열 시에 들어왔어 . **8.** 응 , 닫아도 돼 . **9.** 아니 , 미국 사람이 아니야 . **10.** 오늘 날씨가 참 좋아 .

십자말 풀이 1

		①② 식	당	가		⑨⑩ 부	르	다		⑳ 관	
	⑤ 걱	④ 정	품			얼				광	
		③ 도	서	관		⑪ 편	⑫ 지		㉑ 유	적	지
		두					내	⑬ 다		다	
	⑧ 유		르		⑭ 닭		다				
⑦ 서	명	하	다		갈					㉔ 찍
				⑮ 준	비	하	다		㉓ 뿌	리	다
⑯ 사								㉖ 환			
⑰ 거	스	름	돈		⑱⑲ 고	르	다	승			
리					모			㉕ 무	역		

제 6 과 공공기관

6 과 1 항

1. ② 종교 **③** 자료 **④** 아마 **⑤** 알아보기

2. ② 열람실 **③** 대출할 **④** 반납해야 **⑤** 연체료

3. ② 한국요리 **③** 요가 **④** 고궁에 대한 책입니다 . **⑤** 그림에 대한 책입니다 . **⑥** 맛있는 식당에 대한 책입니다 .

4. ② 축구에 대해서 알고 싶습니다 . **③** 하는 일에 대해서 알고 싶습니다 . **④** 여행 날짜에 대해서 이야기 했어요 . **⑤** 취미에 대해서 알고 싶어요 . **⑥** 가족의 사랑에 대한 영화예요 .

5. ② 주말이어서 표가 있을지 모르겠습니다 . **③** 차가 밀려서 제시간에 도착할지 모르겠습니다 . **④** 일이 많아서 오늘 다 끝낼 수 있을지 모르겠습니다 . **⑤** 회사일이 바빠서 도와줄 수 있을지 모르겠습니다 . **⑥** 다음 주에 시험이 있어서 등산을 갈 수 있을지 모르겠습니다 .

6. ② 이해할 수 있을지 모르겠습니다 . **③** 올 수

있을지 모르겠습니다 . ❹공부를 할 수 있을지 모르겠습니다 . ❺말하기가 좋아질지 모르겠습니다 . ❻입에 맞을지 모르겠습니다 .

6과 2항

1.

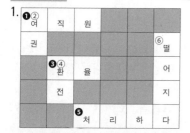

2. ❷통장을 만듭니다 . ❸줄을 섭니다 . ❹예금을 합니다 . ❺돈을 찾습니다 .

3. ❷로라 씨가 낮잠을 자는 동안 양견 씨는 TV를 봤습니다 . ❸로라 씨가 쇼핑을 하는 동안 양견 씨는 헬스클럽에서 운동을 했습니다 . ❹로라 씨가 미장원에서 머리를 자르는 동안 양견 씨는 집에서 쉬었습니다 . ❺로라 씨가 청소를 하는 동안 양견 씨는 빨래를 했습니다 . ❻로라 씨가 친구와 이메일을 하는 동안 양견 씨는 친구와 술을 마셨습니다 .

4.

❶버스를 타고 올 때 뭐 해요 ? ── 이천만 원을 모았어요 .

❷회사에 다닐 때 돈을 많이 모았어요 ? ── 사진을 많이 찍었어요 .

❸여행을 할 때 뭐 했어요 ? ── 밖을 구경해요 .

❹한국에서 사는 동안 뭐 하고 싶어요 ? ── 도서관에서 아르바이트를 했어요

❺대학교에 다닐 때 무슨 아르바이트를 했어요 ? ── 책을 읽어요 .

❻친구를 기다릴 때 뭐 해요 ? ── 한국 친구를 많이 사귀고 싶어요 .

❷기에 다니는 동안 이천 만원을 모았어요 . ❸여행을 하는 동안 사진을 많이 찍었어요 . ❹한국에서 사는 동안 한국 친구를 많이 사귀고 싶어요 . ❺대학교에 다니는 동안 도서관에서 아르바이트를 했어요 . ❻친구를 기다리는 동안 책을 읽어요 .

5. ❷맥주가 소주에 비해서 비싸요 . ❸기말시험이 중간시험에 비해서 쉬워요 . ❹나이에 비해서 키가 커요 . ❺값에 비해서 맛이 괜찮아요 . ❻식구수에 비해서 집이 커요 .

6. ❷버스에 비해서 빨라요 . ❸다른 회사에 비해서 늦습니다 . ❹일에 비해서 월급이 적어요 . ❺크기에 비해서 기름값이 많이 들어요 . ❻값에 비해서 품질이 좋아요 .

6과 3항

1. ❷생겨서 ❸저울 ❹보험에 드는 ❺올려놓는

2. ❷국제 특급 ❸택배 ❹특급 우편 ❺보통 우편

3. ❷오후에는 도서관에서 공부하거나 친구들과 같이 이야기합니다 . ❸심심하면 만화책을 읽거나 컴퓨터 게임을 합니다 . ❹시간이 있으면 미술관에 가거나 등산을 합니다 . ❺돈이 없으면 친구들한테 빌리거나 어머께 부탁합니다 . ❻고향에서 친구가 오면 같이 쇼핑을 하거나 서울 시내를 구경합니다 .

4. ❷아이들을 가르치거나 식당에서 일해요 . ❸나중에 사거나 친구에게 빌려요 . ❹선생님에게 물어보거나 교과서를 찾아 봅니다 . ❺걸어오거나 마을버스를 타요 . ❻운동을 하거나 술을 마십니다 .

5. ❷방은 좋습니다만 학교에서 너무 멉니다 . ❸모양은 괜찮습니다만 값이 좀 비쌉니다 ❹술을 잘 못 마십니다만 분위기는 좋아합니다 . ❺한국에 온 지 3년 되었습니다만 아직 모르는 게 많습니다 . ❻제 친구는 아닙니다만 몇 번 만난 적이 있습니다 .

6. ❷좋아합니다만 배가 불러서 많이 못 먹겠습니다 . ❸맥주를 좋아합니다만 차를 가지고 와서 마실 수 없습니다 . ❹가고 싶습니다만 고향에서 부모님이 오셔서 못 가겠습니다 .

❺수업이 한 시에 끝납니다만 다음 주에 시험이 있어서 공부를 해야 합니다 . ❻배로 갈 수 있습니다만 시간이 너무 많이 걸려서 보통 비행기로 갑니다 .

6과 4항

1. ❷연장 ❸놓인 ❹서류 ❺재학 증명서
2. ❶
　　　외국인 ○○○
　　　주민 ○○○ • ─── 기간
　　　차량 ○○○
　　❷재학 증명서를 ○○
　　　비자를 ○○ • ── 등록증
　　　장학금을 ○○
　　❸
　　　유효 ○○
　　　비자 ○○ •
　　　시험 ○○ • ── 받다

> 시험 기간은 5일부터 7일까지입니다 .
>
> 주민등록증은/는 18살부터 받을 수 있습니다 .
>
> 비자을/를 받으려면 대사관에 가야 합니다 .

3. ❷컵이 책상에 놓여 있습니다 . ❸창문이 열려 있습니다 . ❹불이 꺼져 있습니다 ❺텔레비전이 켜져 있습니다 . ❻옷이 옷걸이에 걸려 있습니다 .

4. ❷가 있어 ❸들어 있어서 ❹살아 있어 ❺서 있어서 ❻붙어 있어요 . ❼남아 있어서 ❽앉아 있어 ❾비어 있는데 ❿열려 있으니까

5. ❶한국에서 오랫동안 • • 여권을 받아야
　　살려면 　　　　　 합니다
　❷운전을 하려면 • • 외국인 등록증을
　　　　　　　　　 받아야 합니다 .
　❸해외여행을 하려면 • • 단어 공부를 많이
　　　　　　　　　　 해야 합니다 .
　❹건강해지려면 • • 면허증을 받아야
　　　　　　　　 합니다 .
　❺3급에 가려면 • • 담배를 끊어야
　　　　　　　　 합니다 .
　❻한국말을 빨리 • • 시험을 봐야
　　배우려면 　　　　합니다 .

❷운전을 하려면 면허증을 받지 않으면 안 됩니다 . ❸해외여행을 하려면 여권을 받지 않으면 안 됩니다 . ❹건강해지려면 담배를 끊지 않으면 안 됩니다 . ❺3급에 가려면 시험을 보지 않으면 안 됩니다 . ❻한국말을 빨리 배우려면 단어 공부를 많이 하지 않으면 안 됩니다 .

6. ❷종교가 같지 않으면 안 됩니다 . ❸재미있지 않으면 안 됩니다 . ❹요리를 잘하지 않으면 안됩니다 . ❺머리가 길지 않으면 안 됩니다 . ❻잘 웃지 않으면 안 됩니다 .

6과 5항

1. ❷처리하기 ❸자료 ❹이상 ❺떨어져서 ❻보험에 들어야 ❼알아보겠습니다 ❽서류 ❾올려놓으세요 ❿신청서

2. ❶도서관 : 열람실 , 연체료 , 대출하다 , 반납하다
　❷은행 : 현금 자동인출기 , 통장 , 저금하다 , 돈을 찾다
　❸우체국 : 택배 , 항공편 , 저울 , 보내다
　❹출입국관리 사무소 : 외국인등록증 , 유효기간 , 연장하다 , 신청하다

3. ❷시험 기간이어서 자리가 있을지 모르겠습니다 . ❸중국에 출장 가 있는 동안 만리장성을 구경했어요 . ❹일본에 비해서 싼 편이에요 . ❺키에 비해서 발이 작아요 . ❻운동을 하거나 집안일을 해요 . ❼월급은 많습니다만 일이 너무 늦게 끝나서 힘들어요 . ❽한국어를 배우지 않으면 안 돼요 . ❾김 선생님 책상 위에는 컴퓨터가 놓여 있어요 . ❿네 , 불이 켜져 있었어요 .

4. ❷앉아 있습니다 ❸입고 있는 ❹하고 있습니다 ❺켜져 있습니다 ❻살고 있습니다 ❼닫혀 있어서 ❽와 있습니다 ❾들어 있습니다 ❿비어 있어요 .

5. 1) ❹ 2) 여러 가지 다른 일을 많이 해서 3) ❶ × ❷○ ❸×

6. 1) ❷영어를 가르쳐 준다 ❸영화를 보여 준다
　2) ❶○ ❷○ ❸×

7. 생략

8. 생략

제 7 과 전화

7 과 1 항

1. 2) ❷ 3) ❸ 4) ❹ 5) ❸

2. ❶ "따르르릉, 따르르릉…". — 전화를 잘못 걸다
   ❷ "그럼, 또 전화 할게요." — 통화 중이다
   ❸ "은영아, 전화 받아라. 친구한테서 전화 왔다" — 전화가 오다
   ❹ "여보세요. 연세대학교 어학당입니다." — 전화를 바꿔 주다
   ❺ "뚜, 뚜, 뚜, 뚜…" — 전화를 끊다
   ❻ "아닌데요, 몇 번에 거셨어요?" — 전화를 받다

3. ❷저기 벤치에 앉을래요? ❸좀 쉴래요? ❹동전 좀 빌려 줄래요? ❺다른 식당에 갈래요? ❻피곤하면 집에 갈래요?

4. ❷차 마실래? ❸영화 볼래? ❹노래방에 갈래? ❺뭐 할래? ❻그냥 집에 갈래?

5. ❷마이클 씨가 쉬는 시간에도 한국말로 이야기하자고 합니다. ❸아야코 씨가 교실이 좀 더우니까 창문을 열자고 합니다. ❹어머니께서 반찬이 없으니까 나가서 먹자고 하십니다. ❺지선 씨가 길이 막히니까 택시를 타지 말자고 합니다. ❻안드레이 씨가 비가 올 것 같으니까 나가지 말자고 합니다.

6. ❷하와이에 가자고 하는데 남자친구는 제주도에 가자고 해요. ❸저는 다이아몬드반지로 하자고 하는데 남자친구는 금반지로 하자고 해요. ❹저는 호텔에서 하자고 하는데 남자친구는 교회에서 하자고 해요. ❺결혼식 음식도 저는 양식으로 하자고 하는데 남자친구는 한식으로 하자고 해요. ❻저는 사자고 하는데 남자친구는 빌리자고 해요.

7 과 2 항

1. ❷지나서 ❸확인해 ❹밀린 ❺물어보세요
2. ❷문자메시지 ❸진동 ❹지역번호 ❺발신자
3. ❷여기가 학생회관이라고 합니다. ❸그 회

사에서 만든 게 아니라고 합니다. ❹다음 학기부터 기숙사에 살 거라고 합니다. ❻설악산은 가을에 더 아름답다고 합니다. ❼이번 주말에는 약속이 없다고 합니다. ❽아야코 씨 고향은 별로 춥지 않다고 합니다. ❿여름에는 삼계탕을 많이 먹는다고 합니다. ⓫한국 친구 집에서 같이 산다고 합니다. ⓬그 분은 약속을 잘 지키지 않는다고 합니다. ⓮민수 씨는 어렸을 때 키가 작았다고 합니다. ⓯오늘 아침에는 차가 밀리지 않았다고 합니다. ⓰다음부터는 꼭 일찍 오겠다고 합니다. ⓲어느 분이 김 선생님이냐고 합니다. ⓳무슨 발음이 제일 어렵냐고 합니다. ⓴빨간 치마를 사는 게 어떠냐고 합니다. ㉑이 음식은 무엇으로 만드냐고 합니다. ㉒한국에 온 지 얼마나 됐냐고 합니다. ㉓언제까지 한국에 살겠냐고 합니다.

4. ❷엔리 씨 할아버지께서 많이 아프신 것 같다고 해요. ❸고향에 갔다 와야겠다고 해요. ❹오늘 저녁 비행기로 출발한다고 해요. ❺3일 후에 돌아오니까 시험은 볼 수 있다고 해요. ❻시험공부를 못해서 걱정이라고 해요.

5. ❶살이 많이 쪘어요. — 이사해요.
   ❷눈이 나빠졌어요. — 일찍 집에 가요.
   ❸집이 너무 좁아요. — 다이어트를 해요.
   ❹자꾸 잊어버려요. — 안경을 써요.
   ❺너무 피곤해요. — 일요일에도 회사에 가요
   ❻일이 많이 남았어요. — 메모해요.

   ❷눈이 나빠져서 안경을 써야겠어요. ❸집이 너무 좁아서 이사해야겠어요. ❹자꾸 잊어버려서 메모해야겠어요. ❺너무 피곤해서 일찍 집에 가야겠어요. ❻일이 많이 남아서 일요일에도 회사에 가야겠어요.

6. ❷다음 주부터 시험이어서 공부를 해야겠어요. ❸너무 늦어서 빨리 집에 가야겠어요. ❹힘들어서 학교 근처로 이사해야겠어요. ❺담배를 끊어야겠어요. ❻새 자동차를 사야겠어요.

7 과 3 항

1. 2) ❹ 3) ❹ 4) ❷ 5) ❸

정 답

2.

미루다 / 보내다 / 어기다 / 나다 / 걸리다 / 지키다 / 약속 / 잊어버리다 / 세우다 / 취소하다 / 가지다

❷약속을 잊어버릴 ❸약속을 지킬 ❹약속을 미룰까요 ❺약속을 취소하면

3. ❷연세대학교 앞에서 내리라고 합니다. ❸바람이 많이 부니까 창문을 닫으라고 합니다. ❹코트를 옷걸이에 걸라고 합니다. ❺여기에서는 사진을 찍지 말라고 합니다. ❻술을 마시고 운전하지 말라고 합니다.

4. ❷마이클 씨에게 자리에 앉으라고 합니다. ❸피터 씨에게 김밥을 그만 먹으라고 합니다. ❹안드레이 씨에게 일어나라고 합니다. ❺로라 씨에게 전화를 끊으라고 합니다. ❻옌리 씨에게 교실로 들어오라고 합니다.

5. ❷장학금을 받게 ❸친구들을 많이 사귀게 ❹한국말을 잘 하게 되었어요. ❺여기에서 공부하게 되었어요. ❻한국말을 배우게 되었어요.

6. ❷지금 다니는 회사에서 만나게 되었습니다. ❸여자친구와 잠시 헤어지게 되었습니다. ❹다시 서울로 돌아오게 되었습니다. ❺결혼하게 되었습니다. ❻같이 뉴욕으로 가서 일하게 되었습니다.

7 과 4 항

1. ❷고장난 ❸돌아오면 ❹전해 ❺서비스센터

2. ❷누르다 ❸녹음하다 ❹통화료 ❺별표

3. ❷용돈 좀 달라고 합니다. ❸통화중이니까 잠깐만 기다려 달라고 합니다. ❹하얀색 모자 좀 보여 달라고 합니다. ❺다시 한 번 설명해 달라고 합니다. ❼선생님께 꽃을 드리라고 합니다. ❽여자친구에게 향수를 사 주라고 합니다. ❾아야코 씨에게 시청에 가는 길을 가르쳐 주라고 합니다. ❿안드레이 씨에게 교과서를 보여 주라고 합니다.

4. ❷시험이 안 끝났으니까 조용히 해 달라고 합니다. 그리고 다른 한 사람은 시험지를 담

임선생님께 주라고 합니다. ❸지난번에 설악산에 가서 찍은 사진을 보여 달라고 합니다. 그리고 고향에 계신 부모님께도 보내 드리라고 합니다. ❹옷이 작으니까 새 옷을 사 달라고 합니다. 그리고 작은 옷은 동생한테 주라고 합니다. ❺이번 동창회에 몇 명 오는지 알려 달라고 합니다. 그리고 친구들에게 장소를 다시 한 번 설명해 주라고 합니다. ❻냉장고에 있는 아이스크림을 한 개 달라고 합니다. 그리고 민수한테도 하나 주라고 합니다.

5. ❷아버지께서 들어오시는 대로 저녁을 먹읍시다. ❸초대장을 다 만드는 대로 저한테 보여 주세요. ❹책을 다 읽는 대로 꼭 빌려 주세요. ❺편지를 받는 대로 답장을 하겠습니다. ❻대학교를 졸업하는 대로 취직하겠습니다.

6. ❷졸업하는 대로 결혼하겠습니다. ❸연락을 받는 대로 집에 전화해야겠습니다. ❹퇴근 시간이 되는 대로 빨리 가겠습니다. ❺일을 끝내는 대로 DVD를 보겠습니다. ❻보너스를 받는 대로 디지털 카메라를 사겠습니다.

7 과 5 항

1. ❷확인해 ❸초대권 ❹물어봐 ❺곧 ❻매표소 ❼통화하다가 ❽깜빡 ❾밀렸고 ❿지나

2. ❷매표소 ❸취소하다 ❹통화중 ❺문자메시지 ❻발신자 ❼휴대전화 ❽단축번호

3. ❷전하실 말씀 있으세요? ❸그런 사람 없는데요. ❹전화 바꿨습니다. ❺몇 번에 거셨습니까? ❻잘 안 들려요.

4. ❷좋다고 했어요. ❸어디로 갈 거냐고 했어요. ❹관악산에 가기로 했다고 해요. ❺운동화와 편한 옷만 입고 오면 된다고 해요. ❻간단하게 점심을 준비해 가지고 오라고 해요. ❼아침 8시에 신촌 지하철역에서 만나자고 해요. ❽다른 일이 생기면 연락해 달라고 해요.

5. ❷열심히 공부해야겠어요. ❸친구가 소개해 주어서 알게 되었어요. ❹다 고치는 대로 연락드릴게요. ❺먼저 퇴근하실래요?

6. 1) ❸ 2)323-6732 3) ❶ ○ ❷ ○ ❸ ×

7. 1) ❶민수 지금 집에 없는데 신철 씨가 | (unclear)
　❷내일 약속을 미루고 싶어서 전화했는데요 .
　❸그럼 민수가 들어오는 대로 전화하라고
　할게 .
　2) ❶ × ❷ ○ ❸ ○ ❹ ×
8. 생략
9. 생략

제 8 과 병원

8 과 1 항

1. ❷심하면 ❸이틀 ❹식중독 ❺진찰
2. ❷배탈이 나다 ❸소화가 안 되다 ❹속이 쓰
　리다 ❺변비가 생기다
3. 2) ❶ 3) ❶ 4) ❷ 5) ❸ 6) ❷
4. ❷그으면 , 긋기 ❸나으니까 , 낫고 ❹벗지 ,
　벗어야 ❺부었어요 , 붓는다고 ❻젓지 , 저으
　세요
5.

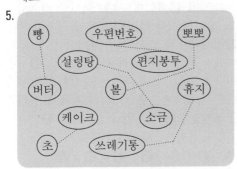

　❷편지봉투 , 우편번호 ❸빵 , 버터 ❹볼 , 뽀
　뽀 ❺케이크 , 초 ❻쓰레기통 , 휴지
6. ❷손바닥에다가 적으세요 . ❸콜라병에다가
　꽂읍시다 . ❹팔에다가 맞으세요 . ❺거실에
　다가 놓는 게 어때요 ? ❻그릇에다가 좀 더세
　요 .

8 과 2 항

1. ❷푹 ❸점점 ❹증세 ❺과로하면
2. ❶열 • • 하다 → 기침을 하다 .
　❷몸 • • 나다 → 열이 나다 .
　❸기침 • • 떨리다 → 몸이 떨리다 .
　❹코 • • 쉬다 → 목이 쉬다 .
　❺목 • • 막히다 → 코가 막히다 .

---

3. ❶출근 시간인 데다가 사고도 났습니다 . ❸
　민수 씨는 성격이 좋은 데다가 (unclear)
　요 . ❹그 집 케이크는 맛있는 데다가 모양
　도 예뻐요 . ❺한국말을 잘 하는 데다가 영어
　도 잘 합니다 . ❻바람이 부는 데다가 비도 와
　요 . ❼지각을 한 데다가 숙제도 안 가지고 왔
　어요 . ❽감기에 걸린 데다가 배탈도 났어요 .
4. ❷건강이 나빠지는 데다가 돈도 들어요 . ❸
　값이 싼 데다가 깎을 수 있어서 좋아요 . ❹
　주차장이 없는 데다가 환불하기가 어려워요 . ❺
　쇼핑하기가 편한 데다가 병원 , 학교도 많
　아서 좋아요 . ❻공기가 나쁜 데다가 교통이
　복잡해요 .
5. ❷길에 세우지 말고 주차장에 세우세요 . ❸
　산으로 가지 말고 바다로 갈까요 ? ❹버스를
　타지 말고 지하철을 탈까요 ? ❺복도에서 담
　배를 피우지 말고 건물 밖에 나가서 피우세
　요 . ❻드라마를 보지 말고 뉴스를 봅시다 .
6. ❷커피를 마시지 말고 물을 드세요 . ❸엘리
　베이터를 타지 말고 계단으로 걸어서 다니세
　요 . ❹아침을 굶지 말고 꼭 드세요 . ❺뛰지
　말고 빨리 걸으세요 . ❻음식을 먹지 말고 따
　뜻한 차를 한 잔 드세요 .

8 과 3 항

1. ❷처방전 ❸종합 ❹나요 ❺약사
2. ❷소화제 ❸영양제 ❹수면제 ❺진통제
3. ❷건강 ❸나라 ❹남편을 위해서 ❺학생들을
　위해서 ❻미래를 위해서
4. ❶좋은 대학에 • •노래방에 갔습니다 .
　들어갑니다 .
　❷스트레스를 • •열심히 운동을 하고
　풉니다 . 있습니다 .
　❸건강해집니다 . • •밤늦게까지 공부합
　니다 .
　❹좋은 자리를 • •3 시간 전에 왔습니다 .
　잡습니다 .
　❺한국말을 잘 • •여행을 합니다 .
　합니다 .
　❻여러 가지 경험을 • •한국 친구와 말하기
　합니다 . 연습을 합니다 .
　❷스트레스를 풀기 위해서 노래방에 갔습

정 답

니다 . ❸건강해지기 위해서 열심히 운동을
하고 있습니다 . ❹좋은 자리를 잡기 위해서
3 시간 전에 왔습니다 . ❺한국말을 잘 하기
위해서 한국 친구와 말하기 연습을 합니다 .
❻여러 가지 경험을 하기 위해서 여행을 합
니다 .

5. ❷운동을 하기 위해서 걸어 다닙니다 . ❸듣
기 연습을 하기 위해서 뉴스를 들어요 . ❹시
험을 잘 보기 위해서 열심히 공부하는 것 같
아요 . ❺등록금을 벌기 위해서 아르바이트
를 해야 합니다 . ❻내일 아침에 일찍 일어나
기 위해서 일찍 자야 해요 .

6. ❷아무나 ❸아무 데나 ❹아무 거나 ❺아무
옷이나 / 아무 거나 ❻아무 음식이나 / 아무
거나

7. ❷아무 때나 하세요 . ❸아무 데나 갑시다 .
❹아무 데서나 살 수 있어요 . ❺아무나 들어
갈 수 있어요 . ❻아무 데나 괜찮아요 .

8 과 4 항

1. ❷이용하십시오 ❸진료 ❹환절기 ❺환자
2. ❷치료 ❸진단서 ❹건강 보험 ❺수술해야
3. ❷우리 사장님은 얼마나 부자인지 몰라요 .
❸출퇴근 시간에는 교통이 얼마나 복잡한지
몰라요 . ❹우리 고향은 겨울에 얼마나 추운
지 몰라요 . ❺학교가 우리 집에서 얼마나 먼
지 몰라요 . ❻아야코 씨는 피아노를 얼마나
잘 치는지 몰라요 . ❼아이가 한 살인데 얼마
나 잘 걷는지 몰라요 . ❽로라 씨는 샌드위치
를 얼마나 맛있게 만드는지 몰라요 . ❾어젯
밤에 눈이 얼마나 많이 왔는지 몰라요 . ❿요
즘 물건 값이 얼마나 많이 올랐는지 몰라요 .
4. ❷얼마나 열심히 공부했는지 몰라요 . ❸의
사는 얼마나 힘든 직업인지 몰라요 . ❹얼마
나 많아졌는지 몰라요 . ❺얼마나 열심히 일
해야 하는지 몰라요 . ❻얼마나 기쁜지 몰
라요 .
5. ❷저 분은 어학당 학생이 아닌가 봐요 . ❸
이번 시험이 어려운가 봐요 . ❹그 영화가 재
미있나 봐요 . ❺엔리 씨는 친척집에 사나 봐
요 . ❻아야코 씨는 날마다 아침을 안 먹나 봐
요 . ❼앞에서 교통사고가 났나 봐요 . ❽민

수 씨가 술을 많이 마셨나 봐요 . ❾선생님은
오늘 모임에 안 오실 건가 봐요 . ❿여기에 주
차장을 만들 건가 봐요 .
6. ❷아야코 씨는 자나 봐요 . ❸설거지를 안 했
나 봐요 . ❹한국말을 공부하나 봐요 . ❺밖
에 비가 오나 봐요 . ❻개가 로라 씨를 좋아하
나 봐요 .

8 과 5 항

1. ❷환자 ❸심해서 ❹종합 ❺점점 ❻해물 ❼
환절기 ❽푹 ❾떨려서 ❿과로
2.

수술	, 퇴원	하다
소독약	, 연고	바르다
열	, 배탈	나다
영양제	, 수면제	먹다

❷연고를 바르세요 . ❸영양제를 먹는 ❹배
탈이 났을 ❺퇴원해도 ❻소독약을 바르십시
오 . ❼수면제를 먹는 ❽열이 날
3. ❷집에다가 놓고 왔어요 . ❸버스가 늦게 온
데다가 차가 많이 밀려서 늦었어요 . ❹어린
이나 노인들 , 몸이 불편한 사람들을 위해서
만든 자리예요 . ❺취직하기 위해서 영어를
공부해요 . ❻아무 때나 오세요 . ❼얼마나
기쁜지 몰라요 . ❽싸웠나 봐요 .
4. ❷× ❸× ❹○ ❺○ ❻× ❼○ ❽○
5. ❷벤치에 ❸편한 데다가 ❹바쁜가 봐요 ❺
아무 영화나 ❻사지 말고 ❼먹은 데다가 ❽
웃었는지 몰라요 .
6. 1) ❶ 2 ❷ 1 ❸ 4 ❹ 3 2) 열이 많은 데다가
목도 많이 부었다 . 3) ❶× ❷○ ❸×
7. 1) ❷ 2) ❶○ ❷× ❸× 3) ❹
8. 생략
9. 생략

제 9 과 여행

9 과 1 항

1. ②기억에 남는 ③동해 ④장면 ⑤일출
2. ①배낭 여행 • • 결혼한 후에 부부가 가는 여행
   ②신혼 여행 • • 학교에서 같은 학년 친구들이 모두 함께 가는 여행
   ③국내 여행 • • 여러 명이 모여서 관광안내원과 함께 가는 여행
   ④수학 여행 • • 돈을 아주 조금만 쓰면서 하는 여행
   ⑤단체 관광 • • 외국으로 가지 않고 자기 나라 안에서 하는 여행
3. ②그 사람은 소고기밖에 안 먹어요 . ③한국에서는 한국말밖에 안 써요 . ④그 사람은 그 노래밖에 안 불러요 . ⑤그 사람은 아들밖에 없어요 . ⑥그 사람의 이름밖에 몰라요 .
4. ②세 명밖에 없어요 . ③두 달밖에 안 배웠어요 . ④조금밖에 못 하세요 . ⑤고모밖에 없어요 . ⑥전화밖에 안 해요 .
5. ②지선 씨 생일 파티 때 민수 씨가 불렀던 노래입니다 . ③30 년 전에 어머니가 입으셨던 웨딩드레스입니다 . ④고등학교 2 학년 때 수학여행을 가서 찍었던 사진입니다 . ⑤친구가 놀러 왔을 때 친구한테 빌려 줬던 책을 받았어요 . ⑥처음 선생님이 되었을 때 제가 가르쳤던 학생들이 생각납니다 .
6. ②먹었던 음식입니다 . ③사용했던 그릇입니다 . ④꼈던 반지입니다 . ⑤했던 벨트입니다 . ⑥사용했던 침대입니다 .

9 과 2 항

1. ②수도 ③연휴 ④볼거리 ⑤숙박 시설
2. ② 3 박 4 일 ③교통편 ④여행자 보험 ⑤여행 안내서
3. ①자동차 • • 2 층 : 건물의 2 층
   ②영국 • • 바퀴 : 자동차의 바퀴
   ③친구 • • 가방 : 친구의 가방
   ④건물 • • 여왕 : 영국의 여왕
   ⑤한국 • • 셋째 줄 :50 페이지의 셋째 줄
   ⑥ 50 페이지 • • 김치 : 한국의 김치

4. ① ... 이 지하철 ③지하철의 매표소 ④매표소의 역무원 ⑤역무원의 우산 ⑥ ... 산비 ... 잡이
5. ②지선 씨가 먹던 샌드위치입니다 . ③지선 씨가 읽던 신문입니다 . ④날마다 학교에 같이 가던 친구입니다 . ⑤같이 운동장에서 축구를 하던 친구입니다 . ⑥시험 때마다 어려운 문제를 가르쳐 주던 친구입니다 .
6. ②갔던 ③하던 ④샀던 ⑤있던 ⑥탔던 ⑦들렀던 ⑧보냈던 ⑨입었던 ⑩헤어졌던 ⑪쓰던 ⑫낳던 ⑬사귀던

9 과 3 항

1. ②성함 ③묵었어요 ④원하는 ⑤전망
2. 2) ③ 3) ② 4) ③ 5) ①
3. ②로라 씨는 6 일 만에 빨래를 했다 . ③ 3 일 만에 음식을 먹었다 . ④ 3 일 만에 집으로 돌아왔다 . ⑤ 10 일 만에 고향에 전화했다 . ⑥ 2 주일 만에 청소를 했다 .
4. ② 5 년 만에 박사학위를 받았다 . ③회사에 들어간 지 4 년 만에 부장이 되었다 . ④결혼한 지 3 년 만에 아이를 낳았다 . ⑤결혼한 지 5 년 만에 큰 집을 샀다 . ⑥회사에 들어간 지 20 년 만에 회사를 그만두었다 .
5. ②고기 ③어른 ④귤만큼 ⑤하늘만큼 ⑥여자만큼
6. ②양견 씨만큼 노래를 잘 부르는 사람은 없어요 . ③이집트만큼 더운 나라는 없어요 . ④마이클 씨만큼 스파게티를 맛있게 만드는 사람은 없어요 . ⑤제주도만큼 경치가 아름다운 곳은 없어요 . ⑥개만큼 사람과 친한 동물은 없어요 .

9 과 4 항

1. ②추천해 ③빼 놓고 ④바닷가 ⑤시대
2. ②호수 ③온천 ④강 ⑤해변
3. ②재미있더군요 . ③길이 막히지 않더군요 . ④거실에서 텔레비전을 보고 있더군요 . ⑤네 , 민수 씨 집 찾기가 어렵더군요 . ⑥식당으로 가더군요 .

정답

4.

오늘은 친구와 같이 설악산에 **①**왔어요 . 친
(×)
구 차로 갔는데 아침 일찍 출발해서 길은 별로

②막히지 않았어요 . 우리는 설악산에 12 시 쯤
(막히지 않더군요 .)

③도착했어요 . 친구 혼자 운전을 했기 때문에 친
(×)
구가 좀 **④**피곤해 보였어요 . 그래서 등산은 내일
(피곤해 보이더군요 .)

하기로 **⑤**했어요 . 우선 호텔에다가 가방을 놓은
(×)

후에 점심을 **⑥**먹었어요 . 비빔밥을 먹었는데 여
(×)

러 가지 채소가 많이 들어 있어서 참 **⑦**맛있었어
(맛있더군요 .)

요 . 밥을 먹고 호텔 근처에 있는 큰 온천 수영장

에 갔는데 친구가 수영을 아주 **⑧**잘 했어요 . 우
(잘 하더군요 .)

리는 거기서 세 시간 쯤 **⑨**놀았어요 . 수영을 하
(×)

다가 추우면 따뜻한 물에 들어가 있으면 되니까

⑩좋았어요 .
(좋더군요 .)

5. **②**토요일이서 그런지 길이 막히는군요 .
③교통이 편리해서 그런지 아파트 값이 비싸
요 .
④요즘 양견 씨가 일이 많아서 그런지 피곤
해 보여요 .
⑤학교에서 가까워서 그런지 그 식당에는 사
람이 많아요 .
⑥몸이 안 좋아서 그런지 마이클 씨는 여행
을 안 갔어요 .
6. **②**담배를 많이 피워서 그런지 피곤해요 . **③**
오랫동안 모니터를 봐서 그런지 눈이 나빠졌
어요 . **④**과자를 많이 먹어서 그런지 살이 쪘
어 . **⑤**커피를 많이 마셔서 그런지 잘 못 잤어
요 . **⑥**비타민 C 를 먹어서 그런지 피부가 좋
아진 것 같아요 .

9과 5항

1. **②**일출 **③**수도 **④**숙박 시설 **⑤**묵었어요 **⑥**
전망 **⑦**시대 **⑧**연휴 **⑨**장면 **⑩**추천하겠습
니까
2. **②**배낭 여행 **③**교통편 **④**여행 경비 **⑤**해변
⑥신혼 여행
3. **②**친구가 쓰던 책이에요 . **③** 30 분밖에 안
했어요 . **④**한 달 만에 만났어요 . **⑤**마이클
씨만큼 열심히 공부하는 학생도 없어요 . **⑥**
성격도 좋고 재미있더군요 . **⑦**한국의 대통
령은 ○○○이에요 . **⑧**어제 대청소를 해서
그런지 피곤하군요 . **⑨**지난 주에 공항에서
만났던 마이클 씨 친구예요 . **⑩**읽기 수업을
하고 있더군요 .
4. **②**아까 왔던 사람이 누구예요 ?　　　(○)
아까 오던 사람이 누구예요 ?　　　( )
③먹었던 밥 다 먹고 놀아라 .　　　( )
먹던 밥 다 먹고 놀아라 .　　　(○)
④제가 민수 씨보다 술을 많이 마시더군요 . ( )
민수 씨가 저보다 술을 많이 마시더군요 . (○)
⑤교실이 더워서 에어컨을 켰어요 .　　(○)
교실이 더워서 그런지 에어컨을 켰어요 . ( )
5. **①**번호가 바뀌었다 . **②**기찻길이 없어졌다 .
③새로운 건물이 많아졌다 . **④**식당이 많이
생겼다 . **⑤** 3 층에 있던 남자화장실이 없어
졌다 .
6. 1) **③** 2) **②③** 3) **①** × **②** ○ **③** ○
7. 생략
8. 생략

제 10 과 집안일

10과 1항

1. **②**보증금 **③**시설 **④**전세 **⑤**월세
2. **②**부동산 소개소 **③**구경하러 **④**계약 **⑤**소개
비
3. **②**그러니까 **③**그래도 **④**그렇지만 **⑤**그래서
⑥그리고
4. **②** (그리고 , 그래도 , 그런데) **③** (그래도 ,
그래서 , 그런데) **④** (그리고 , 그래서 , 그러
니까) **⑤** (그래도 , 그래서 , 그리고) **⑥** (그

러니까 , 그런데 , 그리고)

5. ❷보면 볼수록 갖고 싶은 것 : 새로 나온 휴대 전화 ❸들으면 들을수록 기분 좋아지는 말 : 성격이 참 좋군요 . ❹많으면 많을수록 좋은 것 : 좋은 친구 ❺크면 클수록 좋은 것 : 자동 차 ❻시간이 가면 갈수록 생각나는 사람 : 고 등학교 때 첫사랑

6. ❷먹으면 먹을수록 ❸깎으면 깎을수록 ❹닦 으면 닦을수록 ❺치면 칠수록 ❻맞으면 맞을 수록

10 과 2 항

1. ❷참았다 ❸나아요 ❹포장이사 ❺엄살 부 리지

2. 2) ❸ 3) ❶ 4) ❸ 5) ❷

3. ❷어학당 선생님이 아닌 줄 알았어요 . ❸한 국말 배우기가 어려울 줄 알았어요 . ❹학교 가 먼 줄 알았어요 . ❺그 영화가 재미없는 줄 알았어요 . ❻민수 씨가 술을 잘 마실 줄 알 았어요 . ❼로라 씨가 기숙사에 사는 줄 알았 어요 . ❽김 선생님이 결혼하신 줄 알았어요 . ❾수업이 끝난 줄 알았어요 .

4. 생략

5. ❶눈 ‧   ‧아름답다 →설악산 경치가 그림처 럼 아름다워요 .

❷호랑이 ‧   ‧하얗다 →피부가 눈처럼 하얘요 .

❸그림 ‧   ‧예쁘다 →그 아이는 인형처럼 예 뻐요 .

❹바다 ‧   ‧맑다 →그 여자 눈은 호수처럼 맑아요 .

❺인형 ‧   ‧넓다 →우리 아버지 마음은 바다처럼 넓어요 .

❻호수 ‧   ‧무섭다 →우리 반 선생님은 호랑 이처럼 무서워요 .

6. ❷빌 게이츠처럼 ❸제 한국친구처럼 ❹반말 을 해요 . ❺인사도 안 해요 . ❻아무 말도 안 해요 .

10 과 3 항

1. ❷걸레 ❸재활용 ❹깔끔한 ❺상자

2. ❶집들이가 끝나고 ‧   ‧청소기를 돌리다 친구들이 돌아갔어요 .

❷카펫에 먼지가 많아요 . ‧   ‧빨래를 하다

❸친구가 여행가면서 ‧   ‧설거지를 하다 강아지를 저에게 부탁했어요 .

❹축구를 하다가 넘어져서 ‧   ‧화분에 물을 주다 옷이 더러워졌어요 .

❺여행을 갔다 와서 보니까 ‧   ‧강아지를 돌보다 화분이 말랐어요 .

3. ❷세종대왕 ❸한국 친구 ❹경찰관 덕분에 ❺인터넷 덕분에 ❻한 ‧ 일 월드컵 덕분에

4. ❷교수님 덕분에 ❸사장님 덕분에 ❹회사 선 배 덕분에 좋은 하숙집을 찾았습니다 . ❺하 숙집 아주머니 덕분에 여러 가지 한국 음식을 먹어 볼 수 있었습니다 . ❻어학당 선생님 덕 분에 이렇게 한국말을 잘 하게 되었습니다 .

5. ❶텔레비전을 봤어요 . ‧   ‧단어를 외워요 .

❷웃어요 . ‧   ‧아르바이트도 해요 .

❸지하철을 타고 와요 . ‧   ‧저녁을 먹었어요 .

❹어릴 때 사진을 봤어요 . ‧   ‧인사하세요 .

❺학교에 다녀요 . ‧   ‧노래를 불러요 .

❻피아노를 쳐요 . ‧   ‧초등학교 때 친구 생각을 했어요 .

❷웃으면서 인사하세요 . ❸지하철을 타고 오면서 단어를 외워요 . ❹어릴 때 사진을 보 면서 초등학교 때 친구 생각을 했어요 . ❺학 교에 다니면서 아르바이트도 해요 . ❻피아 노를 치면서 노래를 불러요 .

6. ❷테이프를 들으면서 따라하면 좋아요 . ❸ 운전하면서 음악을 들으면 좋아요 . ❹수업 을 들으면서 껌을 씹으면 안 돼요 . ❺시험을 보면서 옆 사람과 이야기하면 안 돼요 . ❻길 을 걸으면서 담배를 피우면 안 돼요 .

10 과 4 항

1. ❷빠져요 ❸얼룩 ❹스카프 ❺빼는

2. ❶세탁하다 ❷짜다 ❹말리다 ❺다림질하다

3. ❷컵이 깨졌어요 . ❸불이 꺼졌어요 . ❹살이 빠졌어요 . ❺감자가 삶아졌어요 . ❻글씨가

정답

지워졌어요 .

4. ❷폈습니다 ❸써서 ❹지웠는데 ❺지워지지 ❻쏟아졌습니다 ❼꺼졌고 ❽찢어진 ❾펴지지

5. ❶값을 깎아 드리겠 • • 먼저 드세요 .
습니다 .

❷제가 한 잔 사겠 • • 불고기를 만드는 게
습니다 . 어때요 ?

❸수업이 끝나는 대로 • • 다음에 또 오세요 .
가겠습니다 .

❹그 분은 매운 음식을 • • 퇴근 후에 만납시다 .
잘 못 드시겠습니다 .

❺배가 고프시겠습니다 . • • 다른 길로 갑시다 .

❻그 길은 복잡하겠 • • 잠깐만 기다려 주
습니다 . 십시오 .

❷제가 한 잔 살 테니까 퇴근 후에 만납시다 . ❸수업이 끝나는 대로 갈 테니까 잠깐만 기다려 주십시오 . ❹그 분은 매운 음식을 잘 못 드실 테니까 불고기를 만드는 게 어때요 ? ❺배가 고프실 테니까 먼저 드세요 . ❻그 길은 복잡할 테니까 다른 길로 갑시다 .

6. ❸김밥을 만들 테니까 지선 씨는 음료수를 사 오세요 . ❹김밥을 만들기 힘들 테니까 제가 만들어 가지고 올게요 . ❺장소를 알아볼 테니까 친구들에게 연락하세요 . ❻시간이 많이 걸릴 테니까 내가 장소를 알아볼게요 . ❼쓰레기를 버릴 테니까 너는 청소기를 돌려 . ❽냄새가 날 테니까 내가 쓰레기를 버릴게 .

10과 5항

1. ❷상자 ❸깔끔한 ❹보증금 ❺재활용 ❻전세 ❼엄살 부리지 ❽참을 ❾얼룩 ❿시설

2.

정	빨	설	거	지	청	계	동
리	장	돌	부	래	소	개	비
하	리	옷	걸	이	기	약	산
다	아	말	옮	사	다	리	차
재	싸	리	림	비	화	분	터
돌	보	다	질	용	탁	표	드

❷청소기 ❸돌보다 ❹소개비 ❺사다리차 ❻이사 비용 ❼정리하다 ❽설거지 ❾말리다 ❿화분

3. ❷보면 볼수록 재미있어요 . ❸한국사람 ❹저는 민수 씨가 계속 회사에 다니는 ❺주말에는 사람이 많을 ❻음악을 들으면서 커피를 마실 ❼선생님 ❽깨졌어요 ❾일이 끝나는 대로 갈 ❿안 오실

4. 2) ❷ → 살이 많이 빠졌다 3) ❸ → 좋아하는 줄 알았다 4) ❷ → 날씨 때문에

5. 1) ❸ 2) ❶방 수 ❷가격 3) ❶○ ❷× ❸○

6. 1) ❷
2)

	나	친구
빨래	(1) 수요일	(2) 토요일
요리	(3) 화요일 , 목요일 , 일요일	(4) 월요일 , 수요일 , 금요일
설거지	(5) 화요일 , 목요일 , 일요일	(6) 월요일 , 수요일 , 금요일

3) ❶× ❷× ❸○

7. 생략 8. 생략

복습문제 (6과 ~10과)

Ⅰ. 1. 벌써 2. 선약 3. 깜빡 4. 웬일이에요 5. 처럼 6. 성함 7. 푹 8. 장면 9. 의 10. 덕분에 11. 이틀 12. 만큼 13. 전망 14. 점점 15. 볼거리

Ⅱ. 1. ❷ 2. ❸ 3. ❶ 4. ❹ 5. ❷

Ⅲ. 1. ❸ 2. ❸ 3. ❶ 4. ❹ 5. ❷

Ⅳ. 1. 사다리차 , 소개비 , 포장 • • 여행
2. 배낭 , 신혼 , 수학 • • 휴대전화
3. 입국 , 출국 , 여권 • • 이사
4. 우물정자 , 진동 , 요금 • • 병원
5. 수술 , 입원 , 보험 • • 공항

Ⅴ. 1. 연습을 많이 하면 할수록 발음이 좋아집니다 . 2. 샤워를 하면서 노래를 부릅니다 . 3. 친구가 설거지를 하는 동안 저는 과일과 차를 준비해요 . 4. 올 때까지 기다릴 테니까 천천히 오세요 . 5. 여러 번 메일을 보냈습니다만 답장이 오지 않습니다 . 6. 밥이 없으면 라면을 끓여 먹거나 자장면을 시켜 먹습니다 . 7. 지선 씨가 몸이 안 좋아서 그런지 하루 종

...메시지를 확인하는 대로 저한테 전화해 주세요 . 9. 늦게까지 공부하지 말고 일찍 자라 . 10. 눈이 나쁜 데다가 뒷자리여서 잘 안 보여요 .

VI. 1. 한국말을 잘 해졌습니다 . ( )
한국말을 잘 하게 되었습니다 . (○)

2. 추운데 창문이 열려 있어서 닫았어요 . (○)
추운데 창문이 열고 있어서 닫았어요 . ( )

3. 돈을 벌기 때문에 아르바이트를 합니다 . ( )
돈을 벌기 위해서 아르바이트를 합니다 . (○)

4. 어제 가던 그 식당에 가자 . ( )
어제 갔던 그 식당에 가자 . (○)

5. 3 년 만에 고향에 갔습니다 . (○)
3 년 동안 고향에 갔습니다 . ( )

VII. 1. 안 자는데요 . 2. 그러니까 3. 많더군요 4. 온 데다가 5. 나았어요 6. 아픈가 봐요 . 7. 올랐는지 8. 빠졌어요 9. 자리에 10. 하지 말고

VIII. ❶여기가 2 급 교실이라고 합니다 . ❷내일부터 연휴라고 합니다 . ❸이건 한국음식이 아니라고 합니다 . ❹지하철을 타는 게 더 빠르다고 합니다 . ❺이 식당은 비빔냉면이 맛있다고 합니다 . ❻로라 씨는 채소를 많이 먹는다고 합니다 . ❼작년에도 날씨가 아주 더웠다고 합니다 . ❽민수 씨가 청소를 도와주겠다고 합니다 . ❾가방을 여기 놓으라고 합니다 . ❿약속 시간에 늦지 말라고 합니다 . ⓫동전 좀 빌려 달라고 합니다 . ⓬아이에게 책을 읽어 주라고 합니다 . ⓭요즘 어떻게 지내냐고 합니다 . ⓮어제 왜 모임에 안 왔냐고 합니다 . ⓯늦었으니까 택시를 타고 가자고 합니다 .

IX. 1. 민수 씨가 선배인 줄 알았어요 . 2. 많이 먹었는지 몰라요 . 3. 잘 볼 수 있을 테니까 걱정하지 말고 푹 자 . 4. 한국의 명절에 대해서 이야기 해 주셨어요 . 5. 몇 명이나 올지 모르겠습니다 . 6. 가격에 비해서 괜찮은 것 같아요 . 7. 내일까지 내지 않으면 안 됩니다 . 8. 글쎄요 . 벌써 수업이 끝났나 봐요 . 9. 지난번에 만났던 커피숍에서 만나요 . 10. 아무 때나 괜찮아 . 11. 시험에 대해서 얘기하고 있더군요 . 12. 학교가 가까워서 그런지 다른 곳보다 좀 비싸요 . 13. 수업 끝나고 같이 점심 먹을래요 ? 14. 시험 준비를 빨리 시작해야겠어요 . 15. 유명한 가수의 사인을 받기 위해서 줄을 서 있다고 합니다 .

십자말 풀이 2

❶강	아	②지		❻진	⑦통	제		
		❸나	다		화			⑩매
❹예	⑤약	하	다	❽연	⑨체	료		표
국				락			⓫청	소
		⓬시	⑬설	처		⑯동		
			거			⓱해	⑱변	
⑭유		지		㉒시			⓳비	⑳다
효			㉑휴	대	㉓전	화		림
⓯어	기	다			망			질
간